Даниэла Стил

Удар молнии

ИЗДАТЕЛЬСТВО

Москва

1999

УДК 820(73)
ББК 84(7США)
С 80

Danielle Steel
LIGHTNING
1995

Перевод с английского

Серийное оформление А.А. Кудрявцева

Стил Д.

С80 Удар молнии: Роман/Пер. с англ. – М.: ООО "Фирма "Издательство АСТ", 1999.— 480 с.

ISBN 5-237-01051-2.

Судьба не любит тех, у кого есть все. Эту горькую истину в полной мере познала Александра Паркер, еще вчера – преуспевающий юрист, любящая и любимая жена, счастливая мать, а сегодня – жертва страшной болезни. Казалось бы, случилось худшее, но нет, роковой диагноз – лишь первый из ударов, обрушившихся на Александру. И теперь, как никогда, нужны ей любовь и поддержка мужа...

УДК 820(73)
ББК 84(7США)

ISBN 5-237-01051-2

Попейе,
моему первому,
второму и единственному шансу.
Пусть жизнь лишь улыбается тебе
и одаривает тебя.
Сердечно и со всей любовью,
навсегда твоя,
Олив

Глава 1

Зал суда был наполнен гулом голосов. Александра Паркер, с наслаждением вытянув длинные ноги под огромным столом красного дерева, быстро нацарапала несколько слов на желтом листке из записной книжки и через стол бросила мимолетный взгляд на одного из своих соратников. Мэттью Биллингс был старше Алекс лет на двенадцать — ему уже шел шестой десяток, — и он был одним из самых уважаемых партнеров фирмы. Он редко просил кого бы то ни было о помощи, но Алекс то и дело присутствовала на даче свидетельских показаний по его просьбе. Мэттью любил присваивать себе ее идеи, восхищался ее стилем и тем, как она ловко подмечала, где противник дал роковую для него слабину. Стоило ей найти уязвимое место, как логика ее становилась безжалостной и непогрешимой. Казалось, у нее было инстинктивное чувство того, где именно оппонент должен оступиться.

Сейчас Алекс улыбнулась ему, и Мэттью с удовольствием вернул ей улыбку. Она услышала именно то, что им было нужно, — ответ, отличавшийся от того, который был дан раньше. Очень слабая зацепка. Алекс передала ему свою желтую записку, и он кивнул, озабоченно нахмурившись.

Это было исключительно трудное дело, процесс по которому длился уже несколько лет. Оно дважды слушалось в Верховном суде Нью-Йорка и касалось небрежного отношения к хранению высокотоксичных химикатов в одной из крупнейших корпораций страны. На предыдущих слушаниях Алекс присутствовала вместо Мэтта. И она была почти рада тому, что именно этот случай никак не касался ее лично. Это был коллективный иск более чем двухсот семей из Поукипси на сумму в несколько миллионов долларов. Несколько лет назад дело было передано на рассмотрение «Бартлетт и Паскин» — как раз после того, как Алекс стала партнером в этой фирме.

Она любила более серьезные и небольшие дела. Две сотни истцов — это не для нее, пусть хоть две дюжины адвокатов под руководством Мэттью работают над иском. Александра Паркер тоже была судебным адвокатом и вела самые интересные и трудные процессы. Если предстояла тяжелая и грязная битва, если нужен был юрист, который до мельчайших тонкостей знает законы и готов провести миллионы часов за кропотливым расследованием, выбор руководства фирмы падал именно на нее. Разумеется, сотрудники и подчиненные всегда могли помочь Алекс, но ей всегда хотелось сделать большую часть работы самой; кроме того, у нее были прекрасные взаимоотношения с большинством ее клиентов.

Ее коньком были трудовое законодательство и дела о клевете. И Алекс выиграла массу процессов в этих областях, хотя, конечно же, некоторые дела ей навязывало начальство. Алекс Паркер была бойцом, юристом из юристов, человеком, знавшим дело и не боящимся тяжелого труда. И потом, она любила свою работу.

Наступил перерыв, и Мэттью, обойдя стол, принялся с жаром обсуждать с ней дело, в то время как нанятый химической компанией адвокат вместе со своими помощниками выходил из зала.

— Ну что ты думаешь? — с интересом глядя Алекс в глаза, спросил Мэтт. Он всегда внимательно прислушивался к ее словам. Алекс обладала острым умом и всеми навыками превосходного адвоката. Кроме того, это была одна из самых красивых женщин, которых только знал Мэтт, и ему просто нравилось находиться рядом с ней. Она была надежным, опытным и знающим человеком, наделенным, кроме всего прочего, великолепной интуицией.

— По-моему, Мэтт, ты получил то, что хотел. Когда он сказал, что никто не знал о том, какие побочные токсические эффекты могут дать их материалы, он явно врал. Они впервые сказали об этом прямо. Мы же располагаем правительственным заключением полугодовой давности.

— Знаю, — засиял он. — Как он, однако, — прямым ходом в ловушку!

— Ага. Мне кажется, я тебе здесь больше не нужна. Ты выиграл. — Алекс убрала свой блокнот в чемоданчик-атташе и взглянула на часы. Была половина двенадцатого. Еще через полчаса будет перерыв на ленч. Но если она уйдет сейчас, она больше успеет.

— Спасибо, что пришла. С тобой всегда очень приятно пообщаться. Ты выглядишь как сама невинность, и при этом так легко с ними со всеми расправляешься. Пока наш противник пялится на твои ноги, я набрасываю на него сеть, и он готов.

Ее собеседник любил подтрунивать над ней, и она это знала. Мэттью Биллингс был высоким и красивым седоволосым мужчиной. У него была жена-француженка, которая в свое время работала моделью в Париже. Мэтт всегда был не прочь приударить за хорошенькой женщиной, однако при этом уважал в представительницах слабого пола ум и талант.

— Благодарю за комплимент, — ответила Алекс, посмотрев на него с грустной улыбкой. Собранные в тугой узел рыжие волосы, почти незаметный макияж, резкий контраст между строгим черным костюмом и яркими естественными цветами ее рыжих волос и зеленых глаз — она была просто ослепительна. — Я и пошла на юридический только ради того, чтобы стать приманкой для противников.

— Если это действует, пользуйся этим, вот что я тебе скажу, — засмеялся Мэтт.

Один из адвокатов ответчика вернулся в зал, и собеседники стали разговаривать тихо.

— Ничего, если я уйду? — вежливо спросила она. Ведь он в конце концов был одним из главных партнеров. — В час ко мне придет новый клиент, и еще у меня не меньше десятка дел, которыми мне надо заняться.

— Знаешь, что мне в тебе не нравится? — притворно нахмурился он. — Ты недостаточно усердно работаешь. Я всегда это говорил. Обыкновенная лень, ничего больше. Ну давай, иди трудись. Здесь ты свою миссию выполнила. — При этих словах в глазах его сверкнули искорки. — Спасибо, Алекс.

— Я попрошу напечатать мои записи и пришлю к тебе в кабинет, — серьезно произнесла она перед тем, как уйти. Мэтт знал, что ее аккуратные и компетентные заметки будут лежать на его рабочем столе еще до того, как он сегодня вернется в свой кабинет. Алекс Паркер была потрясающим юристом. Трудоспособная, интеллигентная, талантливая, немного — ровно столько, сколько нужно, — хитрая и в довершение всего красивая; она, казалось, особо не задумывалась над тем, как она выглядит, и не замечала, что на нее оборачивается каждый второй мужчина. Большинству ее знакомых нравилось в ней именно то, что она производит впечатление совершенно не заботящегося о производимом ею впечатлении человека.

Она тихо вышла из комнаты, махнув ему рукой на прощание. В комнату возвращались участники дела, и один из адвокатов восхищенно взглянул на ее удаляющуюся фигуру. Не заметив этого взгляда, Алекс Паркер быстро пересекла холл и, пройдя через несколько коридоров, оказалась в своем кабинете.

Это была большая комната, обставленная мебелью в мягких серых тонах. На стенах висели две красивые картины и несколько фотографий. Интерьер завершали большой цветок в горшке, мебель из мягкой серой кожи, великолепный вид на Парк-авеню с двадцать девятого этажа небоскреба, где располагались офисы «Бартлетт и Паскин». Компания занимала восемь этажей, и в штате было около двухсот адвокатов. Раньше, сразу после окончания юридического колледжа, она работала в более крупной фирме на Уолл-стрит, но здесь ей нравилось больше. У ее первой фирмы была антимонопольная направленность, чего она никогда не любила. Это была слишком сухая специфика, научившая ее, однако, обращать внимание на детали и быть крайне тщательной в своих изысканиях.

Усевшись за стол, Алекс просмотрела несколько записок — две от клиентов и четыре от других адвокатов. Три дела были уже готовы к слушанию, и еще над шестью она в данный момент работала. Кроме того, ей только что поручили еще два крупных процесса. Впрочем, Алекс это не пугало — она привыкла быть загруженной по уши. Она любила высокий темп и напряжение. Именно это в течение долгого времени не позволяло ей заводить детей — она просто не была уверена, что сможет втиснуть ребенка в бешеный ритм своей жизни и любить его так, как она любила свою юридическую деятельность. Обожая выбранное ею поприще и всякий раз предвкушая предстоящую схватку в зале суда, она в основном выступала как адвокат, любила трудные дела и всегда старалась защищать людей от пустячных тяжб. Что бы она ни делала на работе, ей все нравилось. И это, разумеется, съедало большую часть ее жизни. На все остальное времени просто не хватало — за исключением Сэма, ее замечательного мужа. Он, впрочем, работал с такой же отдачей, как и она, — только не в юриспруденции, а в инвестиционной компании. Сотрудник одной из самых молодых нью-йоркских фирм, этот склонный к риску бизнесмен пришел в нее в самом начале ее деятельности, когда перед ним открывались самые блестящие возможности. С того момента ему несколько раз везло, но бывало и так, что он терял деньги. Вдвоем они неплохо зарабатывали. Но не это было главное — у Сэма Паркера была очень солидная репутация. Он знал свое дело, всегда был не прочь рискнуть, и вот уже в течение двадцати лет все, к чему бы он ни прикасался, превращалось в деньги. В весьма и весьма большие деньги. Про него говорили, что клиенты, обладавшие начальным капиталом, с помощью Сэма могут легко разбогатеть. Опыт научил его многому. При всей своей любви к играм с фортуной Сэм редко терял деньги своих клиентов. В течение последних десяти лет он увлекся компьютерным бизнесом, сделал огромные вложения в Японии, успешно сотрудничал с немцами и держал вклады своих клиентов в лучших банках. На Уолл-стрит не было человека, который бы не согласился с тем, что Сэм Паркер знает, что делает.

И Алекс тоже прекрасно знала, что делает, когда выходила замуж за Сэма. Она встретила его сразу же после окончания колледжа, на вечеринке в ее первой фирме. Дело было на Рождество. Сэм прибыл на празднество в сопровождении трех приятелей, высокий и красивый, в темно-синем костюме, с проблесками ранней седины в черных волосах, с раскрасневшимся и свежим от мороза лицом. Из него словно выплескивалась жизненная энергия, и когда он остановился и посмотрел на Алекс, она почувствовала, что у нее подгибаются ноги. Ей было двадцать пять, ему — тридцать два, и он был одним из тех немногих знакомых ей мужчин, которые еще не были связаны узами брака.

Сэм пытался заговорить с ней в этот вечер, но за ней хвостом ходил какой-то ее сотрудник, да и Сэма позвали его друзья, чтобы он поговорил с кем-то, кого они знали. В следующий раз их пути пересеклись только через пол-года. Фирма Сэма консультировала ее компанию по сделке, которую они совместно заключали в Калифорнии, и она отправилась туда в деловую поездку в сопровождении двух коллег. Там Алекс в него и влюбилась — Сэм ка-зался ей таким ловким, таким умным и таким уверенным. Трудно было представить себе, что этот необыкновенный мужчина может чего-то бояться. Он смеялся заразитель-ным смехом и с легкостью балансировал на туго натяну-той веревке опасных решений. Казалось, он вообще чужд страха перед любым риском, просчитывая, однако, все подстерегавшие его опасности. На этот раз Сэм собирал-ся поставить на карту не просто деньги своих клиентов, но всю сделку. Он хотел, чтобы все было сделано так, как он сказал, или не было сделано вовсе. Сначала Алекс решила, что перед нею полный идиот, но по прошествии нескольких недель она начала понимать его логику и пос-тепенно прониклась к нему редким уважением. Сэм был наделен цельностью, мощным интеллектом и — что в наши дни встречается особенно редко — бесстрашием. Первое ее впечатление о нем оказалось правильным — он ничего не боялся.

Сэм тоже был заинтригован привлекательной юрист-кой. Его поразила способность Алекс к вдумчивому и детальному анализу и умение понять ситуацию до самых корней. Она видела вещи во всей полноте и могла блестя-ще обосновать свое мнение о всех рискованных моментах и преимуществах. Вдвоем они разработали внушительный пакет предложений для клиентов. Сделка была соверше-на, компания начала продуктивную работу и через пять лет была продана за астрономическую сумму. К моменту встречи Алекс с Сэмом у него была репутация молодого гения. Но и Алекс тоже постепенно завоевывала авторитет, хотя и медленнее Сэма.

Дело, избранное Сэмом, позволяло ему блистать и поражать, что ему откровенно нравилось. Он любил жизнь высшего света и общение со своими высокопоставленными клиентами. Пригласив Алекс на первое свидание, он одолжил у одного из богатых приятелей частный самолет и отправился с ней в Лос-Анджелес на чемпионат по бейсболу. Они остановились в «Бел-Эйр», жили в отдельных номерах и ходили обедать в «Чейзен» и «Л'Оранжери».

— Ты за каждой женщиной так ухаживаешь? — спрашивала пораженная всеми этими впечатляющими знаками внимания Алекс. Она относилась к Сэму почти с благоговением. Во время учебы в Йеле у нее был довольно серьезный роман с ее сокурсником, а когда она вовсю штудировала юриспруденцию в колледже, ей случалось время от времени ходить на ничего не значащие свидания. С ее ровесником из Йеля она рассталась перед последним курсом, и он через некоторое время женился. Времени на романы у Алекс не было. Ей хотелось много работать и сделать карьеру, став лучшим юристом в фирме. Дикая и страстная натура Сэма не слишком хорошо вписывалась в ее жизненную программу. Алекс прекрасно могла представить себя женой кого-нибудь из ее сотрудников, окончивших, как и она, Йельский юридический колледж или Гарвард, — одного из тех здравомыслящих спокойных ребят, которые всю жизнь работали в адвокатских конторах Уолл-стрит. А Сэм Паркер был чем-то вроде ковбоя с Дикого Запада. Но он был очень красив, прекрасно к ней относился, и вообще с ним было весело. Алекс было трудно убедить себя в том, что этот человек — не совсем то, что она хочет. Кто бы, интересно, не захотел Сэма, остроумного, яркого, обладающего потрясающим чувством юмора Сэма? Она была бы последней дурой, если бы не постаралась его удержать.

Перед тем как покинуть Лос-Анджелес, они съездили в Малибу. Прогулки по пляжу, рассказы о родителях, о жизни, о будущем... Прошлое Сэма было безумно интересным и сильно отличалось от того, что пережила Алекс. Невзначай, но очень напряженным голосом он обронил, что его мать умерла, когда ему было четырнадцать, и отец тут же отослал его в интернат — просто потому, что не знал, что с ним делать. Сэм ненавидел это заведение, не находил никакого контакта с другими детьми и страшно скучал по родителям. За время его учебы отец совсем спился и промотал остатки денег. Он умер, когда Сэм заканчивал школу; Сэм, впрочем, не сразу сказал Алекс, что послужило причиной смерти. На небольшое наследство, которое оставили ему бабушка с дедушкой, Сэм поступил в колледж. От родительского состояния к тому времени ничего не осталось. Затем он прекрасно учился в Гарварде; опять-таки он ничего не рассказал Алекс о том, каким одиноким он там себя чувствовал. Наоборот, он говорил, что это время в его жизни было просто великолепным, но Алекс смутно догадывалась, как страшно остаться одному всего в семнадцать лет. Похоже, однако, что это на нем никак не отразилось.

Окончив университет, он поступил в Гарвардский бизнес-колледж, где и был раз и навсегда очарован инвестиционными тонкостями. Найдя работу прямо в день выпуска, он в течение восьми последующих лет разбогател сам и помог разбогатеть нескольким клиентам.

— А сам-то ты как? — тихо спросила Алекс, глядя ему прямо в глаза. Они медленно брели по песчаному берегу, любуясь ленивым закатом. — В жизни существуют не только инвестиции и Уолл-стрит.

Ей хотелось узнать о нем побольше. Это был самый яркий уик-энд в ее жизни, хотя она даже с ним не переспала. И она без устали расспрашивала Сэма Паркера о его жизни, потому что знала, что по возвращении из Калифорнии они оба снова погрузятся в бешеную повседневную суету.

— Что может быть в жизни, кроме Уолл-стрит? — засмеялся он, обнимая ее за плечи. — Я ничего об этом не слышал. Может быть, ты мне скажешь, Алекс?

С этими словами Сэм остановился и внимательно посмотрел на нее. Алекс очень нравилась ему, но он явно боялся это показать. Длинные рыжие волосы его спутницы развевал ветер; бездонные зеленые глаза встретились с его глазами, заставив его почувствовать смущение, которого он никогда ранее не испытывал. В какой-то степени это его пугало.

— А люди? А женщины? — спрашивала Алекс. Она знала, что он никогда не был женат, но больше ей ничего не было известно. Глядя на него и оценивая его стиль жизни, она про себя пришла к выводу, что у него были сотни подружек.

— На это у меня не хватает времени, — с притворной серьезностью сказал он, прижав ее к себе покрепче. Постояв на месте, они продолжили прогулку. — Я слишком занятой человек.

— И слишком много о себе воображающий? — со значением спросила она, боясь, что он может оказаться чересчур самонадеянным. Безусловно, у него были к этому все основания, но если он и любовался собой, увидеть это со стороны было трудно.

— Кто тебе сказал? Ничего я о себе не воображаю, я просто стараюсь хорошо проводить время.

— Всем известно, кто ты такой, — со знанием дела сказала Алекс, — даже здесь. Лос-Анджелес, Нью-Йорк... Токио... Что еще? Париж? Лондон? Рим? Ничего себе размах.

— Это не совсем так. Просто я много работаю, вот и все. Как и ты. И ничего больше, — откликнулся Сэм с улыбкой, пожимая плечами. Однако оба они знали, что у него было гораздо больше достижений, чем он хотел признать.

— Однако я не летаю в Калифорнию на самолетах моих клиентов, Сэм. Люди, с которыми я работаю, приезжают ко мне на такси. Если им везет в жизни. Остальные пользуются подземкой.

Алекс усмехнулась, и Сэм тоже засмеялся в ответ:

— Ладно, тогда мои, значит, счастливее. И я, наверное, тоже. Может быть, мне не вечно будет везти. Как моему отцу.

— Ты что, боишься, что и с тобой случится то же самое? И ты все потеряешь?

— Может быть. Но он-то был идиотом... прекраснодушным человеком, но идиотом. Я думаю, что его сломила смерть матери. Он просто все забросил. Тогда-то он и потерял свою хватку и вел себя так, как будто это он болеет. Отец так любил маму, что просто не смог перенести ее уход. Это его убило.

Уже давно Сэм решил, что не допустит, чтобы с ним произошло нечто подобное. Он никогда никого не полюбит настолько, чтобы его жизнь так зависела от жизни и смерти любимого человека.

— Боже мой, сколько тебе пришлось пережить, — с сочувствием сказала Алекс. — Ведь ты был совсем мальчиком.

— Оставшись один, взрослеешь быстро, — сказал он, печально улыбнувшись, — или же вообще не взрослеешь. Друзья говорят мне, что я до сих пор ребенок. Мне это в общем-то нравится. Это удерживает меня от того, чтобы становиться слишком серьезным. Это вредно, да и никакого удовольствия от этого не получаешь.

Алекс была не согласна с ним — она серьезно относилась и к своей работе, и к своей жизни. Она тоже потеряла родителей, хотя и менее драматическим образом, чем Сэм. Но ей это помогло внутренне собраться, почувствовать ответственность за свою жизнь. Алекс действительно быстро повзрослела, стала с большим вниманием относиться и к карьере, и к работе — как будто она жила для того, чтобы оправдать ожидания своих родителей, даже после того, как они умерли. Ее отец тоже работал адвокатом и был совершенно счастлив, когда дочь поступила в юридический колледж. Теперь Алекс хотела выжать из себя максимум того, на что она была способна как юрист, ради него, хотя он уже не мог этого увидеть.

И Алекс, и Сэм были единственными детьми в своих семьях; оба были озабочены карьерой, оба имели множество друзей, в какой-то степени заменявших им родных. Алекс, правда, часто общалась с друзьями своих родителей и уже переженившимися приятелями из колледжа. Друзьями Сэма были главным образом холостяки, сотрудники, клиенты или женщины, с которыми он когда-то встречался.

Когда они шли по песчаному берегу в Малибу, Сэм впервые поцеловал Алекс, а на обратном пути в Нью-Йорк большую часть времени проспал у нее на плече. Алекс задумчиво смотрела на этого казавшегося долговязым мальчишкой мужчину, размышляя о том, как сильно он ей нравится. Слишком сильно. Интересно, позвонит он ей еще раз или нет? Может быть, для него это начало серьезного романа? Откровенно разговаривать с Сэмом было трудно; кроме того, он признался, что у него была интрижка с молоденькой актрисой с Бродвея.

— А почему ты не взял ее в Лос-Анджелес? — честно, хотя и смутившись, спросила Алекс. Она никогда не боялась задавать откровенные вопросы — это было частью ее образа, который она себе так долго создавала.

— Она не смогла поехать, — так же честно ответил
он, — и кроме того, я подумал, что мне будет интересно
узнать тебя поближе.

Сэм поколебался немного, а затем повернулся к своей
спутнице с такой обезоруживающей улыбкой, что ее сердце вопреки желанию забилось сильнее обычного.

— По правде говоря, — продолжал он, — я ее даже
не приглашал. Я знал, что в выходные у нее репетиция, и
потом, она терпеть не может бейсбол. Мне очень хотелось поехать именно с тобой.

— Почему? — спросила Алекс, совершенно не осознавая, насколько она была красива, задавая этот вопрос.

— Ты самая умная девушка, которую я когда-либо
встречал... С тобой есть о чем поговорить. Ты яркая,
интересная и, прямо скажем, довольно красивая.

Довезя Алекс до дверей ее дома, Сэм поцеловал ее на
прощание, но никакого обещания в этом поцелуе не было —
он был быстрый и как бы случайный. Через секунду такси
уже скрылось из виду, и, поднимаясь в свою квартиру, Алекс
почувствовала себя странно одинокой. Она прекрасно провела время, но он-то сейчас явно заторопился к своей актрисе — не стоило большого труда это вычислить. Да, все
было просто замечательно, но Алекс понимала, что это ничего не значит. Всего лишь еще один приятный уик-энд в
жизни Сэма Паркера. В жизни, в которой Алекс Эндрюс
места явно не хватит.

Однако на следующий день на работе ее ждала дюжина
роз, а последовавшие днем звонок и приглашение на ужин
окончательно развеяли все ее сомнения. Они страстно влюбились друг в друга, и в ближайшие четыре месяца Алекс с
трудом удавалось сосредоточиться на своей работе.

В День святого Валентина Сэм сделал ей предложение.
Ей в этот момент было двадцать шесть, Сэму — тридцать
три. Они поженились в июне; на венчании в маленькой церкви

в Саутгемптоне присутствовало человек двадцать пять ближайших друзей. Родителей не было ни у жениха, ни у невесты, но друзья смогли создать столь необходимую для этого торжественного дня атмосферу тепла и праздника. На медовый месяц они поехали в Европу, где останавливались в гостиницах, о которых Алекс приходилось только читать в газетах. Они побывали в Париже и Монако и провели романтический уик-энд в Сен-Тропе. Один из клиентов Сэма встречался с местной кинозвездой; все вместе они как следует повеселились, устроили вечеринку на яхте и наутро уплыли в Италию.

Молодожены посетили Сан-Ремо, Тоскану, Венецию, Флоренцию, Рим, затем полетели в Афины к одному из клиентов Сэма, а потом — в Лондон, где остановились в «Аннабел» и побывали во всех популярных ресторанах и ночных клубах. Они покупали антиквариат, украшения у Гаррара, а в «Челси» Сэм накупил молодой жене множество смешных нарядов, хотя Алекс говорила, что понятия не имеет, где она будет их носить, — по крайней мере не на работе. Короче говоря, это был идеальный медовый месяц, и, когда по возвращении в Нью-Йорк Алекс переехала к нему, двух более счастливых людей на свете не было. Она, впрочем, жила у него и раньше, но не отказывалась от своей квартиры до самой свадьбы.

Ради него Алекс научилась готовить. Сэм покупал ей дорогие костюмы, а в день ее тридцатилетия подарил изысканно простое бриллиантовое ожерелье. Он мог позволить себе удовлетворить любую ее прихоть, но ей хотелось совсем немногого. Ей нравились ее жизнь с Сэмом, их любовь и дружба, их взаимное уважение и страстное отношение к работе. Однажды Сэм спросил ее, не хочет ли она оставить работу хотя бы на время, чтобы родить детей, но Алекс посмотрела на него так, как будто он сошел с ума.

— Но ведь можно родить и продолжать работать, — настаивал он. К этому моменту они были женаты уже шесть лет. Сэму было тридцать девять, и он уже не раз думал о том, что хочет ребенка. Разумеется, это разрушит их жизненный уклад, но все равно, размышлял он, это будет лучше, чем вообще не иметь детей. Алекс, однако, ответила ему, что еще не готова к этому.

— Я просто не могу себе представить жизнь с существом, полностью зависимым от меня, — я имею в виду все время. Если я буду работать так же, как работаю сейчас, я буду чувствовать себя виноватой перед ребенком. Я совсем не буду видеть своих детей и не смогу их как следует воспитать.

— А ты можешь постепенно сокращать время и темп работы? — спросил он, зная, впрочем, что на это она не способна. Знала это и Алекс.

— Честно? Нет. Не думаю, что можно быть юристом с частичной занятостью.

Некоторые из ее коллег делали попытку так работать и чуть не сходили с ума. В конце концов они либо возвращались к полноценной работе, либо вообще отказывались от нее. Ей не хотелось ни того, ни другого.

— То есть ты хочешь сказать, что вообще никогда не родишь ребенка?

Она впервые задумалась над этим так серьезно и не смогла ответить ни «да», ни «нет». В конце концов они пришли к компромиссному решению: «Может быть, позже, но не сейчас».

Вопрос о детях встал перед ними снова, когда ей было тридцать пять. К этому моменту все их знакомые уже обзавелись детьми. За девять лет семейной жизни у Паркеров уже сложился устоявшийся образ жизни. Алекс работала в «Бартлетт и Паскин», а Сэм превратился в нечто вроде ходячей легенды. При любой возможности они отправлялись в отпуск во Францию, а на уик-энды летали в Калифорнию. У Сэма бывали деловые поездки в Токио и арабские страны. Алекс считала его жизнь крайне интересной, но ее собственная карьера тоже ее вполне удовлетворяла. И ни в его, ни в ее жизни по-прежнему не было места ребенку.

— Ты знаешь, я иногда чувствую себя такой виноватой из-за этого... как будто я какая-то ненормальная... Я не знаю, как это объяснить, но это просто не для меня. По крайней мере сейчас, — призналась ему Алекс както раз, и они отложили эту тему еще на три года, пока ей не исполнилось тридцать восемь, а ему — сорок пять. У нее появились первые признаки климакса, хотя и ненадолго, и на этот раз сама Алекс заговорила об этом с мужем. Одна из ее сотрудниц недавно родила, и ее ребенок очень понравился Алекс; кроме того, эта женщина прекрасно справлялась и с воспитанием младенца, и с работой. Все это заставило Алекс всерьез задуматься о том, чтобы самой стать матерью.

Но на этот раз воспротивился Сэм. Теперь уже он не мог представить себя отцом. Их жизнь была слишком устоявшейся, слишком расписанной по минутам и слишком легкой для того, чтобы усложнять ее детьми. Он считал, что менять что-либо после двенадцати лет супружества поздно. Дети уже не могли ничего улучшить; кроме того, теперь он хотел свою жену только для себя. Сэма вполне устраивало нынешнее положение вещей, и когда он сказал об этом Алекс, та удивилась легкости, с которой она снова отбросила эту идею. Обоим было совершенно ясно, что они просто не предназначены для того, чтобы быть родителями. Сразу же после того, как проблема была исчерпана, на Алекс свалился невероятно трудоемкий судебный процесс, и на следующие четыре месяца она и думать забыла о детях.

А через четыре месяца, когда они вернулись из путешествия в Индию, где Алекс никогда раньше не бывала, ей показалось, что она подхватила какую-то очень серьезную болезнь. Не на шутку перепугавшись — она едва ли не впервые в жизни чувствовала себя так паршиво, — Алекс отправилась к врачу. Однако резюме доктора напугало ее еще больше. Вечером, охваченная мрачным отчаянием, Алекс сообщила новость мужу. Она была беременна. После того последнего разговора на эту тему они оба решили навсегда расстаться с мыслями о потомстве. И теперь супруги смотрели друг на друга, как две жертвы землетрясения 1929 года.

— Ты уверена?

— Абсолютно, — жалким голосом ответила Алекс. Это была ее первая беременность. И теперь она наконец поняла то, чего раньше никогда полностью не осознавала, — ей совершенно не хотелось иметь детей.

— А может быть, это холера, малярия или что-нибудь в этом роде? — с надеждой спросил Сэм. Даже почти смертельная болезнь была бы для них обоих предпочтительнее, чем ожидание ребенка.

— Врач сказал, что у меня шесть недель беременности. — Задержка началась еще в поездке, но Алекс решила, что это следствие жары, прививки от малярии или просто тягот путешествия. И она никогда не выглядела более жалкой и несчастной, чем сейчас, когда она затравленно глядела на мужа.

— Я слишком стара для этого, Сэм. Я не хочу проходить через все это. Больше того — я просто не могу.

Сэма несколько удивили ее слова, однако он почувствовал некоторое облегчение, потому что тоже не хотел ребенка.

— Ты собираешься что-нибудь делать по этому поводу? — спросил он, пораженный ее непреклонностью. Ему казалось, что рано или поздно она захочет детей, и со временем он стал бояться этого.

— Я не думаю, что мы должны что-то делать. Получается какая-то гадкая ситуация. Понимаешь, мы же в принципе можем себе позволить завести ребенка... но у меня просто не хватит на это времени и... сил, конечно, — тщательно подбирала слова Алекс. — Когда мы обсуждали это в последний раз, я поняла, что дело именно в этом. Тогда мы исчерпали вопрос. Мы были так счастливы... а теперь — бац! — и мы ждем ребенка.

Сэм уныло усмехнулся:

— Какая злая шутка, правда? Когда мы в конце концов отказались от этой идеи, ты забеременела. Нет, в жизни все-таки много подводных камней. — Сэм употребил одно из самых любимых своих выражений, и на этот раз оно было вполне уместно. — Ладно, что мы будем делать?

— Я не знаю, — со слезами ответила Алекс. Ей не хотелось ни делать аборт, ни рожать. После двух недель мучительных размышлений они все-таки решили ничего не предпринимать и сохранить ребенка. Алекс считала, что с точки зрения морали они не имеют права выбирать, и Сэм согласился с нею. Они пытались относиться к грядущему пополнению семейства философски, но никакого энтузиазма у них не было. Алекс впадала в депрессию всякий раз, когда думала об этом, а Сэм, казалось, вообще забыл о ребенке. А когда они обсуждали эту тему, что случалось весьма и весьма редко, то со стороны могло показаться, что они говорят о какой-то временной болезни. Ни Алекс, ни Сэм не ждали рождения ребенка с нетерпением; им это представлялось событием, с которым им предстояло смириться, и они оба с ужасом думали о том, через что им придется пройти.

Через четыре недели Алекс вернулась с работы рано. Ее сильно тошнило, а живот просто разрывался на части от боли. Швейцар помог ей выйти из такси и внес в

подъезд ее кейс. «Вам плохо?» — обеспокоенно спрашивал он. Алекс заверила его в том, что чувствует себя
превосходно, хотя лицо ее было белым как бумага. Она
поднялась на лифте и еле дотащилась до дверей квартиры; к счастью, дома была домработница, потому что через полчаса Алекс залила кровью всю ванную и почти
потеряла сознание. Домработница сама привезла ее в больницу и позвонила Сэму на работу. К тому моменту, когда
он добрался до больницы, Алекс уже была на операцион-
ном столе. Они потеряли своего ребенка.

Оба они ждали, что почувствуют сильное облегчение.
Источник их мучений исчез сам собой. Но стоило Алекс
проснуться после наркоза в отдельной палате, как она
поняла, что пережить это будет не так-то легко. Обоих
охватили скорбь и ощущение вины, и все те чувства по
отношению к их нерожденному ребенку, которые она в
себе так старательно сдерживала, нахлынули на нее сейчас, когда было уже поздно — вся любовь, страх, стыд,
сожаление и тоска. Это был самый тяжелый момент в ее
жизни, заставивший Алекс открыть в себе нечто такое, о
чем она и не подозревала. Может быть, раньше этого
действительно не было, но сейчас она была вся переполнена новыми переживаниями. И теперь ей хотелось только одного — заполнить образовавшуюся после выкидыша
саднящую пустоту новым ребенком. Сэм чувствовал то
же самое. Вдвоем они оплакали неродившегося младенца,
и когда на следующей неделе Алекс вернулась на работу,
она еще не вполне отошла от потрясения.

Затем последовали праздничные дни. Супруги уехали
из Нью-Йорка, чтобы как следует все обсудить, и окончательно решили, что им нужен еще один ребенок. Они
не знали, что это — реакция на происшедшее или дей-
ствительное желание иметь детей, но одно они понимали

хорошо — в их жизни произошло важное изменение. Внезапно им обоим захотелось стать родителями.

Однако им хватило разума прийти к выводу, что нужно подождать несколько месяцев, чтобы выяснить, насколько глубоки их чувства. Но это оказалось невозможным. Через два месяца после своего тяжелого выкидыша Алекс с едва скрываемым ликованием сообщила Сэму, что она опять беременна.

На этот раз в отличие от первого они отпраздновали эту новость, не однажды, впрочем, сплюнув через левое плечо, — ведь Алекс могла потерять и этого ребенка. В конце концов она была тридцативосьмилетней нерожавшей женщиной. Однако у нее было отменное здоровье, и врач заверил ее в том, что на этот раз никаких проблем возникнуть не должно.

— Чудаки мы с тобой, вот что я тебе скажу, — задумчиво произнесла Алекс однажды вечером, лежа в постели и поедая печенье. Вся кровать была в крошках, но Алекс уверяла мужа, что ее желудок только это печенье и переносит. — Мы совершенно свихнулись. Четыре месяца назад мы были на грани отчаяния от перспективы родить ребенка, а теперь мы выбираем имя, и я читаю в журналах какие-то дурацкие советы о том, что подвесить над кроваткой. По-моему, у меня крыша поехала.

— Может быть, — нежно улыбнулся Сэм. — Ты знаешь, мне становится все тяжелее делить с тобой супружеское ложе. Я и не подозревал, что крошки от печенья могут значить так много. Как ты считаешь, ты всю беременность будешь есть только его или это пристрастие характерно только для первого триместра?

Алекс рассмеялась, и через секунду они уже катались по кровати в страстных объятиях. В последнее время они занимались любовью чаще, чем когда-либо. Ребенок стал постоянной темой их разговоров — как будто это было уже реальное существо, часть их жизни. Алекс сделала ультразвук, и как только выяснилось, что у нее родится девочка, они сразу же выбрали ей имя — Аннабел, в честь их любимого клуба в Лондоне. Алекс нравилось это имя, оно было связано с хорошими воспоминаниями. Эта беременность была совершенно не похожа на предыдущую. Казалось, в тот раз они выучили какой-то важный урок, преподанный им жизнью, и, будучи наказаны за равнодушное и враждебное отношение к тому ребенку, теперь с лихвой восполняли упущенное, испытывая самый необузданный восторг.

После Нового года коллеги устроили в честь Алекс вечеринку с подарками, и вскоре она неохотно оставила работу — всего за два дня до предполагаемой даты родов. Ей бы хотелось работать до самого начала схваток, но готовить процессы, которые она все равно не сможет закончить, не имело смысла. И она отправилась домой ожидать их маленького чуда, как они с Сэмом прозвали предстоящее событие. Алекс боялась, что ей наскучит сидение дома, однако, целиком погрузившись в хлопоты по устройству детской, она с удивлением обнаружила, что шитье распашонок и складывание пеленок в чистые стопки на пеленальном столе доставляют ей удовольствие. Женщина, чье присутствие в зале суда заставляло оппонентов дрожать от страха, преобразилась в мгновение ока. Алекс даже боялась, что материнство притупит ее адвокатские навыки, когда она вернется на работу. А вдруг она утратит строгость или способность сосредоточиться? Впрочем, сейчас она могла думать только о ребенке и с радостью воображала, как будет укачивать, пеленать и кормить свою дочь. Алекс пыталась представить себе, как она будет выглядеть, какие у нее будут волосы — рыжие, как у нее, или черные, как у Сэма, какие глаза — голубые или зеленые. Она ждала родов, как ждут встречи с давним другом после долгого отсутствия.

Они договорились с врачами из главной городской больницы. Алекс ратовала за то, чтобы все произошло естественным путем, собираясь смаковать каждое мгновение родов. Ей было тридцать девять, и она понимала, что вряд ли решится на второго ребенка, поэтому ей не хотелось ничего пропускать. Несмотря на то отвращение, которое Сэм испытывал к больницам, он посещал школу Ламаза* вместе с ней и собирался присутствовать при родах.

Через три дня после назначенного срока, когда они с Сэмом обедали в «Элейн», у Алекс отошли воды, и они быстро поехали в больницу, откуда их отправили домой, потому что сами роды еще не начались. Они делали все так, как им советовали инструкторы. Алекс попробовала немного поспать, потом стала ходить по квартире, Сэм тер ей спину, и все казалось им приятным и легким. Ничего трудного — такого, с чем она не могла бы справиться, — в этом не было. Потом они лежали в постели и говорили о том, как странно прийти к этому чуду спустя тринадцать лет после свадьбы. Сэм посмотрел на часы и попытался вычислить, когда же наконец появится ребенок. Вскоре они уснули, и когда Алекс разбудили схватки, она отправилась в ванную и приняла теплый душ, как ей было велено, чтобы понять, остановятся схватки или усилятся. Она стояла под душем около получаса, засекая интервалы между схватками, а потом — внезапно, без всякого предупреждения — началась тяжелая стадия родов. Алекс с огромным трудом вышла из ванной и еле добралась до постели, чтобы разбудить спавшего мертвецким сном Сэма. Она стала трясти его за плечо, заливаясь слезами от ужаса, пока он наконец не проснулся и не воззрился на нее округлившимися глазами.

---

* Метод Ламаза: техника естественных родов без применения анестезирующих веществ, основанная на психологической подготовке. — *Примеч. пер.*

— Началось? — спросил он, вскакивая с кровати. Некоторое время он мотался по комнате в поисках брюк, чувствуя, как равномерно ухает его сердце, пока наконец не нашел их на стуле. Алекс согнулась от боли пополам, ухватив его за руку и сотрясаясь от стонов.

— Слишком поздно... Ребенок сейчас родится, — в ужасе повторяла она, сразу забыв все полученные уроки. Она была слишком стара для этого, и это было слишком больно, и ей уже не хотелось никаких естественных родов.

— Здесь? Он родится здесь? — растерянно спрашивал Сэм, не в состоянии поверить.

— Не знаю... Я... это... о Господи, Сэм... это ужасно... я с этим не справлюсь...

— Справишься, не волнуйся... В больнице тебе дадут лекарства... Не беспокойся... лучше надень что-нибудь.

В конце концов Сэм помог ей одеться и нашел ее туфли. Он никогда не видел свою жену в таком тяжелом состоянии. Было четыре часа утра. Швейцар вызвал им такси, и Алекс с трудом вошла в приемный покой, где ее уже ждал врач. Он остался вполне доволен течением родов, чего нельзя было сказать об Алекс. Сэм и не подозревал, что его жена способна кричать таким диким голосом, требуя наркоза, и впадать в истерическое состояние после каждой схватки. Однако понемногу она успокоилась, и через два часа после ее прибытия в больницу уже началась стадия потуг. Сэм обнимал ее за плечи, и все, кто находился в комнате, пытались поддержать ее. Казалось, это будет продолжаться вечно, но уже через полчаса новоиспеченные родители увидели крохотное личико рыжеволосой Аннабел. Девочка немедленно издала оглушительный крик, а затем, словно удивившись самой себе, посмотрела на Сэма. По щекам супругов текли слезы. Новорожденная смотрела на отца так, как будто она искала его долгое время и наконец нашла. Затем Аннабел передали матери, и Алекс, переполненная чувствами, о которых ей раньше и не приходилось мечтать, бережно взяла свою дочь на руки. Она испытывала именно то, о чем ей приходилось слышать от других людей, и поражалась тому, насколько бедна была бы ее жизнь, если бы она не приобрела этот опыт. Через час Алекс уже кормила Аннабел и нянчилась с ней так, как будто занималась этим всю жизнь. Сэм беспрестанно щелкал фотоаппаратом, утирая слезы радости, — ни он, ни она были не в состоянии поверить, что на них свалилось такое счастье. Произошло чудо, которого могло бы и не быть. Словно мудрое Провидение излечило их от собственной глупости, показав им настоящий смысл жизни.

Первую ночь жизни своей дочери Сэм провел в больнице. В основном они с Алекс смотрели на Аннабел, по очереди держа ее на руках и перепеленывая. Сэм восхищенно наблюдал за процессом кормления, думая про себя, что это самое красивое, что он когда-либо видел. Глядя на дочку, они оба решили, что теперь хотят второго ребенка. Трудно было поверить, что они чуть было не лишили себя этого несказанного благословения. Сэм не мог понять, как Алекс, только что прошедшая через все муки родов, могла хотеть повторения, но она была тверда в своем намерении. Перегнувшись к нему через спящую Аннабел, чтобы поцеловать, Алекс сказала:

— Я хочу еще одного.

— Ты шутишь, — ответил Сэм, удивленный, но довольный. Он, впрочем, признавался себе в том, что думает о том же самом. Конечно, он предпочел бы, чтобы второй ребенок оказался мальчиком, но еще одна девочка — это тоже неплохо. Эта девочка была просто красавица. Сэм постоянно брал в руку ее тоненькие пальчики, а Алекс их все время целовала. В первый же день существования Аннабел родители были совершенно очарованы ею.

Когда они вернулись домой из больницы, это состояние очарованности так и не прошло, и Аннабел росла, окруженная постоянным восхищением мамы и папы. Сэм старался приходить домой пораньше. Когда Аннабел ис-

полнилось три месяца, Алекс не без сожаления вернулась
к работе. Она пыталась продолжать кормить девочку, но
нерегулярность ее рабочего расписания не позволяла ей
делать это. Однако она забегала домой во время перерыва на ленч и дала себе слово в те дни, когда не было
процессов, покидать офис ровно в пять и работать дома,
после того как Аннабел уснет. А по пятницам она уходила в час, а там хоть трава не расти. Эти непривычно
ранние для нее приходы домой превратились для Алекс в
своего рода культ. Аннабел платила своим родителям настоящим обожанием. Она была солнцем, осветившим их
жизнь, а для нее они были смыслом существования. Они
наняли няню по имени Кармен, однако тот из них, кто
первый приходил с работы, немедленно брал бразды прав-
ления в свои руки. Казалось, Аннабел ждала этого момента как манны небесной, издавая радостные крики всякий
раз, когда видела кого-то из родителей.

Кармен нравилось работать у Паркеров. Они были пре-
красными людьми, да и в Аннабел она была просто влюблена. Она гордилась тем, у каких значительных людей она
работает, рассказывала всем, как много и как успешно они
трудятся. Имя Сэма постоянно упоминалось в финансовой
хронике газет. Проводимые им сделки были самыми выгод-
ными. А Алекс несколько раз показывали по телевидению в
репортажах о тех или иных громких делах. Кармен это откровенно нравилось.

И ни Алекс, ни Сэм ни минуты не сомневались в том,
что у них не только самая красивая, но и самая умная дочь.
Первые шаги она сделала в десять с половиной месяцев,
очень скоро после этого заговорила, а фразами начала разговаривать гораздо раньше, чем большинство детей.

— Она будет юристом, — подтрунивала над мужем
Алекс. И действительно, девочка была как две капли
воды похожа на свою мать, копируя ее даже в мимике.

Единственным разочарованием для Алекс и Сэма было то, что, к их удивлению, все попытки забеременеть у Алекс заканчивались неудачей. Они начали что-то предпринимать, когда Аннабел исполнилось полгода, и пытались еще год. Алекс было сорок лет, и она пошла к специалисту, чтобы выяснить, все ли у нее в порядке. Врачи проверили и ее, и Сэма, но не нашли никаких отклонений и объяснили им, что в ее возрасте на то, чтобы зачать ребенка, может потребоваться больше времени. В сорок один год, чтобы «наладить» у нее овуляцию, доктор посадил ее на серофен, разновидность прогестерона, и в течение последующих полутора лет она не переставала пить лекарство, которое, казалось, доставляло ей больше неприятностей, чем вся ее прошлая жизнь. Они занимались любовью по расписанию, подсказывающему им, когда у Алекс пик выделения желтоватого гормона, то есть когда больше всего вероятность зачатия. Алекс добавляла свою мочу в различные химические реактивы, и если они окрашивались в голубой цвет, она тут же звонила Сэму на работу, и он сломя голову мчался домой. В шутку они называли такие дни «голубыми»; не было, однако, никакого сомнения в том, что все это только добавляло стрессовых ситуаций в их и без того достаточно сложную жизнь — ведь и у Сэма, и у Алекс была довольно нервная работа.

Им было трудно, но они оба соглашались с тем, что очень хотят второго ребенка. Порой им казалось смешным, что после стольких лет активного нежелания иметь детей они готовы преодолеть любые препятствия, чтобы только их дом наполнился детским смехом. Алекс и Сэм даже обсуждали идею уколов пергонала — более радикального, чем серофен, средства, обладавшего, впрочем, своими побочными эффектами. Кроме того, существовало еще и зачатие из пробирки. Не исключали они и более трудоемкие способы. Однако Алекс казалось, что в сорок два года она может зачать и без таких героических мер, особенно если учесть, что она все время пила гормональные таблетки, что само по себе было серьезным испытанием, поскольку она принадлежала к тем людям, которые непредсказуемо реагируют на лекарства. Алекс знала, что цель оправдывает средства, потому что они с Сэмом страстно желали иметь ребенка. Аннабел научила их многому — и главным образом тому, какой прекрасной может быть жизнь, когда с любимым человеком тебя связывает ребенок. Когда они были бездетны, им этого ощущения недоставало. Да, у них была карьера, затмевавшая все; но теперь Алекс понимала, что упустила что-то важное.

Аннабел к этому моменту исполнилось три с половиной года, и сердца ее родителей таяли всякий раз, когда они ее видели. Ее головка была покрыта кудряшками медного цвета, а огромные глаза были зелеными, как у ее матери. Все лицо девочки было покрыто мелкой крошкой веснушек, которые Алекс называла «сладкая пыль».

На рабочем столе Алекс стояла огромная фотография Аннабел с лопаткой в руках, сделанная на песчаном пляже Куоке прошлым летом. Алекс бросила на нее быстрый взгляд и улыбнулась, а потом снова посмотрела на часы. Процесс, на котором ей пришлось присутствовать, съел лучшую часть ее утра, и до встречи с новым клиентом у нее оставался всего один час на то, чтобы просмотреть важные бумаги.

В комнату вошел Брок Стивенс, и Алекс подняла голову. Это был один из молодых сотрудников фирмы, работавших на нее и еще на одного адвоката. Он делал всякую бумажную работу, был на побегушках и готовил ей документы для процессов. Он появился в «Бартлетт и Паскин» всего два года назад, но Алекс нравилось, как он справляется со своими обязанностями.

— Привет, Алекс, у тебя есть минутка после этого сумасшедшего утра?

— Есть. Что у тебя? — сказала она с улыбкой.

Броку было тридцать два года; со своими песчаного цвета волосами и немного детским обликом он казался ей мальчиком. Он окончил государственный юридический колледж Иллинойса и был выходцем из очень простой и небогатой семьи. Однако Брок успешно окончил колледж и относился к юриспруденции с редкостным пылом. Это же чувство управляло всей жизнью Алекс, поэтому она очень хорошо относилась к нему.

Брок пересек комнату и уселся напротив нее, смотря на свою собеседницу серьезными глазами. Рукава его рубашки были закатаны, а галстук чуть распущен, что делало его еще моложе.

— Ну как процесс?

— Вполне. Я думаю, у Мэтта все получится. Его главный оппонент раскрылся, и Мэтт, похоже, получил то, что хотел. В конце концов он их разобьет, но это все равно будет продолжаться целую вечность. Меня это дело с ума сведет.

— Меня тоже. Но мне интересно работать над его историей. Знаешь, было довольно много прецедентов. Мне нравится.

Брок был такой молодой, неиспорченный и переполненный мечтами, что иногда он казался Алекс наивным человеком; однако он уже успел стать высококлассным юристом.

— Ладно, говори, с чем пришел. Что-то новое по делу Шульца?

— Угу, — со счастливой улыбкой ответил Брок. — Похоже, это черный капитал. В последние два года истец скрывал свои налоги. На суде он будет выглядеть весьма бледно. Поэтому-то они так долго не давали нам документов.

— Замечательно. Очень хорошо, — улыбнулась Алекс. — Как ты это обнаружил?

Им пришлось направить отдельное ходатайство о предоставлении финансовых отчетов, которые в конце концов пришли сегодня утром.

— Его действия вычислить довольно легко. Я тебе потом все покажу. Я думаю, что здесь можно вести разговор об уплате — если только удастся найти для этого господина Шульца.

— Сомневаюсь я в этом, — задумчиво сказала Алекс. Джек Шульц был владельцем небольшой компании, против которой бывшие ее сотрудники дважды возбуждали уголовные дела с целью вымогательства денег. Как известно, это один из проверенных способов вытянуть кругленькую сумму из предпринимателя, который не желает пачкать руки. Однако это создало прецедент, и дело против Шульца возбудил очередной бывший сотрудник. В свое время он воровал у фирмы деньги, а теперь пытался прижучить бывшего шефа за дискриминацию. На этот раз Шульц платить не хотел, собираясь создать себе репутацию борца и победителя.

— Ну ладно, все равно мы получили то, что хотели. После показаний того парня из Нью-Джерси насчет незаконного возвращения части денег можно считать истца покойником.

— Я на это рассчитываю, — снова улыбнулась она. Процесс был назначен на следующую среду.

— Ты знаешь, у меня такое чувство, что адвокат истца свяжется с тобой на этой неделе по поводу выплат, поскольку у нас теперь есть их финансовые отчеты. И что ты ему скажешь?

— Посоветую прыгнуть в пропасть. На этот раз бедный Джек заслуживает победы. И он прав — нельзя поддаваться проискам мошенников. Если бы у других бизнесменов хватало сил делать то, что делает Джек!

— Дешевле — заплатить; ты же знаешь, что большинство из них просто не хочет связываться.

Однако оба ни знали, что среди предпринимателей появилась стойкая тенденция бороться и выигрывать вместо того, чтобы откупаться от оппонентов, поощряя их к возбуждению новых грязных исков. Год назад Алекс выиграла несколько подобных процессов, и о ней заговорили как о специалистке в таких делах.

— Ты готова к процессу? — спросил Брок, прекрасно, впрочем, сознавая, что в ее случае это был глупый вопрос. Она всегда готовилась к суду на редкость тщательно, прекрасно знала закон, работала дома. Он старался облегчить работу Алекс всеми возможными способами и подстраховать ее, чтобы в зале суда не возникло никаких сюрпризов. Ему нравилось работать для нее. Она была строгая, но справедливая, и не требовала, чтобы остальные трудились так же самоотверженно, как она. Броку не было жалко тех сотен часов, которые он провел, готовя ее дела, — для него это была хорошая школа. Алекс никогда не выходила на процесс до тех пор, пока не исключала любую возможность риска для своих клиентов, всегда предупреждая их о всех возможных трудностях.

Брок мечтал о том, что в один прекрасный день и он станет партнером, как она, и знал, что время это не так далеко. Кроме того, он был уверен, что после нескольких лет такой плодотворной совместной работы Алекс охотно порекомендует его. Правда, она как-то с сожалением сказала, что, как только он станет партнером, а это произойдет, по ее мнению, очень скоро, ей некому будет поручить черновую работу. От другого партнера, на которого он работал, Брок знал, что Алекс уже замолвила за него словечко перед Мэттью Биллингсом, хотя сама Алекс в этом никогда бы не призналась.

— А кто этот новый клиент, с которым у тебя назначена встреча?

Брока всегда интересовали ее дела. Кроме того, она ему просто нравилась.

— Я еще не знаю. На самом деле его порекомендовала другая фирма. Мне кажется, он хочет возбудить дело против адвоката из другой юридической компании.

Она всегда с подозрением относилась к таким случаям, до тех пор пока не узнавала точно, что все сделано по справедливости. Ведение тяжбы всегда имело свои оборотные стороны. Ей не раз приходилось улаживать дела тех, кто стремился выплеснуть свой гнев на мир, на людей, которые этого совершенно не заслуживали. Убогие, озлобленные и жадные, они часто думали, что их жизненное положение может быть улучшено судебным процессом, и Алекс никогда не бралась за подобные случаи, пока не убеждалась в том, что иск справедлив, а это бывало достаточно редко.

— Ладно, продолжай заниматься делом Шульца, постарайся все закончить, и давай займемся этим завтра утром. Завтра пятница, я ухожу в час, но я думаю, что у нас хватит времени на то, чтобы подбить бабки, а в выходные я еще раз все просмотрю. Я хочу снова внимательно прочитать все показания и убедиться в том, что я ничего не упустила.

Нахмурившись, Алекс сделала пометку в своем календаре: половина девятого, завтрашнее утро, Брок. В целом следующий день у нее был свободен, потому что она всегда старалась освободить пятницу для домашних дел.

— Я просматривал показания всю неделю с той же целью и сделал кое-какие замечания, которые покажу тебе завтра. Там есть кое-что, чем ты не преминешь воспользоваться; кроме того, нам помогут видеозаписи.

Они сняли на видеопленку момент, когда давались некоторые показания. Алекс считала это средство действенным; кроме того, это всегда раздражало оппонентов.

— Спасибо, Брок. — Честное слово, сам Бог послал ей этого мальчика. При ее занятости без хорошего помощника она бы утонула в море дел. У нее был еще один помощник, клерк, который проводил с Броком столько же времени, сколько с Алекс. Они были хорошей командой, и об этом все знали.

— Итак, половина девятого. Спасибо за то, что ты все так хорошо подготовил.

Ничего особенного в этом не было — просто у Брока был такой стиль работы, как и у Алекс. Он был въедливым и сообразительным юристом и вообще приятным человеком. Кроме того, он не был женат, что тоже было очень ценно. У него была куча свободного времени, которое он тратил на работу — вечерами, в праздники, выходные. Чтобы сделать хорошую карьеру, Брок был готов на все. Временами он напоминал Алекс о ней самой и ее муже в их прежние времена. Сейчас они работали так же упорно, но все равно не так, как раньше, когда и Сэм, и Алекс засиживались в офисах до полуночи. Теперь у них была своя семья, Аннабел, и они хотели от жизни большего, чем просто карьера. Но, к счастью для нее, Брок Стивенс не имел на нее никаких видов. Она знала, что ему нравилась одна из сотрудниц, тоже помощница, которая окончила Стэнфорд, но Брок слишком ценил свою карьеру, чтобы рисковать ею, заводя роман с коллегой. Существовали неписаные законы, и серьезные отношения могли повредить перспективе стать партнером — как для

нее, так и для него. И он, и эта девушка были слишком
амбициозны и горды, чтобы допустить такое.

Вскоре после этого она встретилась с новым клиентом
и весьма равнодушно отнеслась к тому, что от него услышала. Это было довольно неприятное дело, и она не была
убеждена в том, что истец ей не врет. Да и вообще, она
предпочитала работу адвоката. Алекс сказала ему, что
подумает над его просьбой и обсудит ее со своими партнерами, но ее собственные планы на данный момент и
количество дел, которые ей предстоит подготовить к про-
цессам, не позволят ей уделить новому иску то внимание,
которого он, безусловно, заслуживает. Алекс держалась
очень дипломатично, но очень твердо, и обещала позвонить ему через несколько дней, после беседы с партнерами. Впрочем, никакого желания встречаться с ним еще
раз у нее не было. Ей просто нужно было некоторое
время, чтобы подумать над этим, но она очень сомневалась, что возьмется за это дело.

И ровно в пять Алекс взглянула на часы, нажала на
кнопку коммутатора и предупредила свою секретаршу Лиз
Хэзкомб, что уходит. Она старалась каждый день уходить в пять, если ей позволял рабочий график. Подписав
несколько писем, оставленных секретаршей, и набросав
некоторые заметки, она дала Лиз еще несколько поруче-
ний. Через пару минут Элизабет Хэзкомб пришла забрать документы, обменявшись с Алекс улыбкой. Элизабет
была вдова почти пенсионного возраста, имевшая четырех
детей. Ей нравилось, что Алекс так рвалась к своей маленькой дочке каждый день — это свидетельствовало о
том, что она была не просто хорошим юристом, но и
хорошей женщиной и матерью. У нее было уже шесть
внуков, поэтому она всегда охотно выслушивала рассказы
об Аннабел и разглядывала ее фотографии, когда Алекс
приносила их на работу.

— Привет мисс Аннабел. Как идут ее занятия?

— Ей нравится, — улыбнулась Алекс, убирая последние бумаги в свой кейс. — Не забудьте послать Мэттью Биллингсу мои записи об утреннем процессе. А к завтрашнему дню положите мне на стол все бумаги по делу Шульца. В половине девятого ко мне придет Брок.

Ей надо было обдумать тысячу вещей. Процесс Шульца начинался в следующую среду, и целую неделю или даже больше она в офисе не появится. Это означало, что надо было оставить остальные дела в безупречном состоянии. Да, в понедельник и вторник ей придется туго.

— Ну, до завтра, — тепло улыбнулась Алекс. Лиз знала, что, если понадобится, она всегда сможет позвонить Алекс домой или послать ей бумаги с курьером. Алекс была безумно привязана к Аннабел, но это не отрывало ее от дела и сотрудников. А когда Алекс уходила в зал суда, она всегда брала пейджер.

— Спокойной ночи, Алекс, — улыбнулась ей вслед Лиз Хэзкомб, и уже через пять минут Алекс была на Парк-авеню, прорываясь через пятичасовую пробку. Час пик только начался, и поймать такси было довольно сложно. Наконец она села в машину и с удивлением заметила, какая сегодня прекрасная погода. Это был один из великолепных октябрьских дней, полных яркого солнца и теплого воздуха, и лишь легкий ветерок напоминал о том, что на дворе осень.

Если бы Алекс не спешила к дочери, она бы пошла пешком — погода того стоила. Однако она села в машину, думая об Аннабел и ее озорном веснушчатом личике — и о том, как ей хочется снова забеременеть. Вот уже три года они стараются изо всех сил, но это счастливое событие никак не происходит. С другой стороны, к более драматиче-ским мерам она была еще не готова. Интересно, как она сможет всунуть в свой напряженный рабочий график оплодотворение из пробирки или даже пергонал. Все это было так сложно... Как было бы хорошо, если бы она забеременела естественным способом. Уровень прогестерона был достаточно высок, уровень стимулирующего фолликулы гормона достаточно низок... но ребенка она зачать пока не могла. Подумав об этом, Алекс решила, что по придя домой, первым делом сделает «голубой тест», просто, чтобы убедиться, что они не упустили идеального момента. По ее расчетам, в эти выходные у нее должна произойти овуляция. Слава Богу, она хоть не будет работать на процессе, подумала она, пока такси пробиралось через запруженную машинами улицу.

На углу Мэдисон и 74-й они застряли так прочно, что она решила выйти и пройти последние три квартала пешком. Ветерок приятно обдувал ее лицо — ведь она целый день провела в помещении. Алекс шла пружинистым шагом, размахивая кейсом, и думала о том, как она войдет в квартиру и увидит Аннабел. Может быть, Сэм уже дома. Она улыбнулась, поду-мав о нем. Несмотря на то, что их супружеский стаж составлял уже семнадцать лет, она все еще была влюблена в него. Да, у нее было все. Великолепная карьера, очаровательная дочка, муж, которого она очень любила. Алекс была самая счастливая женщина на свете, и она это знала. Она никогда не относилась к этому как к чему-то само собой разумеющемуся, зная, что должна каждый день благодарить судьбу за каждую крупицу счастья. И если она не сможет забеременеть снова, жизнь на этом не кончится. Может быть, они усыновят ребенка. Или у них будет только Аннабел. Они с Сэмом были единственными детьми в своих семьях, и это им не особенно навредило. Кроме того, говорят, что единственные дети умнее.

Что бы ни произошло, она знала, что жизнь ее протекает так, как ей этого хотелось. Одна мысль об этом заставила ее широко улыбнуться. Поздоровавшись со швейцаром, Алекс быстрым шагом вошла в вестибюль.

Глава 2

Открыв входную дверь, Алекс заметила, что в квартире стоит непривычная тишина. Нигде не раздавалось ни звука, и Алекс подумала, что Кармен загулялась с Аннабел в парке. В большинстве случаев они возвращались домой к пяти часам и мылись перед обедом. Лишь войдя в ванную, Алекс обнаружила там свою дочь — маленькую принцессу, почти полностью скрытую за горами пены. Кармен сидела на краю ванны и наблюдала за ней, а Аннабел играла в русалку. Не говоря ни слова, она ныряла в воду и выныривала, еле видная за пеной. Мыться в глубокой мраморной маминой ванне Аннабел разрешалось лишь изредка, в качестве награды. Поэтому-то Алекс ничего и не слышала, войдя в квартиру — ведь ее с Сэмом комната находилась в дальнем конце коридора.

— Что это вы тут делаете? — радостно улыбнулась Алекс обеим, испытывая прилив счастья от одного взгляда на своего ребенка. Это была самая хорошенькая девочка на свете. Ее яркие рыжие волосы светились, подобно маяку, на темном фоне ванны.

— Ш-ш-ш, — серьезно сказала Аннабел, поднося пальчик к губам. — Русалки не разговаривают.

— А ты русалка?

— Ну конечно! Кармен сказала, что я могу помыться в твоей ванне и взять твою пену, если я позволю ей сегодня помыть мне голову.

Кармен смущенно улыбнулась своей хозяйке, и Алекс рассмеялась. Аннабел обожала заключать сделки, и Кармен так же легко поддавалась на все ее уловки, как и родители девочки. Надо сказать, что Аннабел пользовалась этим весьма умеренно и не была избалованным ребенком, прекрасно сознавая, однако, как сильно ее все боготворят.

— А что, если я залезу к тебе в ванну и мы обе вымоем волосы? — предложила дочери Алекс. В любом случае ей надо было вымыться, перед тем как Сэм придет к обеду.

— Хорошо, — согласилась Аннабел после минутного размышления. Она терпеть не могла, когда ей мыли голову шампунем, но на этот раз, похоже, избежать этого ей не удастся.

Алекс сняла черный костюм и туфли на высоких каблуках. Кармен отправилась проверить обед, а Аннабел продолжала изображать из себя русалку. Через минуту к ней присоединилась ее мать, и две женщины — большая и маленькая — завели важную беседу обо всем на свете. Аннабел очень гордилась тем, что ее мама была адвокатом, а папа — «инвестиционным капиталистом», как она это называла. Она всегда говорила, что это нечто вроде банкира, то есть что отец вкладывает деньги людей в какое-то дело. Сам папа объяснял все не совсем так, но Аннабел было довольно и этого. А мама, как было известно девочке, ходит в суд и спорит там с судьей, но не отправляет людей в тюрьму.

— Что ты сегодня делала? — спросила Алекс, блаженно погружаясь в теплую пенистую воду. Она сама чувствовала себя сейчас русалкой, оказавшейся в воде после тяжелого дня в офисе.

— Все понемногу, — ответила Аннабел, с удовольствием глядя на маму, которая только что наградила ее горячим поцелуем.

— А в садике что было?

— Ничего особенного. Правда, мы ели лягушек.

— Вы ели лягушек? — удивленно переспросила Алекс. Впрочем, она знала, что ее дочери свойственна краткость, поэтому стала ждать продолжения. — Каких лягушек — не настоящих же?

— Зеленых лягушек. С черными глазами и волосами из кокоса.

Это был намек, и Алекс подумала о том, как она могла жить без этой очаровательной девчушки.

— Ты имеешь в виду пирожные?

— Ну да, их принес Бобби Бронштейн. У него сегодня был день рождения.

— Здорово.

— Еще его мама принесла червяков и пауков из тянучки. Очень больших.

Аннабел захихикала от радости, что ей удалось напугать маму.

— Ужас какой, — улыбнулась Алекс, а Аннабел пожала плечами от воспоминания о тех кулинарных чудесах, которые она только что перечислила.

— Это было вкусно. Но твои пирожные я люблю больше. Особенно шоколадные.

— Может быть, в эти выходные я их испеку. — «После того, как мы с твоим папой позанимаемся любовью и попытаемся сделать тебе братика или сестренку», — мысленно продолжила она, снова напоминая себе о голубом тесте.

— И что мы будем делать в эти выходные? — раздался знакомый голос, и мать и дочка, повернувшись, смущенно воззрились на папу. Сцена была впечатляющей. Сэм посмотрел в глаза жены со всей любовью к ним обеим, на которую он только был способен, а потом нагнулся, чтобы поцеловать обеих. Алекс поймала его за галстук и поцеловала еще раз, чему он совершенно не препятствовал.

— Среди прочего мы говорили и о том, что на выходные я испеку пирожные, — обольстительным голосом сказала Алекс. Сэм поднял бровь, отошел от ванны и расстегнул воротник.

— А еще какие-нибудь планы на уик-энд у тебя есть? — спросил он как бы невзначай — он тоже помнил про голубой тест.

— Думаю, да, — улыбнулась в ответ Алекс, и Сэм удовлетворенно улыбнулся в ответ. В свои неполные пятьдесят лет он оставался на редкость красивым мужчиной и выглядел лет на десять моложе, так же как и Алекс. Они прекрасно смотрелись вместе, и было очевидно, что Аннабел совершенно не мешала их взаимной страсти.

— А что это вы с мамой делаете среди этих мыльных пузырей? — спросил он Аннабел.

— Мы русалки, папа, — как ни в чем ни бывало, ответила девочка.

— А что, если к вам присоединится большой кит?

— Ты тоже будешь мыться, папа? — засмеялась Аннабел. Сэм снял пиджак и начал расстегивать рубашку. Закрыв дверь, чтобы Кармен случайно не вошла в ванную, он нырнул прямо в объятия своих русалок. Сэм резвился и брызгался, как ребенок, а Алекс тем временем помыла дочке голову. Потом они вылезли из ванны, вытерли и завернули в огромное розовое полотенце Аннабел, пока Сэм принимал душ, смывая с себя все мыло. Повязав вокруг бедер белое махровое полотенце, он стал с удовольствием рассматривать жену и дочь.

— Вы похожи на близнецов, — улыбнулся он, глядя на рыжие волосы обеих. Алекс недавно жаловалась на то, что обнаружила у себя несколько седых прядей, но увидеть их со стороны было невозможно — ее голова оставалась такой же яркой, как и у Аннабел.

— А что мы будем делать на Хэллоуин? — спросила Аннабел, пока мама вытирала ей волосы. Сэм вышел из ванной и направился в спальню, чтобы облачиться в джинсы, свитер и тапочки. Он любил приходить домой с работы, играть с Аннабел и проводить время с Алекс. Он никогда не ругал свою жену, если она засиживалась за рабочим столом до полуночи, просто наслаждаясь ее обществом уже в течение семнадцати лет. Между ними все осталось по-прежнему — за исключением того, что с каждым годом он любил ее все сильнее, а появление Аннабел только укрепило связывавшие их узы. Он жалел только об одном — что они так поздно поняли, какое это счастье иметь детей.

— А чем ты хочешь заняться на Хэллоуин? — спросила Алекс, осторожно распутывая огненные кудряшки.

— Я хочу быть канарейкой, — твердо сказала Аннабел.

— Канарейкой? Почему канарейкой? — улыбнулась мама.

— Потому что они мне нравятся. У Хилари есть канарейка. Или я буду Медным Колокольчиком... или Русалочкой.

— На следующей неделе во время ленча я схожу в магазин Шварца и что-нибудь для тебя найду. Хорошо? — спросила Алекс и тут же вспомнила про процесс. Значит, нужно либо сделать это до среды, либо ждать окончания суда. Может быть, попросить Лиз позвонить туда и выяснить, что у них есть на размер Аннабел? Алекс всегда стремилась распределить свое время наиболее разумным образом.

— Ну, и что мы делаем на Хэллоуин? — спросил Сэм, появляясь в ванной в джинсах и зеленом свитере.

— Я думаю, что мы пойдем кататься на аттракционах, как в прошлом году, — сказала Алекс, и Сэм удовлетворенно кивнул. Алекс надела розовый махровый халат и завязала на голове полотенце того же цвета. Облачив Аннабел в ночную рубашку, она протянула дочку Сэму и отправилась на кухню посмотреть, как там обед.

В духовке запекалась курица, в микроволновой печи — картошка, на плите тушились зеленые бобы, и Кармен сказала, что все это почти готово. Если Алекс и Сэм куда-нибудь уходили, Кармен оставалась у них дома до вечера, но даже если они заканчивали работу рано, она часто начинала готовить обед и уходила только после этого. Иногда, впрочем, Алекс и Сэм сами стряпали.

— Спасибо вам за все, — с улыбкой сказал Алекс. — На следующей неделе у меня будет очень мало времени, и мне понадобится ваша помощь. В среду начинается серьезный процесс.

— Конечно, можете на меня рассчитывать. Я могу сидеть с ней и по вечерам. Ничего страшного.

Кармен знала о том, какие усилия они прилагают к тому, чтобы завести еще одного ребенка, и ей было очень жаль, что у них это не получается. Она любила младенцев и детей постарше. Ей было пятьдесят семь лет, и у нее было шестеро детей от двоих мужей и семнадцать внуков. Кармен жила в Куинс, но не ленилась ездить к Паркерам в Манхэттен.

— До завтра! — крикнула Алекс вслед уходящей Кармен. От накрытого стола исходили соблазнительные запахи. Быстро переодевшись в джинсы и рубашку, она уже через пять минут позвала мужа и дочку к обеду. Они ели за старっеньким простым столом на кухне. Под тарелками лежали очень милые и чистенькие салфетки, горели свечи. Иногда семья обедала в столовой, но чаще всего это происходило на кухне, в обществе Аннабел, если только они не приходили домой слишком поздно или не отправлялись к кому-нибудь в гости. С Аннабел было весело, и им обоим казалось очень важным проводить с ней побольше времени.

Весь вечер Аннабел без устали болтала. Сэм помог Алекс вымыть посуду, после чего они уселись перед телевизором, чтобы посмотреть новости, краем глаза наблюдая за играющей дочерью. Потом Алекс почитала ей на ночь, и в восемь часов Аннабел уже спала в своей кроватке. Теперь вечер принадлежал только им двоим. Алекс опустилась было рядом с мужем на стоявшую в гостиной кожаную кушетку, но вовремя вспомнила про тест на овуляцию и отправилась его делать. Оказалось, что пик выделения гормона, предшествовавший овуляции, еще не наступил, и предсказать, когда он наступит, было невозможно. Впрочем, Алекс знала, что те препараты, которые она принимает, должны сделать ее овуляции регулярными, так что это все равно должно было произойти в субботу или воскресенье, то есть через пару дней. Им советовали не воздерживаться от половой жизни в течение пяти дней перед овуляцией, но и не заниматься любовью непосредственно накануне нее, чтобы не уменьшить количество спермы, которое способен был выделить Сэм. Из их сексуальной жизни исчезла спонтанность, но все равно они наслаждались друг другом, и Сэм был вполне на высоте, пытаясь зачать второго ребенка. Кроме того, перед овуляцией жены врачи запретили ему пить, принимать горячие ванны и пользоваться сауной. Чрезмерное тепло могло убить сперматозоиды, и Сэм иногда в шутку говорил, что будет носить в штанах кубики льда, что некоторые страдавшие бесплодием мужья, насколько ему было известно, делали. Но они-то не были бесплодными, у них все было в порядке. Просто Алекс было уже сорок два, и для того, чтобы забеременеть, требовалось время.

— Итак, потребуются ли сегодня мои услуги? — с насмешливой вежливостью спросил Сэм, когда Алекс наконец уселась рядом с ним.

— Пока нет, — ответила она, чувствуя себя попавшей в идиотское положение. Все эти тесты, расчеты, обсуждения и надежды порядком надоели ей. Однако оба они считали, что результат стоит затрат, и не опускали рук. Отнюдь. — Это должно произойти в выходные.

— Я думаю, что в субботу днем мы найдем себе другое занятие, — сказал Сэм, обнимая жену. По субботам на полдня приходила Кармен, чтобы они могли хотя бы немного поспать. Впрочем, она могла оставаться и на вечер. Няня была просто идеальным человеком для четы Паркеров; кроме того, она на самом деле обожала их ребенка, и, надо сказать, пользовалась у Аннабел взаимностью. Алекс и Сэм полностью на нее полагались.

Алекс рассказала мужу о предстоящем ей на следующей неделе процессе и том заседании суда, на котором она присутствовала сегодня. Впрочем, никаких профессиональных тайн она ему выдавать не стала. А Сэм в свою очередь поведал ей о новом клиенте в Бахрейне и о перспективном новом партнере, которому его представили два его других партнера. Он был англичанином и в финансовых кругах имел репутацию человека, который способен заключать самые фантастические сделки, однако Сэм виделся с ним несколько раз и не мог составить определенное мнение, будучи не уверенным в том, что его стоит делать партнером. Ему казалось, что он слишком сильно бил на внешний эффект.

— Что ты о нем думаешь? — спросила Алекс, не скрывая своего обычного интереса к бизнесу. И Сэм разразился целой речью о том, какое впечатление производит этот человек. Он уважал мнение своей жены и ее острое чутье, которое она не раз проявляла, когда Сэм оказывался в рискованной ситуации.

— У него куча денег и несколько международных контрактов на огромную сумму. Не знаю... мне кажется, что он просто ничего не значащий мыльный пузырь, очень гордящийся собой. Он вроде бы женат на леди такой-то, дочке великосветского английского лорда, но по-моему, это все болтовня. Не знаю. Ларри и Том думают, что нашли золотую жилу.

— А как у него с доходами? Ты навел справки?

— Конечно. Что касается доходов и налогов, он безупречен, как швейцарские часы. Состояние он сделал в Иране. С тех пор он, похоже, и делает деньги, причем в большом количестве. У него были какие-то экзотические сделки в Бахрейне, так что достаточно крепкие связи на Ближнем Востоке он сохранил. Он то и дело упоминает о том, что накоротке с брунейским султаном. Честно говоря, я в это не верю — в отличие от Тома и Ларри. Знаешь, у меня такое впечатление, что я лечу в стратосфере и вот-вот взорвусь — вместе со всеми деньгами и силой.

— Может быть, вы возьмете его временно? Попробуй поработать с ним полгода, и ты не спеша во всем разберешься.

— Именно это я и предлагал Тому и Ларри, но они считают, что для такой важной персоны это унизительно. Саймон не тот человек, которого можно взять на испытательный срок. Но я совсем не уверен в том, что готов принять его на полных правах.

— Тогда прислушивайся к своему чутью. Пока оно тебя еще не подводило. Я по крайней мере в это верю.

— А я верю в тебя, — ласково сказал Сэм и наклонился, чтобы поцеловать свою жену. Всю их совместную жизнь он был от нее без ума, разрываясь между восхищением перед ее умом и вожделением к ее телу. Это была

уникальная комбинация. — Слушай, а что если нам лечь
пораньше и немного потренироваться перед выходными?

— Звучит заманчиво, — откликнулась Алекс, целуя его в шею. Они оба понимали, что не смогут
отказать себе в роскоши позаниматься любовью прямо
сейчас. В конце концов до овуляции оставалось еще
два или три дня. Если они сделают это завтра, их
шанс зачать ребенка уменьшится. Все это было очень
сложно, но Алекс была твердо настроена на преодо-
ление всех препятствий, зная, что они вряд ли пре-
рвут свои попытки забеременеть. Может быть, впрочем,
когда-нибудь им это надоест, и можно будет заниматься сексом тогда, когда им этого захочется.

Сэм выключил свет в студии и гостиной. Алекс
прошла за ним в спальню, на ходу расстегивая джинсы
и пытаясь забыть о поджидавшем ее кейсе с бумагами, который она оставила в углу. Сэм тоже его
заметил и поинтересовался про себя, будет ли она
еще работать. Потом он все-таки решил задать ей
этот вопрос, попутно снимая джинсы и свитер, и Алекс
в ответ только пожала плечами. В этот момент любовь была для нее определенно важнее, чем работа.

Они легли на купленные Алекс на Мэдисон-авеню простыни, приятно холодившие кожу. Сэм обвил
жену сильными руками, и Алекс позабыла обо всем
на свете, даже о своем желании зачать ребенка. Для
нее существовал сейчас только ее любимый, она могла
думать только о нем, мягко входящем в ее лоно. На
долгое время они затерялись в пространстве любви,
стеная от наслаждения, и когда пришла пора возвращаться на землю, к реальности, Сэм замурлыкал
в ее объятиях от удовольствия и постепенно погру-
зился в сон.

— Я тебя люблю, — прошептала Алекс, уткнувшись в роскошную шевелюру уже спавшего мужа. Она долго лежала в темноте, обнимая Сэма, а потом осторожно высвободилась из-под его веса, стараясь не разбудить, и отправилась к своему кейсу. И еще в течение двух часов, сидя в удобном кресле, Алекс разбирала свои бумаги и делала пометки. Сэм не шевелился, Аннабел проснулась один раз, и Алекс дала ей попить. Некоторое время она полежала рядом с дочкой, прижав ее к себе, пока девочка не уснула снова, а потом вернулась в спальню и продолжала работу.

В час ночи она наконец потянулась, зевнула и сложила бумаги в кейс. Алекс привыкла работать по ночам, когда ей ничто не мешало и она могла полностью сосредоточиться в тихой квартире.

Когда она легла рядом с Сэмом, он лишь слегка пошевелился, даже и не узнав о том, что жена его покидала. Алекс выключила свет и стала думать о нем, об Аннабел, о грядущем процессе и новом клиенте, с которым она сегодня встречалась и с которым явно не собиралась работать, и о перспективном партнере-англичанине, приведшем Сэма в такое замешательство. Ей было о чем подумать и что сделать — иногда ей даже казалось, что стыдно тратить время на сон. Чтобы сделать все запланированное, Алекс требовался каждый час суток. Она не могла позволить себе потерять ни минуты. Но в конце концов она отвлеклась от своих будоражащих мыслей и уснула, лежа рядом с Сэмом, и спала как убитая до того момента, когда утром зазвонил будильник.

Глава 3

День начался, как обычно. Сэм разбудил Алекс шлеп-
ком и поцелуем, радио было уже включено, и, как чаще
всего и бывало утром, она проснулась в полном изнеможении. Казалось, каждый новый день — это продолжение
следующего; Алекс уже привыкла к постоянной усталости
от тяжелой нагрузки и бесконечных стрессов на работе.

Она с трудом встала и пошла будить Аннабел, которая
чаще всего просыпалась раньше родителей, но сегодня почему-то заспалась. Девочка блаженно потянулась, когда Алекс
поцеловала ее и легла рядышком. Мама и дочка долго смеялись и шептались, пока Аннабел наконец не пожелала встать.
В ванной Алекс умыла и причесала ее, почистила ей зубы и
повела в детскую одеваться. Сегодня утром юная модница
выбрала маленький костюмчик из грубого хлопка, который
Сэм привез из последней поездки в Париж — брюки, розо-
вую рубашку в клетку и кремовую курточку. С теннисными
туфельками розового цвета все это смотрелось очаровательно.

— Эге, принцесса, да ты сегодня прекрасно выглядишь, — сказал Сэм, окидывая появившуюся в кухонных
дверях дочку восхищенным взглядом. Сам он, уже умыв-
шийся и выбритый, одетый в темно-серый костюм, белую
рубашку и синий галстук от Герме, уже сидел за столом и
читал свою «библию» — «Уолл-стрит джорнэл».

— Спасибо, папа.

Он поставил перед ней тарелку хлопьев с молоком и
забросил в тостер хлеб, а Алекс отправилась мыться и
одеваться. Их режим был хорошо продуман, и они оба
были достаточно гибкими людьми, чтобы с легкостью менять в нем что угодно. Когда у Алекс была встреча с утра,
Сэм делал все утренние дела, или наоборот. Это утро они
оба были относительно свободны, и Алекс даже вызвалась

отвести дочку в садик, который находился всего в нескольких кварталах от их дома; ей хотелось как-то отдохнуть душой перед безумной следующей неделей, когда она не сможет уделять Аннабел много времени.

Через сорок пять минут Алекс, полностью готовая к выходу, появилась на кухне. Времени у нее оставалось ровно столько, чтобы залпом выпить чашку кофе и съесть оставшиеся тосты. Тем временем Сэм объяснял Аннабел, как действует электричество и почему опасно засовывать мокрую вилку в тостер.

— Я ведь прав, мама? — обратился он к жене за поддержкой. Алекс кивнула в знак согласия и стала жадно проглатывать страницы «Нью-Йорк таймс». Конгресс поймал президента за руку, а один из ее наименее любимых верховных судей только что подал в отставку.

— По крайней мере на следующей неделе он не будет мне досаждать, — невнятно пробормотала Алекс, дожевывая хлеб. Сэм рассмеялся. По утрам с ней было вообще трудновато общаться, хотя ради дочери она старалась как могла.

— Что у тебя сегодня? — спросил Сэм. Ему предстояли пара важных встреч с клиентами и ленч в «21» с тем самым англичанином.

— Ничего особенного. Сегодня у меня короткий день, — напомнила Алекс, хотя Сэм прекрасно это знал. — Я встречаюсь с одним из моих помощников, чтобы подготовиться к процессу на следующей неделе. Потом у меня будет обычный осмотр у Андерсона, потом я заберу Аннабел, и мы отправимся к мисс Тилли.

Пятница для Аннабел была любимым днем недели, потому что в этот день она ходила в балетную школу мисс Тилли. Там было просто чудесно, и Алекс очень любила эти пятницы, когда она могла посвятить дочери больше времени.

— При чем здесь Андерсон? Что, случилось что-нибудь, о чем я должен знать? — встревоженно спросил Сэм, но Алекс была совершенно спокойна. Андерсон был ее гинекологом и руководил ее попытками зачать еще одного ребенка.

— Так, ерунда. Обычный мазок. Кроме того, я хотела бы поговорить с ним о серофене. Понимаешь, те дозы, которые я принимаю, очень велики, и я чувствую, что страдают и здоровье, и работа. Может быть, мне стоит уменьшить дозу или сделать перерыв. Не знаю. Я расскажу тебе о разговоре с ним.

— Обязательно расскажи, — сказал Сэм, улыбаясь. Он был тронут тем, что она готова была терпеть такие страдания ради того, чтобы забеременеть. — И удачи тебе в подготовке к процессу.

— А тебе удачи в разговоре с Саймоном. Я надеюсь, что тебе станет ясно, стоит он чего-нибудь или нет.

— Я тоже на это надеюсь, — вздохнул Сэм, — это здорово облегчит мне жизнь. Я просто не знаю, что с ним делать и чему доверять — моему чутью, его происхождению или настроению моих партнеров. Может быть, я просто чего-то не понимаю или становлюсь старым параноиком.

В этом году ему должно было исполниться пятьдесят, и его это очень удручало, но Алекс вовсе не считала его параноиком, и у него было просто сногсшибательное чутье.

— Я же тебе говорю, доверься своему нутру. Оно тебя никогда не подводило.

— Спасибо за вотум доверия.

Они оба подхватили плащи, и Алекс помогла Аннабел надеть куртку. Свет был выключен, входная дверь заперта. Девочка нажала на кнопку лифта, который должен был унести ее родителей в море взрослой карьеры. Поцеловав обеих, Сэм поймал такси и уехал, а Алекс довела Аннабел до садика в Лексингтоне, непринужденно болтая, смеясь и шутя. Около дверей садика они расстались, и через минуту Алекс сидела в такси, мчавшем ее в центр.

Брок уже ждал ее в кабинете, окруженный всеми относящимися к делу бумагами. На ее рабочем столе лежало пять записок, не имеющих никакой связи с процессом Шульца. Две из них были от перспективного клиента, с которым она встречалась вчера, и Алекс записала в свой ежедневник, что нужно позвонить ему перед уходом.

Как и всегда, Брок великолепно подготовился к совместной работе, и его заметки, касающиеся дела, были исключительно полезными. Когда в половине двенадцатого они закончили, Алекс поблагодарила его за тяжкий труд. До ее ухода у нее оставалась еще масса дел, но в полдень она должна была встретиться с врачом, так что времени у нее оставалось очень мало — только на то, чтобы сделать несколько телефонных звонков.

— Я могу еще чем-нибудь помочь? — спросил Брок своим обычным небрежным тоном. Алекс просмотрела лежавшие на столе записи, чувствуя, что сходит с ума. Конечно, после визита к врачу она может сюда вернуться, попросив Кармен отвести Аннабел на балет, но она знала, как будет разочарована ее дочка. Алекс всегда спешила, всегда опаздывала и пыталась сделать больше, чем возможно. Ее жизнь напоминала эстафету, в которой некому передать палочку. На Сэма по крайней мере она в этом смысле рассчитывать не могла — у него были своя жизнь и свои головные боли на работе. Кроме того, в офисе у нее был Брок. Подумав об этом, она протянула ему два письма и попросила позвонить их авторам вместо нее.

— Ты мне очень поможешь, — сказала она с благодарной улыбкой.

— С удовольствием. Что-нибудь еще? — с теплотой в голосе сказал Брок. Ему нравилось работать с ней — у них были почти одинаковые стили работы. Как танец с безупречным партнером, подумал он.

— Можешь вместо меня сходить к врачу.

— С неменьшим удовольствием, — усмехнулся он, и она как-то раздраженно рассмеялась.

— Если бы ты мог, — вздохнула Алекс. Теперь визит к врачу казался ей пустой тратой времени. У нее все было в порядке, и она это прекрасно знала. Она никогда не чувствовала себя лучше. В конце концов о серофене она может поговорить с доктором по телефону. Подумав об этом, Алекс глянула на часы и приняла быстрое решение — отложить посещение. Но телефон в его кабинете был занят, а не явиться к нему, не предупредив, было неудобно. Это был очень хороший и внимательный врач, который принял у нее роды и в течение всех трех лет после появления Аннабел вел ее и пытался помочь забеременеть. Нет, так нельзя. Она набрала номер еще раз, но у Андерсона было по-прежнему занято. Подавив раздражение, Алекс встала и надела плащ.

— Придется идти — похоже, у него там трубка плохо лежит, — попыталась пошутить она, — так что его деньги не пострадают. Позвони мне, если обнаружишь, что мы что-то упустили по делу Шульца. Все выходные я буду дома.

— Не беспокойся. Я позвоню, если понадобится. Забудь об этом. В конце концов все уже готово. А в понедельник мы еще раз все просмотрим. Устрой себе спокойные выходные.

— Ты говоришь, как мой муж. А ты что будешь делать на уик-энд? — спросила Алекс, закрывая кейс и надевая плащ.

— Работать, конечно. А ты как думала? — засмеялся Брок.

— Замечательно. Тогда не произноси красивых слов, а тоже отдохни. — Алекс погрозила ему пальцем, в душе, однако, радуясь его добросовестности. — Спасибо тебе за все. Ты мне очень помог.

— Забудь. В среду все пойдет как по маслу.

— Спасибо, Брок. — Махнув рукой Лиз, она вышла за дверь, и через пять минут уже ехала в такси на угол Парк-авеню и 72-й. Алекс чувствовала себя глупо, потому что ничего нового своему врачу сообщить не могла. Ее жалобы на побочный эффект от серофена тоже не были для него новостью. Но мазок нужно было сделать в любом случае; кроме того, ее всегда успокаивали разговоры о ее проблемах с зачатием. Джон Андерсон был старым другом Алекс и всегда выслушивал все ее сетования и жалобы с симпатией и интересом. Он очень сочувственно относился к ее боязни больше никогда не забеременеть, постоянно напоминая ей о том, что у них обоих все в порядке. Но почему же тогда она мучается вот уже три года? Медицинских препятствий не было, но у нее были очень напряженная работа и уже достаточно солидный для деторождения возраст. В этот раз они снова поговорили об уколах пергоналом, их преимуществах и побочном действии, а также о возможности зачатия «из пробирки», хотя для сорокадвухлетней женщины это был не самый лучший вариант. Существовали и более новые технологии — например, использование донорской яйцеклетки, что, впрочем, Алекс совсем не привлекало. В конце концов они решили продолжать курс серофена. Врач предложил ей в следующем месяце попробовать провести искусственное осеменение спермой Сэма — если он на это согласится, — чтобы дать семени и яйцеклетке лучшую возможность «встретиться», как он выразился. В его устах все это выглядело очень просто и гораздо менее неприятно, чем могло бы быть.

Затем врач осмотрел ее и взял мазок. Заглянув в карту Алекс, он спросил свою пациентку, когда она в последний раз делала маммограмму, поскольку результаты за последний год отсутствовали. Алекс призналась, что забыла об этом.

— Я уже два года ее не делала, — ответила она. Но ни опухоли, ни каких-нибудь других нарушений она у себя не замечала, да и в семье не было случаев рака груди. Это была одна из тех вещей, о которых она вообще никогда не беспокоилась, несмотря на то, что свято верила в необходимость ежегодно делать мазок. Кроме того, врачи не были едины в мнении, как часто женщинам ее возраста нужно делать маммограмму — ежегодно или раз в два года.

— Вам обязательно нужно делать ее каждый год, — ворчливо сказал врач. — После сорока лет это очень важно.

Он принадлежал к «ежегодной» школе. Впрочем, прощупав ее грудь, он ничего не обнаружил. Грудь у Алекс была небольшая; кроме того, она сама кормила Аннабел. Это снижало возможность заболеть раком, а гормоны, которые она пила, не увеличивали опасность — ей это было известно.

— Когда у вас будет овуляция? — быстро спросил врач, бросив взгляд в ее карту.

— Завтра или послезавтра, — прозаично ответила Алекс.

— Тогда вам нужно сделать маммограмму сегодня. Если вы завтра забеременеете, проверить свою грудь вы сможете только через два года. Пока вы будете беременны, этого делать не стоит, а во время кормления грудью результаты анализа недостаточно точны. Я очень прошу вас сделать это сегодня, и тогда вы сможете с чистой совестью забыть об этом до следующего года. Ну, согласны?

Алекс с легким раздражением посмотрела на часы. Ей хотелось поскорее забрать Аннабел, зайти домой на ленч и отправиться к мисс Тилли.

— Нет, я не могу. У меня много дел.

— Но это очень важно, Алекс. Мне кажется, вы должны выкроить на это время.

Голос врача был непривычно твердым. Алекс забеспокоилась и посмотрела на него вопросительно.

— У вас есть какие-нибудь подозрения? — спросила она. Он очень внимательно прощупал грудь, но он всегда был внимателен. Врач отрицательно покачал головой в ответ на ее вопрос.

— Не могу сказать. Но я не хочу, чтобы в дальнейшем у вас были проблемы. Нельзя быть беспечной, когда дело касается маммограммы, Алекс. Это очень важная штука. Пожалуйста.

Он так настаивал, что Алекс не хватило духу отказаться. Кроме того, он был прав — если она завтра или послезавтра забеременеет, хотя это было маловероятно, она не сможет сделать маммограмму в течение двух лет, так что имело смысл заняться этим сейчас.

— Куда мне идти?

Доктор написал на бумажке адрес — всего лишь в пяти кварталах от его офиса. Она вполне могла прогуляться туда пешком.

— Это займет не больше пяти минут.

— Результаты я получу на месте?

— Может быть, и нет. Обычно врач смотрит сразу много снимков, и сейчас его может там и не быть. Он позвонит мне на следующей неделе и сообщит результаты. А если будут какие-то проблемы, я, разумеется, свяжусь с вами. Впрочем, я уверен, что никаких сложностей не возникнет. Медицина есть медицина, Алекс. Здоровьем пренебрегать нельзя.

— Я знаю, Джон, — ответила она, глядя на него с благодарностью. Он был очень внимателен, и хотя ее очень раздражала необходимость выкраивать время для визитов к нему, она знала, что ее цель стоит таких усилий.

От его секретарши она позвонила Кармен и попросила ее забрать Аннабел. К ленчу она обещала приехать домой, а потом пойти с девочкой на балет. Просто ей придется по пути домой сделать крюк. Кармен легко согласилась выполнить ее просьбу.

Покинув офис доктора Андерсона, Алекс быстрым шагом пошла вниз по Парк-авеню по направлению к 68-й улице. Помещение, в которое она вошла, находилось между Лексингтоном и парком и производило впечатление очень суматошного места. В коридоре сидело с десяток женщин, ожидая, пока их вызовет одна из медсестер. Алекс назвала себя секретарше, надеясь, что это не отнимет много времени, потому что сразу же после нее вошли еще две женщины. Было очень шумно; Алекс отметила, что большинство женщин, за исключением одной довольно молодой девушки, были ее возраста или старше.

Алекс рассеянно полистала журнал, несколько раз взглянула на часы, и приблизительно через десять минут после ее прихода в дверях приемной появилась женщина в белом халате, назвавшая ее имя. Она произнесла его как-то очень громко и безлично, но Алекс проследовала за ней, не сказав ни слова. В том, что какие-то люди осматривали тебя на предмет болезни, было нечто очень агрессивное, и Алекс почувствовала, что в ней как будто бы находится какое-то скрытое оружие. Одно ее присутствие в этом месте вызывало у нее чувство вины, и, расстегивая блузку, Алекс испытывала странную смесь злости и испуга. Все это было ужасно. А что, если у нее что-то есть? Вдруг они обнаружат признаки заболевания? Немедленно отругав себя за это проявление мнительности, Алекс стала думать о том, что ежегодная маммограмма — это такая же формальность, как ежегодный мазок. Просто здесь с ней работали незнакомые люди, а не старый добрый Джон Андерсон.

Пока она раздевалась, женщина в халате стояла рядом. Затем она протянула ей рубашку и велела не застегивать ее. Медсестра была весьма немногословна и, попросив Алекс смыть с тела духи в небольшой раковине, указала ей на стоящий в углу прибор, похожий на аппарат для рентгеновских снимков, с пластиковым лотком и несколькими щитами где-то в середине. Помывшись под неусыпным наблюдением сестры и мечтая о том, чтобы это поскорее закончилось, Алекс прошла к аппарату. Медсестра расположила одну ее грудь на лотке и медленно опустила на нее верхнюю часть аппарата, довольно сильно прижав ее. Неуклюже задрапировав руку Алекс, она велела ей держать грудь, сделала два снимка, а затем повторила ту же процедуру с другой грудью. Все оказалось очень просто и скорее неудобно, чем больно. Было бы хорошо прямо здесь узнать и результаты, но Алекс была уверена в том, что все будет в порядке, и решила позвонить своему врачу в понедельник.

Выйдя из офиса так же быстро, как она туда пришла, Алекс поймала такси и успела домой как раз вовремя — Аннабел доедала ленч. Алекс торопливо одела ее для балетного класса. Она вдруг подумала, что правильно сделала, не пожалев своего времени на маммограмму. В конце концов статистику, заставлявшую миллионы женщин проходить эту процедуру ежегодно, игнорировать было нельзя. Каждая восьмая или каждая девятая — разные исследования называли разные цифры — заболевала раком груди. Даже простая проверка заставит любую женщину содрогнуться и быть благодарной за самые незначительные подарки судьбы, как, например, посещение балетного класса с ребенком. Алекс думала о том, какая она счастливая. По дороге к мисс Тилли она нагнулась, чтобы поцеловать рыжие кудряшки Аннабел.

— А почему ты сегодня не забрала меня из садика? — жалобно спросила Аннабел. Сегодня Алекс нарушила привычный и любимый ритуал, каждое отклонение от которого девочка встречала с возмущением.

— Я пошла к врачу на прием и немного задержалась, солнышко мое. Прости меня.

— Ты болеешь? — спросила Аннабел с беспокойством и желанием защитить свою мать.

— Конечно, нет, — улыбнулась Алекс. — Но ходить к врачу нужно всем, даже мамам и папам.

— Он сделал тебе укол? — Аннабел явно была заинтригована, и Алекс со смехом покачала головой.

— Нет, мне не нужно никаких уколов.

...Но грудь моя была сплющена, как оладья, мысленно добавила она.

— Ну хорошо, — с облегчением вздохнула Аннабел, идя за руку со своей мамой.

Закончив занятия в классе мисс Тилли, они отправились поесть мороженого, а потом медленно пошли домой, обсуждая планы на выходные. Аннабел не очень хотелось в зоопарк. Она бы предпочла отправиться на пляж и поплавать, но Алекс объяснила ей, что уже слишком холодно.

Вернувшись домой, Алекс включила видеомагнитофон, и они обе улеглись на кровать в спальне. После этого долгого дня подготовки к процессу, визита к врачу, маммограммы она чувствовала себя опустошенной, поэтому ей было особенно приятно оказаться дома и побездельничать со своей дочерью.

По пятницам Кармен уходила рано, и к приходу Сэма Алекс приготовила обед. Он вернулся позже, чем обычно, около семи часов, когда Алекс уже накормила Аннабел, и они решили поесть после того, как девочка ляжет спать. В четверть девятого они уже сидели на кухне, поглощая рыбу с жареным картофелем и салат. Сэм рассказывал жене о ленче с англичанином, который на этот раз произвел на него гораздо более благоприятное впечатление.

— Знаешь, теперь он мне даже нравится. По-моему, я просто переволновался. Ларри и Том правы. Парень замечательный, и с его помощью мы сможем наладить потрясающие контакты на Ближнем Востоке. Этого нельзя отрицать, пусть даже он и любит пустить пыль в глаза.

— А если с Ближним Востоком ничего не выйдет? — осторожно спросила Алекс.

— Выйдет, выйдет. Видела бы ты список его клиентов в одной Саудовской Аравии.

— А ты с ним тоже туда поедешь? — Алекс играла в адвоката, но Сэма это вполне устраивало. Теперь он свыкся с мыслью о приеме нового сотрудника и дал зеленый свет решению взять его в качестве четвертого партнера. — Ты уверен, Сэм? Еще вчера ты места себе из-за него не находил. Может быть, тебе стоит довериться твоему нюху.

— Я думаю, что это ложная тревога. Знаешь, я проговорил с ним сегодня три часа... и он стоящий человек. Теперь я точно знаю. У нас будут с его помощью миллиарды, — уверенно ответил Сэм.

— Не жадничай, — с усмешкой проворчала Алекс. — Это означает, что мы сможем купить замок на юге Франции?

— Нет, но дом в Нью-Йорке и особняк на Лонг-Айленде запросто.

— Но нам этого не нужно, — спокойно откликнулась Алекс, и Сэм улыбнулся. Он тоже не чувствовал необходимости роскошествовать, но ему нравилось играть в удачливое дитя финансового мира. Это значило для него очень много. Он любил ту славу, которую заработал на мастерском обращении с инвестиционным капиталом. Его репутация и успех имели для него большое значение, такое же, впрочем, как и прибыль, почему Алекс и считала, что он должен быть очень осторожен с этим новым партнером. Однако она доверяла его решимости. Если англичанину удалось убедить ее мужа в своей состоятельности, она вполне могла с этим смириться.

— А как твои утренние совещания? — спросил ее Сэм. — Все готово к процессу или нет?

Его всегда интересовала работа жены. До появления Аннабел именно это подпитывало их совместную жизнь.

— Да, все готово ровно настолько, насколько мне нужно. Я думаю, что все пройдет успешно. Вернее, я надеюсь. Мой клиент заслуживает того, чтобы выиграть этот процесс.

— И выиграет, если защищать его будешь ты, — убежденно подытожил Сэм, заработав этой фразой нежный поцелуй. В красном свитере и джинсах, супруг Алекс выглядел очень привлекательно. Он всегда ей казался красивым, все больше и больше с каждым годом.

— Да, кстати, а что тебе Андерсон сказал?

— Да ничего нового. Мы снова перебрали все возможные варианты. Пергонал меня по-прежнему пугает, серофен опять угнетает мою натуру, а на оплодотворение сорокадвухлетней женщины из пробирки мало кто пойдет, хотя доктор говорит, что некоторые это делают. Мы говорили еще о донорских яйцеклетках, хотя эта затея мне совсем не нравится, а потом он сказал, что в следующем месяце можно попробовать искусственное оплодотворение твоей спермой. Он считает, что иногда это может изменить ситуацию. Что ты на это скажешь? — с некоторым смущением спросила Алекс, и Сэм улыбнулся:

— Ну что же, переживу. Я знаю лучшие способы получить удовольствие, чем развлекаться в одиночестве, просматривая грязные журнальчики, но если это может помочь, давай попробуем.

— Ты просто восхитителен. Я тебя очень люблю. — Алекс поцеловала его, и Сэм страстно ответил на ее поцелуй. Но утренний тест не дал голубого цвета, и слишком далеко заходить они не могли.

— Что в эти выходные?

— Он сказал, что можно, как только будет голубой цвет. Пока еще рано, но я думаю, что завтра утром овуляция наступит. Уже сегодня ясно, что это вот-вот произойдет. Врач заставил меня сделать маммограмму на тот случай, если я забеременею. Он сказал, что если нам удастся зачать, у меня не будет возможности сделать это в течение двух лет. Конечно, это было совсем некстати, и я вынуждена была попросить Кармен забрать Аннабел из сада, но в принципе ничего страшного в этом нет. Это довольно таинственная процедура. Я внезапно поняла, что многие женщины получают страшные результаты, и сама дико испугалась.

— Но ведь у тебя-то все в порядке? — с какой-то неловкостью в голосе спросил Сэм, и Алекс успокаивающе улыбнулась.

— Я уверена, что все будет в порядке. Понимаешь, результаты будут известны только на следующей неделе. В тот момент, когда я пришла, радиолога не было, так что он сам позвонит моему врачу. Андерсон пальпировал мне грудь и не нашел никаких опухолей. Это просто формальность. Бдительность превыше всего, как они говорят.

— А это больно? — с любопытством и оттенком страха продолжал расспрашивать Сэм.

— Да нет. Они просто как можно сильнее расплющивают грудь в машине и делают снимки. Сама процедура несколько унизительна, я не могу понять, почему. Я чувствовала себя беззащитной и глупой и не могла дождаться ее окончания. И знаешь, когда я вернулась сюда и увидела Аннабел, мне показалось, что это самый счастливый момент в моей жизни. Мне словно бы напомнили о том, что некоторые люди страдают, что это случается с многими и что мне ужасно повезло, что я здорова. Довольно-таки страшное напоминание.

— Забудь об этом. С тобой ничего подобного никогда не случится, — решительно произнес Сэм, помогая ей убирать со стола. Потом они выпили немного вина, посмотрели по телевизору фильм и легли спать раньше, чем обычно. У обоих была тяжелая неделя, и Алекс хотелось немного отдохнуть перед овуляцией. Как она и думала, на следующее утро контрольная бумажка поголубела. Алекс шепотом сообщила об этом Сэму во время позднего завтрака. Кармен с Аннабел отправились в парк, а Сэм и Алекс вернулись в спальню и занялись любовью. А после этого Алекс еще около часа лежала в кровати, подложив под нижнюю часть тела подушки. Она где-то читала, что это может помочь, и хотела попробовать все, что только можно. Когда Сэм перед ленчем зашел в спальню, чтобы еще разок обнять свою жену, она все еще была сонной и удовлетворенной.

— Ты что, собираешься целый день проваляться в постели? — насмешливо спросил он, осторожно прикасаясь губами к ее шее, так, что Алекс почувствовала новую волну возбуждения.

— При таком стимуле — запросто.

— А когда мы снова поиграем в эту игру? — спросил Сэм. Его пыл был таким же сильным.

— Завтра, в любое время.

— А сегодня днем? — Голос Сэма был хриплым; он поцеловал свою жену, и она рассмеялась. — По-моему, нам нужно попрактиковаться, — продолжал он, сознавая, однако, что им не следует ничего предпринимать до следующего дня. — В любом случае давай просто сконцентрируемся на том, чтобы сделать ребенка.

Эти слова Сэм произнес нежным шепотом и отправился в душ, а Алекс забылась в дреме еще на несколько минут.

Вскоре она присоединилась к нему в ванной, заставив его снова почувствовать желание. С огромным трудом они удержались от нового акта любви. Искушение было огромным — они до сих пор нравились друг другу так, как будто только что познакомились. Иногда им стоило огромных усилий не растратить его «запас спермы».

— Знаешь, мне все время хочется забыться и любить тебя просто так, — выдохнул Сэм в ухо жене, стоя под струей воды и крепко прижимая ее к себе. Теплые капли попадали ей в рот, когда он целовал ее. — Я так тебя люблю...

— Я тоже, — жадно промолвила она, прижимаясь к нему мокрым животом. — Сэм... я так тебя хочу...

— Нет... нет.. нет, — с каким-то яростным смехом сказал он, свободной рукой поворачивая кран. Ливень холодной воды обрушился на обоих, Алекс взвизгнула от восторга, а потом они оба рассмеялись и пулей выскочили из-под душа.

Чашка кофе в уютной кухне успокоила их. Когда вернулись Кармен и Аннабел, Сэм и Алекс, одетые в джинсы, чинно читали газеты. Съев приготовленный Кармен ленч, все семейство снова отправилось в парк, а потом обедать в «Дж. Г. Мелон». Они любили ходить туда по выходным. В воскресенье они катались в парке на велосипедах. Сэм посадил дочку на маленькое сиденье позади себя. День был очень теплым, и в воскресенье вечером, вспоминая прошедший уик-энд, все они пришли к единодушному выводу, что он был просто отличным.

Уложив Аннабел, Сэм запер дверь спальни и медленно раздел Алекс. Она стояла перед ним, подобно высокому, изящному цветку безупречной и изысканной лилии. И в эту ночь Сэм любил свою жену со всей силой своего желания, томления и страсти. Эта женщина заставила его открыть в себе многое, и с каждым днем он боготворил и хотел ее все больше. Иногда ему казалось, что невозможно любить сильнее, чем он, но в его душе всегда оставался какой-то скрытый тайник, в котором хранились новые и новые потрясающие ощущения.

— Ох... если я после этого не забеременею, я все это брошу, — слабо прошептала Алекс, прижавшись щекой к его груди. Сэм мягко поглаживал ее грудь своими нежными пальцами.

— Я люблю тебя, Алекс, — ласково произнес он, поднимая голову, чтобы окинуть ее взглядом. Она была так красива. Так совершенна — как и всегда.

— Я тоже тебя люблю, Сэм... Я люблю тебя еще больше, — поддразнила его Алекс, и он улыбнулся и покачал головой:

— Нельзя любить больше, чем я.

Они снова поцеловались и уснули в объятиях друг друга, совершенно забыв о своем желании иметь ребенка.

Глава 4

Утром в понедельник Алекс проснулась раньше Аннабел и Сэма и разбудила их, уже одетая. Завтрак был на столе, чайник кипел. Как всегда, она одела Аннабел, а Сэм взялся отвести ее в садик. Алекс хотела сегодня попасть на работу как можно раньше. У нее была куча дел, в том числе и всякие мелочи по процессу в среду. Кроме того, у нее была назначена встреча с Мэттью Биллингсом по поводу нескольких исков. Брок Стивенс должен был сегодня работать с ней все время вместе с остальными их помощниками.

— Я могу вернуться поздно, — объяснила она Сэму, и он с пониманием посмотрел на нее, хотя Аннабел, услышав это, очень опечалилась.

— Почему? — спросила она, глядя на маму огромными зелеными глазами. Она очень не любила, когда Алекс приходила домой поздно; впрочем, нельзя сказать, что и Алекс это нравилось.

— Мне надо подготовиться к процессу, зайка. Пойти в суд и поговорить с судьей.

— А по телефону ты ему позвонить не можешь? — несчастным голосом спросила Аннабел. Алекс улыбнулась, поцеловала, обняла дочку на прощание и пообещала прийти домой как можно раньше.

— Я позвоню тебе, когда ты придешь домой. Удачи тебе, детка, и веди себя в садике хорошо. Обещаешь?

Она взяла дочку за подбородок, и Аннабел кивнула, не отрывая глаз от матери.

— А мой костюм для Хэллоуина?

— Завтра обязательно найдем. — Иногда Алекс казалось, что она вот-вот разорвется между своей семейной жизнью и карьерой. Интересно, как она справится с двумя детьми, подумала она; впрочем, другим людям это как-то удается.

Надев плащ, Алекс тихо выскользнула из квартиры. Была половина восьмого утра. Такси неслось по Парк-авеню, не встречая на своем пути никаких препятствий. В офисе она оказалась без четверти восемь, чувствуя, как на сердце ее скребут кошки — в это время Сэм и Аннабел завтракали на кухне. В восемь часов она уже была завалена работой, и Брок Стивенс принес ей кофе. К половине одиннадцатого Алекс наконец уверилась в том, что она очень хорошо подготовлена к процессу над Джеком Шульцем, который дол-жен был начаться в среду.

— Что еще? — рассеянно спросила она Брока, перелистывая другие проекты, которые она собиралась ему предложить. Он уже позаботился о большинстве из них, но за выходные ей в голову пришло несколько новых идей. Но только она начала рассказывать о них, как им помешала Элизабет Хэзкомб, которая неуверенно приоткрыла дверь кабинета и явно собиралась что-то ей сказать. Но Алекс, увидев ее, решительно покачала головой и подняла руку ладонью вверх. Не отвлекаться. Она специально отключила телефон и попросила Лиз не появляться в кабинете и не мешать ей.

Лиз, однако, не уходила, не обращая внимания на суровый взгляд Алекс. Брок тоже повернулся, чтобы посмотреть, что случилось.

— Что такое? — спросила Алекс недовольным голосом. Может быть, действительно случилось что-то важное. — Лиз, я же просила вас не прерывать нас.

Ее тон был резче обычного, но она могла себе это позволить, находясь в цейтноте.

— Я знаю... Простите меня, ради Бога, но... — извиняющимся голосом заговорила Лиз.

— Сэм или Аннабел? — с внезапным ужасом спросила Алекс, но Лиз отрицательно покачала головой. — Тогда я ничего не хочу слышать.

С этими словами Алекс отвернулась и немедленно забыла о своей секретарше.

— Звонил доктор Андерсон. Дважды. Он попросил меня сообщить вам об этом.

— Андерсон? Еще не хватало, — совсем разозлилась Алекс. Он говорил ей, что в любом случае позвонит по поводу маммограммы. Наверное, он хотел ее успокоить. Но зачем же мешать ей работать? Бог знает что. — Он подождет. Я позвоню ему во время перерыва на ленч, если только он будет. Или позже.

— Он сказал, что хочет поговорить с вами сегодня утром. До полудня.

Была уже половина двенадцатого. Лиз становилась несносной. Но в конце концов при чем тут она? Это доктор Андерсон настаивал на том, что им надо поговорить и что ради этого разговора стоит оторвать Алекс от работы. Лиз просто поверила ему и честно исполнила просьбу. Алекс была убеждена в том, что этот звонок ее врача — простая формальность, не заслуживающая того, чтобы отвлекаться от более важных дел. А вдруг это плохие новости? Нет, этого просто не может быть. Беспокойство Алекс снова сменилось раздражением.

— Я позвоню ему, когда смогу. Спасибо, Лиз, — многозначительно произнесла она и снова повернулась к Броку, который тоже, в свою очередь, забеспокоился:

— Позвони ему, а? Наверное, это что-то важное, если он попросил Лиз отвлечь тебя.

— Не дури. У нас полно работы.

— А я пока выпью еще кофе. И тебе могу сварить, пока ты будешь звонить. Это займет у тебя не более двух минут.

Алекс открыла было рот, чтобы возразить, но ей вдруг стало ясно, что Лиз настолько выбила их из колеи, что ни Брок, ни она не смогут вернуться к работе, если она не позвонит врачу.

— Ради Бога, я тебя умоляю. Это смешно. Ну ладно... сделай мне еще одну чашку, пожалуйста. Продолжим через пять минут.

Было без двадцати пяти двенадцать, а без двадцати Брок и помощники покинули комнату. Они теряли драгоценные минуты. У них была еще куча разных дел. Алекс проследила за уходящими сотрудниками взглядом и быстро набрала номер врача, мечтая только об одном — как можно быстрее закончить этот разговор.

Трубку взяла секретарша, сказав, что она немедленно соединит ее с доктором. Ожидание показалось ей бесконечным — работа стояла, да и настойчивость Андерсона заставила ее занервничать. А что, если действительно что-то не так? Глупо было даже предполагать это, но ведь все могло случиться. Эта молния поражала уже многих.

— Алекс? — раздался в трубке не менее занятой голос доктора Андерсона.

— Привет, Джон. Что вы такое хотите мне сказать?

— Если можете, приезжайте ко мне во время ленча, — сказал он совершенно безразличным тоном.

— Это невозможно. У меня процесс через два дня, и вы просто представить себе не можете, сколько у меня дел. Сегодня я пришла на работу без четверти восемь, а уйду скорее всего часов в десять. Разве мы не можем все обсудить по телефону?

— Нет, я не думаю. Я считаю, что вы обязательно должны прийти.

Черт побери. Что это значит? Алекс вдруг обнаружила, что у нее дрожит рука.

— Что-нибудь случилось? — продолжала допытываться она, не решаясь произнести вертевшееся на языке слово, но потом пересилила себя. — Что, маммограмма?

Этого не может быть. У нее же не было никаких уплотнений. Доктор Андерсон немного поколебался, но потом все же ответил:

— Лучше приезжайте, и мы все обсудим.

Было совершенно очевидно, что он не собирается делать этого по телефону, и Алекс почему-то не решилась настаивать.

— Сколько вам нужно времени? — спросила она, глядя на часы и пытаясь вычислить, может ли она на это потратить свои бесценные минуты. Во время ленча даже транспорт будет против нее.

— Полчаса. Это будет совсем недолгая беседа. Вы можете приехать прямо сейчас? Я только что отпустил последнюю пациентку. У меня одна больная в больнице и роженица на ранней стадии. Так что лучше всего вам приехать сейчас.

— Да, я приеду через пять—десять минут, — быстро сказала Алекс, вставая и готовясь положить трубку. Сердце ее внезапно сильно забилось. Что-то явно не так. Что бы это ни было, ей хотелось узнать об этом поскорее. Может быть, он перепутал ее результаты с чьими-то еще.

— Спасибо, Алекс. Я постараюсь закончить побыстрее.

— Я еду. — Пробегая мимо Лиз с пальто и кейсом в руке, Алекс бросила ей: — Когда Брок и все остальные вернутся, скажите им, чтобы пошли и поели что-нибудь. Я вернусь через сорок пять минут.

Она уже подошла к лифту, когда услышала обеспокоенный голос Лиз:

— У вас все в порядке?

— Да. Закажите мне сандвич с индейкой.

Провожая ее взглядом, Лиз подумала, что Алекс, на-верное, беременна. Она знала, что ее начальница хочет иметь еще детей и что Джон Андерсон — ее акушер.

Но Алекс была лишена подобных иллюзий. Сидя в такси, она лихорадочно раздумывала над тем, почему он ей позвонил. Неужели правда маммограмма? Или мазок? Да, наверное, мазок. Черт возьми. У нее рак матки. И как же она теперь забеременеет? Правда, некоторые ее знакомые с предраковым состоянием успешно беременели после лечения лазером. Может быть, все не так плохо. Она хотела знать только одно — в опасности ли ее жизнь и может ли она иметь еще ребенка.

Наконец такси остановилось у дверей офиса, и Алекс стремительно ворвалась в пустую прихожую. Доктор ждал ее и провел прямо в кабинет. Вместо белого халата на нем был костюм, и он выглядел очень серьезным.

— Здравствуйте, Джон, — немного задыхаясь от бега и недовольная, выпалила Алекс и уселась на стул, не снимая плаща.

— Спасибо, что вы вырвались. Но я считаю, что это было необходимо. Я хотел поговорить с вами лично.

— Что-то с мазком? — спросила она, чувствуя, как снова начинает сильно биться ее сердце и покрываются потом ладони, сжимающие ручку сумки. Но врач отрица-тельно покачал головой:

— Нет. Это маммограмма.

Не может быть. У нее не было ни опухолей, ни уплотнений. Доктор включил проектор и поочередно вставил туда два снимка — вид спереди и сбоку. Алекс ничего не понимала — снимки напоминали карту погоды в Атланте. Андерсон повернулся к ней и, по-казывая на темное пятно, которого Алекс без него бы не заметила, с болью в голосе произнес:

— Вот здесь — уплотнение. Очень большое и глубокое. Это может оказаться чем угодно, но радиолог и я очень беспокоимся.

— Что значит «чем угодно»? — в смятении спросила Алекс. Может быть, она что-то не так поняла? Что это за утолщение в глубине ее груди? Что это такое и как оно возникло?

— Есть несколько возможностей, Алекс, но уплотнение такой величины в этой области ничего хорошего означать не может. Мы считаем, что у вас опухоль.

— О Господи. — Теперь она понимала, почему он не хотел обсуждать это по телефону и настоял на том, чтобы Лиз сообщила ей об этом.

— И что это означает? Что теперь будет? — слабым голосом спросила побледневшая Алекс. На мгновение ей показалось, что она вот-вот упадет в обморок, но она пересилила себя.

— Вам нужно как можно скорее сделать биопсию. Лучше всего на этой неделе.

— Через два дня у меня процесс. Пока он не закончится, я не смогу.

Она словно надеялась, что опухоль исчезнет сама собой, но они оба знали, что это невозможно.

— Нет, так нельзя.

— Я не могу бросить своего клиента. Неужели несколько дней имеют такое значение?

Алекс была в ужасе. Что он пытается ей сказать? Что она умирает? Одна мысль об этом заставила ее задрожать.

— Конечно, несколько дней большого значения не имеют, — вынужден был признаться доктор, — но вообще не обращать на это внимания преступно. Вы должны найти хирурга и сделать биопсию как можно скорее, а потом, в зависимости от результатов, он скажет вам, что делать дальше.

Боже мой. Как это страшно и сложно.

— А разве вы сами не можете сделать биопсию? — отчаянным и очень испуганным голосом спросила Алекс. Она чувствовала такую же беззащитность, как в тот момент, когда переступила порог маммографической лаборатории. А теперь случилось самое худшее — или почти самое худшее. Как будто у нее перед глазами крутили фильм ужасов.

— Я не делаю биопсию. Вам нужен хирург, — ответил доктор, что-то записывая на листке бумаги. Всего за полчаса ее жизнь круто изменилась, и теперь Алекс чувствовала, что не может просто так уйти. — Вот смотрите: я написал здесь имена очень хороших врачей — женщины и двоих мужчин. Поговорите с ними и выберите того, кто вам больше понравится. Они прекрасные хирурги.

Хирурги!

— У меня нет на это времени, — сказала Алекс и неожиданно для себя заплакала. Все это было просто ужасно — она чувствовала себя подавленной и отчаянно беспомощной, разрываясь между яростью и страхом. — Я не могу позволить себе долго выбирать врача. У меня процесс, я не могу взять и все бросить. В конце концов у меня есть некоторые обязанности.

Она чувствовала, что находится на грани истерики, но ничего не могла с собой поделать. И вдруг, посмотрев на него с искренним ужасом, она спросила:

— А она может быть злокачественной?

— Все может быть, — честно ответил врач. Снимок выглядел весьма угрожающе. — Я не могу сказать ничего конкретного, пока не будет результатов биопсии. Вы должны сделать ее как можно скорее, чтобы выработать план действий.

— Что это значит?

— Это значит, что, если результат будет положительным, вы должны будете выбрать тот или иной курс лечения. Конечно, лучше всего прислушиваться к советам хирурга, но какую-то часть решений вам придется принимать самой.

— Вы имеете в виду удаление груди? — испуганно спросила она. Голос был непривычно резким.

— Давайте не будем забегать вперед. Мы же ничего еще не знаем, правда ведь?

Доктор пытался разговаривать с ней ласково, но от этого было еще хуже. Алекс хотелось, чтобы он признался, что ее опухоль не злокачественна. Но он не мог этого сделать.

— Мы уже знаем, что глубоко в груди у меня уплотнение и что вас это беспокоит. Это может означать, что я потеряю грудь, не правда ли?

На мгновение у нее возникло ощущение, что он стоит на свидетельском месте, а она — беспощадный обвинитель.

— Да, может, — тихо ответил он, чувствуя острое сочувствие к своей пациентке. Она всегда ему нравилась, а подобное известие могло выбить из колеи любую женщину.

— И что тогда? На этом все кончится? Грудь отрежут, и опухоль исчезнет?

— Возможно, но не обязательно. Если бы все было так просто! Многое зависит от типа опухоли, насколько все это серьезно, если она злокачественная. Кроме того, играет роль также то, затронуты ли лимфатические узлы, как много их поражено, нет ли метастазов. Алекс, в этой области простых ответов не существует. Может быть, вам нужна операция, может быть химиотерапия или облучение. Я просто не знаю. Пока не будет результатов биопсии, я ничего не могу вам сказать. И как бы вы ни были заняты, найдите время на то, чтобы поговорить с этими хирургами. Вы должны это сделать.

— Как скоро?

— Занимайтесь вашим процессом, если вы не можете его бросить и если он не продлится более двух недель. Но в любом случае вы должны в течение этого срока сделать биопсию. От нее мы и будем отталкиваться в своих дальнейших действиях.

— Кто из них лучше всего? — спросила она, протягивая доктору листок. Тот еще раз глянул в него и медленно вернул Алекс:

— Они все великолепные врачи, но я больше всех ценю Питера Германа. Он очень хороший человек — прежде всего человек, а потом уже хирург. Я хочу сказать, что его волнуют не только операции и биопсия.

— Замечательно, — машинально откликнулась она. — Я позвоню ему завтра.

— А почему не сегодня? — Андерсон давил на нее, чувствуя, что правота на его стороне — ему не хотелось, чтобы она отговаривалась необходимостью работать или все отрицала.

— Хорошо, чуть попозже, — сдалась Алекс и, осененная внезапной и печальной мыслью, снова посмотрела ему в глаза. Ей казалось, что на ее плечи лег груз в десять тысяч фунтов. — А что, если в эти выходные я забеременела? Как будут сочетаться беременность и злокачественная опухоль?

— Этот мост мы пересечем, если подойдем к нему вплотную. О том, беременны ли вы, можно узнать примерно в то же время, когда будут получены результаты биопсии.

— А если у меня рак и я беременна? — нервным и
резким голосом спросила она. Неужели, если она забеременела, ей придется пожертвовать ребенком?

— Разумеется, ваша жизнь в данном случае важнее.

— О Господи. — Алекс закрыла лицо руками и чуть
позже снова подняла глаза. — Как вы считаете, в этом
виноваты гормоны, которые я пила?

Одна мысль об этом заставила ее покрыться ледяным
потом. Неужели, пытаясь забеременеть, она убивала себя?

— Честно говоря, я так не думаю. Позвоните Питеру Герману. Встретьтесь с ним как можно скорее, поговорите и сделайте биопсию, и без всяких отлагательств.

Это была вполне разумная последовательность
действий. Итак, сегодня вечером она вернется домой и расскажет Сэму о том, что маммограмма показала опухоль. Алекс все еще не могла в это поверить.
Но это было так. На снимке уплотнение было от-
четливо видно, да и взгляд Джона Андерсона выражал сильное беспокойство. Казалось, его этот разговор
измучил не меньше, чем ее. Она провела в его обществе почти час.

— Мне так жаль, Алекс. Если я что-то могу для вас
сделать, не стесняйтесь мне звонить. Сообщите мне, какого врача вы выбрали, и я с ним тоже свяжусь.

— Я начну с Питера Германа.

Доктор протянул ей маммографические снимки,
чтобы она могла показать их тому хирургу, которого она выберет. Само слово «хирург» звучало
зловеще. Выйдя на свежий октябрьский воздух,
Алекс чувствовала себя так, как будто ее сильно
ударили по голове. Поверить в то, что она только
что услышала, было очень сложно.

Подняв руку, Алекс поймала такси, пытаясь не думать о последствиях операции, о женщинах, которые больше
не могли поднимать руку, или о тех, которые умерли от

рака. Внезапно в ее голове все смешалось, и на пути в свой офис у нее даже не было сил плакать. Она просто сидела в машине и тупо смотрела вперед, не в состоянии осознать то, что ей сказал врач.

Войдя в кабинет, она обнаружила, что все уже собрались и ждут ее — Лиз и Брок, клерк и два помощника. Лиз заказала ей сандвич с индейкой, но съесть его Алекс не смогла. Некоторое время она молча смотрела на своих коллег. Брок заметил мертвенную бледность ее лица, но ничего не сказал. До шести вечера они напряженно работали, и только после подведения итогов, после того, как все посторонние ушли, Брок осмелился задать ей вопрос.

— У тебя все в порядке? — осторожно спросил он. Ему показалось, что Алекс ужасно выглядит, а после возвращения от врача лицо ее было белым как простыня, а руки дрожали всякий раз, когда она передавала ему бумаги.

— Да, все в порядке. Почему ты спрашиваешь? — Алекс пыталась казаться беспечной, но у нее это не получалось. Брок был неглупым человеком, но и лезть ей в душу ему не хотелось.

— Ты выглядишь усталой. По-моему, ты пытаешься зажечь свечку сразу с двух концов, миссис Паркер. Что тебе сказал доктор?

— Да ничего особенного. Я только зря потратила время. Он просто хотел сообщить мне результаты некоторых тестов, а врачи не любят делать это по телефону. На самом деле это просто смешно. Он мог бы отправить результаты по почте, сэкономив нам всем время.

Брок не поверил ни единому ее слову, но почувствовал, что для нее важно успокоить его. Он надеялся на то, что ничего серьезного не произошло. Если же что-то действительно случилось, то начинающийся через два дня процесс ей совершенно ни

к чему. Конечно, он все сделает для того, чтобы помочь
ей, но она все равно остается главным адвокатом процесса, и именно она будет принимать на себя основ-
ные удары, участвовать в прениях и делать основную
подготовительную работу. Брок не осмеливался спросить
свою начальницу о том, в состоянии ли она вести
процесс, потому что знал, что она воспримет этот
вопрос как оскорбление.

— Ты домой? — с надеждой спросил он. У него
еще оставалось множество дел, в основном по процессу,
но на ее столе тоже лежала куча папок, предвещавшая то,
что она не собирается уходить.

— Теперь я должна заняться другими клиентами. —
Алекс собиралась связаться со всеми, кто звонил ей сегодня, пока она была занята, но времени на то, чтобы
позвонить Питеру Герману, у нее не было — или она
убедила себя в том, что не успевает набрать его номер.
Она решила, что позвонит ему завтра.

— Я могу чем-нибудь помочь? Ты должна пойти домой и немного отдохнуть, — настаивал Брок, но Алекс
была непреклонна и осталась работать.

После этого Брок пошел в свою комнату, а Алекс
набрала свой домашний телефон, чтобы поговорить
с Аннабел, которая очень расстроилась из-за того,
что мама не позвонила днем.

— Ты же обещала, — с упреком сказала она, и Алекс
почувствовала себя виноватой. Она совершенно забыла
об этом из-за неожиданной поездки к доктору.

— Прости, родная. Я собиралась, но потом мне
пришлось встретиться с массой людей, и я не смогла позвонить.

— Ничего, мамочка, — мужественно ответила ее дочь
и стала рассказывать ей о том, что они с Кармен сегодня
делали. Слушая ее радостный голос, Алекс ощутила что-

то вроде ревности. Она с отвращением подумала о том, что сейчас ей придется объяснять Аннабел, почему она задерживается на работе. Сейчас находиться в разлуке с дочерью было особенно мучительно.

— А ты придешь до того, как я лягу спать? — с надеждой спросила Аннабел, и Алекс вздохнула, молясь, чтобы затемнение в ее груди не оказалось раковой опухолью.

— Я приду поздно, но обязательно зайду к тебе сказать «спокойной ночи», я тебе обещаю. А завтра утром я тебя разбужу. Это всего на две недели, а потом мы снова будем видеться во время ленча и обеда.

— А на балет мы в пятницу пойдем? — продолжала спрашивать Аннабел, и Алекс спросила себя, где Сэм.

— Я не могу. Мы же говорили об этом, помнишь? На этой неделе и на следующей я буду разговаривать с судьей. Я не могу пойти на балет.

— А ты не можешь попросить судью отпустить тебя?

— Нет, зайка. Я бы очень этого хотела. А где папа? Он уже пришел?

— Он спит.

— В это время? — удивилась Алекс. Было семь часов. С чего это он вдруг улегся?

— Он смотрел телевизор и уснул. Кармен говорит, что она дождется твоего прихода.

— Дай ей трубку. Знаешь... — Ее глаза внезапно наполнились слезами, когда она вспомнила свою дочурку, ее личико эльфа с огромными глазами, ее веснушки и рыжие волосы. А что, если она умрет и Аннабел останется без матери? Эта мысль так потрясла ее, что некоторое время она не могла говорить, а потом прошептала: — Я люблю тебя, Аннабел...

— Я тоже тебя люблю, мама. До встречи.

— Спокойной ночи.

К телефону подошла Кармен, и Алекс сказала ей, что она может идти домой после того, как уложит Аннабел, разбудив Сэма и сказав ему, что она уходит.

— Мне не хочется будить его, миссис Паркер. Я лучше дождусь вас.

— Я приду очень нескоро, Кармен. Правда, разбудите его, когда захотите уйти. Он проснется.

— Ладно, ладно. Когда вы вернетесь?

— Думаю, что не раньше десяти часов. У меня масса дел.

Положив трубку, Алекс некоторое время тупо смотрела на телефон, думая о своих родных так, как будто она их уже потеряла. Сегодня между нею и ними словно пролегла тень. Они были живы, а она — она могла умереть. Это было невозможно, невероятно. Она все еще верила в то, что это ошибка, что она не может быть больна, что у нее нет никакой опухоли. Всего лишь серая тень на рентгеновском снимке, и ничего более. Но эта серая тень, по словам Джона Андерсона, может убить ее, если окажется злокачественной. В это невозможно было поверить. Вчера она пыталась забеременеть, а сегодня в опасности была ее собственная жизнь. А те гормоны, которые она принимала еще на прошлой неделе, теперь только мешали ей восстановить самообладание. Они только ухудшали ситуацию, делая ее еще более угрожающей, и Алекс пыталась убедить себя в том, что ее ужас не имеет под собой никакой почвы, что это всего лишь гормоны.

В девять часов Брок заглянул к ней и обнаружил, что она все еще не съела сандвич, лежавший перед ней еще с перерыва на ленч. Целый день она пила кофе, а сейчас перед ней стоял огромный стакан воды.

— Ты заболеешь, если не будешь ничего есть, — упрекнул он Алекс, глядя на нее обеспокоенным взглядом. Лицо ее стало почти серым.

— Я не голодна... На самом деле я просто забыла поесть. У меня слишком много дел.

— Это плохое оправдание. Как ты будешь защищать Джека Шульца, если ты заболеешь прямо перед процессом или во время него?

— Да, ты прав, — рассеянно ответила она, а потом вдруг взглянула на него обеспокоенными глазами. — Я думаю, Брок, что при необходимости ты сможешь работать на процессе вместо меня.

— Я даже слышать об этом не хочу. Они хотят именно тебя. В конце концов он заплатил именно за тебя.

Именно это Алекс говорила днем своему врачу, когда пыталась убедить его в том, что не сможет сделать биопсию до окончания процесса. Люди рассчитывали на нее... Она снова подумала об Аннабел и Сэме, и ей пришлось опять бороться со слезами. Ее внутренний механизм разладился. Алекс внезапно почувствовала себя совсем придавленной тем, что произошло. Маммографические снимки лежали в конверте на ее столе, и то, что она на них увидела, казалось, отпечаталось в ее уме навсегда.

— Слушай, шла бы ты домой, — ласково сказал Брок. — Я все доделаю. Доверься мне — в конце концов все безупречно подготовлено.

Через полчаса ему все-таки удалось ее уломать, и Алекс отправилась домой. Она так устала, что с трудом соображала и была совершенно не в состоянии напрягать мозги. Ей казалось, что ее переехал асфальтовый каток. И впервые в жизни она оставила на работе кейс. Брок заметил это, но ничего не сказал. И смотря ей вслед, он почувствовал к своей напарнице острую жалость. Было ясно, что с ней что-то случилось. Она никогда не выглядела так плохо, как сегодня, но он не мог себе позволить расспросить ее или предложить помощь.

Алекс откинула свою тяжелую, как бильярдный шар, голову на спинку сиденья в такси. Она не в состоянии была даже думать. Расплатившись, она поплелась к подъезду своего дома, словно тысячелетняя старуха. Поднимаясь в лифте, она спросила себя, что же она скажет Сэму. Для него это будет ужасная новость. Плохая маммограмма — это не пустяки; статистику по раку игнорировать было нельзя. Она просто не могла себе представить, как он воспримет эту новость.

Сидевший в гостиной перед телевизором Сэм встретил свою вошедшую жену улыбкой. На нем были джинсы и белая рубашка, в которой он был на работе. Галстук лежал на столе.

— Привет, как дела? — радостно спросил он, потянувшись к ней, чтобы поцеловать. Алекс тяжело опустилась на софу рядом с ним. Внезапно она почувствовала, что опять вынуждена бороться со слезами — встреча с мужем заставила ее вновь ощутить смертельный ужас.

— Э, да у тебя действительно был тяжелый день, — протянул Сэм, думая о гормонах, которые она принимала. — Бедная моя детка, эти чертовы таблетки снова выбили тебя из колеи? Может быть, тебе не стоит их пить?

Лучше бы не было этого изнуряющего процесса! Сэм обнял жену, и она прижалась к нему так, как будто тонула в реке.

— Ты совсем измучилась, — сочувственно сказал он, когда Алекс подняла голову и вытерла слезы.

Он был прав. Таблетки только усугубят положение. Или уже усугубили.

— Это дело тебя с ума сведет.

— Уже свело. У меня был чудовищный день, — призналась она, устраиваясь на софе поудобнее и чувствуя себя просто выпотрошенной.

— Я тебе должен сказать, что выглядишь ты не лучшим образом. Ты обедала?

— Я не была голодна, — покачала головой Алекс.

— Отлично. И как, скажи на милость, ты собираешься забеременеть, если ты себя так изводишь? Пойдем. — И он попытался поднять ее. — Я сделаю тебе омлет.

— Я не могу есть. Правда. Я совершенно измучена. Давай ляжем спать.

Это было единственное, чего ей хотелось. И еще — увидеть Аннабел. И улечься рядом с Сэмом, надолго — как можно дольше. Навсегда.

— Что-то случилось? — Сэм внезапно заинтересовался тем, почему она так выглядит — хуже, чем обычно. Никогда предстоящий процесс так не выматывал ее. Алекс не ответила и на цыпочках прошла в комнату Аннабел. Она долго стояла у кроватки, глядя на спящую дочь, а потом опустилась на колени и поцеловала ее. После этого Алекс прямиком проследовала в спальню. Обеспокоенный Сэм наблюдал за тем, как она разделась, сложила вещи на стуле и надела ночную рубашку. У нее не было сил даже принять душ и причесаться. Почистив зубы, Алекс залезла в кровать и закрыла глаза, зная, что пришло время сообщить Сэму о том, что произошло.

— Девочка моя, — настойчиво прошептал он, ложась рядом с ней, — что случилось? Что-то на работе?

Сэм знал, что жена относилась к своему делу очень серьезно, и если бы она так или иначе навредила клиенту, она бы потом места себя не находила, как сейчас. Но Алекс отрицательно покачала головой.

— Мне сегодня позвонил Андерсон, — тихо сказала она.

— И что?

— Во время ленча я поехала к нему.

— Зачем? Ты же не можешь еще определить, беременна ты или нет?

Прошло только два дня, с улыбкой подумал Сэм. Ей просто не терпелось иметь ребенка.

Алекс долго колебалась, прежде чем продолжать. Молчать было трудно, но ей не хотелось произносить страшные слова, тем самым обращая их в реальность. Но не сделать этого было нельзя.

— На маммограмме затемнение, — произнесла она таким голосом, словно предвещала собственную смерть, но на Сэма это произвело гораздо меньшее впечатление, чем на нее.

— Ну и?

— Это может значить, что у меня опухоль.

— Может. Это может означать что угодно. А марсиане могут ровно в полночь приземлиться на Парк-авеню. Но сделают ли они это? Вряд ли. Так же вряд ли твое затемнение окажется опухолью.

Алекс понравилось, как Сэм воспринял угрожающее известие. Это восстановило ее веру в ее собственный организм, который, как ей казалось, в последние двенадцать часов подвел ее. Но может быть, все было не так страшно. Возможно, Сэм прав. Просто она перенервничала и все приняла слишком всерьез. Они же ничего не знают. Может быть, это действительно только тень. И ничего более.

— Андерсон хочет, чтобы я пошла на прием к хирургу и сделала биопсию. Он дал мне имена трех врачей, но до процесса у меня все равно нет на это времени. Я собираюсь завтра позвонить одному из них и спросить, можно ли попасть к нему во время ленча. Если нет, придется подождать, пока процесс не кончится, — с тревогой рассказывала Алекс.

— Он считает, что чем скорее это сделать, тем лучше?

— Да нет, — ответила Алекс, немного успокаиваясь, — но он сказал, что все-таки надо поторопиться.

— Это ясно, но паниковать не стоит. В половине случаев врачи просто защищают сами себя — они не хотят потом отвечать перед судом, поэтому всегда говорят тебе самое худшее, чтобы ты не могла обвинить их в том, что тебя не предупредили. А если тревога оказывается ложной, то все счастливы. И при этом ни один врач не принимает во внимание тот вред, который они могут нанести человеку, испугав его до полусмерти. Ради Бога, Алекс, ты юрист, ты должна это знать. Не позволяй этим типам тебя пугать!

Алекс подняла на него глаза и усмехнулась, чувствуя некоторое облегчение. Да, надо быть полной идиоткой, чтобы так испугаться. Сэм улыбнулся ей. Он не паниковал. Он не думал, что она уже одной ногой в могиле. Он не утешал ее и не превращал ситуацию в мелодраму. Ее муж вел себя очень разумно и говорил мудрые вещи. И внезапно она осознала, что он прав. Даже Джон Андерсон не стал бы подставляться под судебный процесс.

— И что я должна теперь делать, как ты считаешь?

— Занимайся своим процессом, а биопсию сделаешь тогда, когда у тебя будет время. Главное — не волнуйся и не позволяй этим клоунам заставить тебя наложить в штаны. И я готов поспорить на прибыль от моей следующей сделки, что твоя тень — это только тень... и ничего больше. Посмотри на себя — ты самая здоровая женщина на свете. И ты

ею и останешься, особенно если будешь иногда есть
и спать.

Беседа с мужем изменила ее настроение, и Алекс с
облегчением откинулась на подушки. Он приводил разум-
ные доводы, сохранял хладнокровие и скорее всего был
прав. Тревога наверняка была ложной.

Когда они наконец выключили свет, Алекс чувствовала себя гораздо лучше, а наутро от ее вчерашнего страха
осталась лишь слабая тень беспокойства. На мгновение
она вспомнила, что вчера с ней случилось что-то ужасное.
Ее грызло какое-то страшное предчувствие, какое бывает, когда приближается беда. Но стоило ей окончательно
проснуться, как она вспомнила все, что говорил ей Сэм, и
снова пришла в норму. Она специально разбудила Аннабел пораньше, и они вместе отправились на кухню готовить завтрак и обсуждать карнавальные костюмы.
Накануне Лиз подыскала ей кое-что по ее размеру —
тыкву, принцессу, балерину и медсестру. Аннабел, разумеется, выбрала принцессу. Это было именно то, о чем
она мечтала.

— Мамочка, я очень тебя люблю! — воскликнула
она, обнимая Алекс за талию.

— Я тоже, — ответила Алекс, переворачивая на ско-
вородке оладьи. На секунду у нее возникло ощущение
праздника, с плеч как будто свалился тяжелый груз. Аннабел была счастлива, а Сэму удалось убедить ее в том,
что это затемнение на снимке — всего лишь ложная тревога. Всем своим существом она стремилась поверить в
это. И, уходя на работу, Алекс торжественно поклялась,
что во время ленча позвонит Аннабел.

Страстно поцеловав на прощание Сэма, она поблагодарила его за то, что он ее так утешил.

— Ты должна была бы позвонить мне на работу. Я
бы сказал тебе все то же самое по телефону.

— Я знаю. Наверное, я просто перенервничала. Глупо, конечно.

Впрочем, на ее месте любой бы перенервничал. После еще нескольких поцелуев Алекс помчалась в офис. Брок уже ждал ее вместе с остальной командой. Она встретилась с Мэттью Биллингсом и только в четверть двенадцатого вспомнила о том, что должна позвонить хирургу, которого ей порекомендовал доктор Андерсон.

Сестра спросила, почему она звонит, и Алекс объяснила, что насчет биопсии. В этот момент к ней в кабинет зашел Брок за какой-то папкой, заставив Алекс вздрогнуть; ей хотелось, чтобы он поскорее ушел. Интересно, плотно ли он закрыл дверь, подумала она, когда Брок исчез. Правда, если Сэм прав, это значения не имеет.

Тут к телефону подошел доктор Питер Герман, показавшийся ей весьма серьезным и не очень дружелюбно настроенным. Она рассказала ему про пятно на маммограмме, про беспокойство доктора Андерсона и его совет обратиться к хирургу.

— Я уже говорил с ним, — ответил Питер Герман. — Он звонил утром. Вам необходимо сделать биопсию, миссис Паркер. Как можно скорее — я уверен, что доктор Андерсон вам это объяснил.

— Да, — сказала Алекс, пытаясь сохранить тот заряд спокойствия, который ей передал Сэм, но в разговоре с чужим человеком сделать это было трудно. Она снова почувствовала, что боится его и вообще всего остального, что связано с его специальностью. — Но завтра начинается процесс, на котором я выступаю адвокатом. Так что я выберусь к вам не раньше, чем через неделю или десять дней.

— Это будет очень глупо, — резко ответил врач, отрицая или, наоборот, подтверждая все вчерашние слова Сэма. Может быть, он просто защищает себя, подумала Алекс, предупреждая ее об опасности. — Лучше приходите сегодня, чтобы мы побыстрее разобрались в ситуации. И если понадобится, мы назначим биопсию где-нибудь на следующей неделе. Ну как, устраивает это вас?

— Я... да, наверное... но я... очень занята сегодня. Завтра начинается процесс.

Она уже говорила ему об этом, но теперь она снова чувствовала отчаяние и испуг.

— Сегодня в два, — безжалостно сказал врач, и Алекс поняла, что спорить с ним она не в состоянии. Она молча кивнула, а потом, сообразив, что он не видит ее кивка, подтвердила, что придет к нему в два. К счастью, его офис находился неподалеку от ее конторы. — Вы не хотите прий-ти с подругой?

Этот вопрос удивил Алекс.

— Зачем? — Он что, собирается причинять ей боль или привести ее в такое состояние, что она не сможет обойтись без посторонней помощи? Зачем брать подругу на прием к врачу?

— Я обнаружил, что многим женщинам трудно справиться со сложными ситуациями или большим количеством информации.

— Вы серьезно это говорите? — спросила Алекс, не веря своим ушам. Не будь она так удивлена, она бы рассмеялась. — Я профессиональный юрист. С трудными ситуациями я сталкиваюсь ежедневно, а что касается информации, то за день я получаю ее больше, чем вы за год.

— Информация, с которой вы имеете дело, как правило, не касается вашего здоровья. Даже врачи, у которых обнаруживаются злокачественные образования, чувствуют себя не в своей тарелке.

— Но мы же не знаем, есть у меня злокачественное образование или нет.

— Вы совершенно правы, мы не знаем. Ну что, до двух часов?

Алекс захотелось сказать «нет», но она знала, что не должна этого делать.

— До встречи, — ответила она и яростно бросила трубку на рычаг. Объяснить ее гнев было легко — гормоны и то, что врач был потенциальным носителем страшного известия. Она смертельно боялась его. Немного успокоившись, она позвонила одной из своих помощниц и дала ей необычное задание — навести справки о каждом из трех врачей, чьи имена дал ей доктор Андерсон.

— Я хочу знать о них все: и хорошее, и плохое, и то, что о них думают остальные врачи. Я не знаю, куда именно вы будете звонить, но попробуйте все — пресвитерианские церкви, медицинские школы, в которых они преподают, и так далее. Постарайтесь не пропустить ни одного источника информации. И не говорите никому, что делаете это для меня. Все ясно?

— Да, миссис Паркер, — послушно ответила помощница. Она была самой работящей подчиненной Алекс, так что та могла быть уверена, что девушка соберет всю необходимую ей информацию.

И всего через два часа у нее были сведения о Питере Германе. Алекс уже собиралась уходить, когда в кабинет быстрым шагом вошла ее сотрудница. По ее словам, этот врач был суров со своими пациентами, но безупречен с профессиональной точки зрения. В одной из самых престижных больниц ей сказали, что он отличается консерватизмом, но считается при этом одним из лучших хирургов города. Что касается двух других врачей, то информация о них не была такой полной — было известно, что они, не многим уступая Герману в своих профессиональных качествах, с пациентами обходятся еще более строго, чем он. Двое остальных названных Андерсоном врачей были не чужды тщеславия и придавали очень много значения своему авторитету в медицинском мире. Впрочем, Герман тоже предпочитал общаться с врачами, а не с пациентами; Джон Андерсон скорее всего уважал его именно за это.

— По крайней мере он знает свое дело, хоть он и не прекрасный принц, — подытожила Алекс и со словами благодарности велела своей сотруднице продолжать собирать сведения о двух остальных хирургах. Садясь в такси, она стала думать о том, что скажет врач, увидев серую массу на ее маммограмме. Теперь у нее было несколько версий: оптимистичная, принадлежавшая Сэму, и более зловещая, высказанная Джоном Андерсоном, которую Сэм назвал глупой, и Алекс рада была с ним согласиться.

Но Питер Герман, к сожалению, не разделял мнение Сэма. Он сказал Алекс, что уплотнение на маммограмме — это скорее всего опухоль, чье глубокое расположение в груди и форма заставляют предполагать злокачественность. Разумеется, до того, как станут известны результаты биопсии, ничего определенного сказать было нельзя, но его опыт подсказывал ему, что это опухоль, и опухоль опасная. Дальнейшие действия зависели от стадии развития злокачественного процесса, от степени ее проникновения, от гормональной восприимчивости и от наличия метастазов. Врач разговаривал с ней холодно и конкретно, и картина, нарисованная им, была совсем неутешительной.

— И что все это означает?

— Я не могу вам сказать, пока не буду знать точно. В лучшем случае вам предстоит лампэктомия. Но может понадобиться и более серьезная операция, а именно — умеренно радикальная мастэктомия. Это проверенный способ полностью избавиться от этого заболевания; разумеется, многое зависит от стадии развития опухоли и степени проникновения.

С этими словами он показал ей таблицу, состоявшую из непонятных букв и цифр, которая ровным счетом ничего ей не сказала.

— А что, мастэктомия — это единственный способ избавиться от болезни? — как-то отстраненно спросила Алекс, понимая, что вопрос ее звучит глупо. Она была в полном смятении и чувствовала себя законченной идиоткой. Из высокопрофессионального юриста она вдруг превратилась в простую женщину.

— Не обязательно, — ответил Герман, — возможно, понадобятся облучение или химиотерапия. Опять-таки это зависит от различных факторов и степени распространения.

Облучение и химиотерапия? И плюс к этому умеренно радикальная мастэктомия? А может быть, проще ее сразу убить? Возможно, ей придется изуродовать свое тело и к тому же вытерпеть все чудовищные последствия лучевой или химиотерапии... Алекс почувствовала, как при одной мысли об этом к ее горлу подкатывает тошнота. Сэм с его оптимистическими прогнозами и предупреждениями о чрезмерно осторожных хирургах сразу отступил на второй план. То, что говорил ей Герман, было гораздо более реально и при этом так ужасно, что мысли ее путались.

— В чем конкретно будет состоять эта процедура?

— Для начала мы назначим биопсию. Я бы предпочел делать это под общим наркозом, поскольку опухоль находится слишком глубоко. А после этого решение придется принимать вам.

— Мне?

— Да, это было бы желательно. Вы должны сделать разумный выбор. Эта область медицины предоставляет несколько возможностей в таких ситуациях. От меня здесь зависит далеко не все.

— Но почему? Ведь вы же врач.

— Потому что этот выбор влечет за собой определенный риск и неудобства. В конечном счете это ваш организм и ваша жизнь, поэтому окончательное решение остается за вами. Но при ранней диагностике, как в данном случае, я всегда советую мастэктомию. Это самый разумный и надежный путь. Через несколько месяцев вы при желании сможете сделать пластическую операцию, чтобы восстановить внешний вид груди.

Его слова звучали так, как будто он говорил не о груди, а о том, чтобы заменить крыло у автомобиля. Алекс не знала, что его упор на мастэктомию как на самый надежный способ излечения подтверждает его консервативную репутацию.

— Биопсию и мастэктомию вы сделаете в один день?

— Обычно мы делаем их отдельно. Но, если вы хотите, это можно сделать одновременно. Вы явно очень занятой человек, так что можете сэкономить время, конечно, если вы мне доверяете. Позднее, когда диагноз будет уточнен, мы продумаем все детали как можно более внимательно.

Алекс немедленно вспомнила слова Сэма о страхе каждого врача перед судебным преследованием. А потом она вспомнила еще кое-что.

— А если в ближайшие несколько недель выяснится, что я беременна?

— А это возможно? — удивленно спросил он, заставив Алекс почувствовать себя оскорбленной. Неужели он считает ее такой старой, что вместо детей у нее могут быть только опухоли?

— Я принимала серофен и пыталась забеременеть.

— Тогда вам придется сделать аборт и продолжать лечение. Вы не можете запустить свою опухоль на восемь-девять месяцев. Ваш муж и ваша семья, миссис Паркер, нуждаются в вас гораздо больше, чем в еще одном ребенке.

Его слова прозвучали очень холодно и просто, подобно блеску лезвия скальпеля. Алекс все еще не могла поверить в то, что услышала.

— Я предлагаю вам сделать биопсию на следующей неделе, — продолжал врач, — а перед этим прийти ко мне, чтобы обсудить возможные варианты решения.

— По-моему, их не так много, или я чего-нибудь не поняла?

— Я боюсь, что вы правы, по крайней мере в этом пункте. Прежде всего мы должны определить, насколько далеко зашла болезнь. А потом уже будем принимать решение. Но я хочу, чтобы вы знали, что в большинстве случаев рака на ранней стадии я предлагаю мастэктомию. Я хочу прежде всего сохранить вам жизнь, миссис Паркер, а не грудь. Это вопрос приоритетов. И если у вас злокачественное образование так глубоко в груди, то гораздо безопаснее будет удалить грудь. Потом может быть слишком поздно. Может быть, это проявление консерватизма, но это проверенный метод. Некоторые из новых и более рискованных способов лечения могут иметь катастрофические последствия. Мастэктомия на ранней стадии достаточна надежна и безопасна. А если после операции злокачественные образования не исчезнут, то я рекомендовал бы вам усиленный курс химиотерапии примерно через четыре недели. Вас это, наверное, пугает, однако через шесть-семь месяцев вы полностью избавитесь от болезни, скорее всего навсегда. Разумеется, сейчас об этом еще рано говорить. Мы должны дождаться результатов биопсии.

— А буду ли я после этого способна, — Алекс замялась, не в состоянии произнести заветные слова, но не спросить она не могла, тем более что он спокойно говорил об аборте в том случае, если она беременна, — буду ли я способна зачать?

Врач поколебался с ответом, но недолго. Этот вопрос ему задавали уже не раз, правда, более молодые женщины. В сорок два большинство пациенток больше интересовало спасение собственной жизни, нежели способность иметь детей.

— Это возможно. Уровень стерильности после химиотерапии составляет примерно пятьдесят процентов. Но, разумеется, существует определенный риск. Однако если вы не пойдете на этот риск, последствия могут быть самыми мрачными.

Самыми мрачными? Что это означает? Он что, хочет сказать, что отказ от курса химиотерапии убьет ее?

— У вас будет время подумать об этом во время вашего процесса, — продолжал тем временем Герман. — И пожалуйста, как можно скорее приходите ко мне еще раз. Я постараюсь принимать вас в удобное вам время. Джон Андерсон сказал мне, что вы очень загруженный адвокат.

Эти слова Питер сопроводил некоторым подобием улыбки, заставив Алекс мысленно поинтересоваться, та ли эта «человечность», о которой говорил Джон Андерсон. Если да, то она совершенно тонула в том хладнокровии врача-практика и ученого, которое он проявлял все остальное время, не будучи «человечным».

Он до полусмерти испугал Алекс своими ледяными объяснениями фактической стороны дела, но она уже располагала сведениями о его безупречной репутации. Если уж оказалось, что у нее опухоль, предположительно злокачественная, то ей нужен был именно великолепный хирург. А что касается настроения, то для его поднятия существует Сэм.

— Больше у вас пока нет вопросов? — осведомился
врач, и Алекс удивленно покачала головой. То, что она
услышала сегодня, было еще хуже вчерашних вестей, и
Питеру Герману удалось полностью выбить ее из колеи.
Она уже представила себя без левой груди, проходящую
усиленный курс химиотерапии. Наверное, после этого она
останется без волос? Алекс не могла выговорить вслух
этот вопрос. Но она знала нескольких женщин, прошедших через этот кошмар, которым приходилось носить па-
рики или самые короткие стрижки. Химиотерапия влекла
за собой облысение — и это лишь пополнило постоянно
растущий список ужасных последствий.

Алекс покинула кабинет врача в полном ошеломлении.
Закрыв за собой дверь своего кабинета, она поймала себя
на том, что не может даже вспомнить, как выглядит врач.
Она провела в его обществе около часа, однако лицо его
совершенно выветрилось из ее памяти вместе со всеми его
словами, кроме слов «опухоль», «злокачественный», «мастэктомия» и «химиотерапия». Все остальное преврати-
лось в неразличимую какофонию звуков и шума.

— У тебя все в порядке? — спросил Брок, вошед-
ший в офис сразу же после появления Алекс. Он с тревогой отметил, что она выглядела еще хуже, чем вчера. —
Эй, ты не заболеваешь?

Она уже заболела — по крайней мере по словам
врачей. Это казалось ей невероятным. Она чувствовала себя превосходно, у нее ничего не болело, никаких недомоганий не было, а ей говорили, что у
нее, возможно, рак. Рак. Она никак не могла заставить себя в это поверить. И Сэм тоже не мог.

Придя домой вечером, она передала ему все слова
Питера Германа, но Сэм отбросил и их с тем же спокойствием и легкостью, что и вчера.

— Я тебе говорю, Алекс, эти ребята просто защищают себя от обвинений в профессиональной непригодности.

— А что, если это не так? Если они правы? Этот,
как ты говоришь, парень — самый крупный хирург в
этой области, так зачем же ему пудрить мне мозги только
для того, чтобы защитить собственную шкуру?

— Может быть, у него заложен дом, и ему нужно
отрезать как можно больше сисек, чтобы расплатиться
с долгами. Откуда я знаю? Ты же к хирургу пришла, поэтому глупо ожидать, что он отправит тебя
домой с миром, прописав аспирин. Нет, разумеется,
он скажет тебе, что тебе просто необходимо отрезать грудь. Или хотя бы напугает тебя до полусмерти,
чтобы покрыть себя, если у тебя действительно там
что-нибудь окажется, во что я абсолютно не верю.

— Ты что, хочешь сказать, что он мне врет? Что он
сделает мне операцию, даже если у меня нет никакого рака?

Рак. Они теперь произносили это слово так же, как
«салфетка», «микроволновая печь» или «кровь из носа».
Этот чудовищный термин стал частью их повседневного
словаря, но Алекс все равно не могла без дрожи слышать
его, особенно из собственных уст.

— Неужели ты считаешь, что он просто шарлатан?

Теперь она не знала, что и думать, а отношение к
этому вопросу Сэма почти злило ее.

— Может быть, и нет. Наверное, он неплохой врач —
иначе бы Андерсон тебе его не рекомендовал, — но нельзя доверять каждому, особенно каждому врачу.

— О юристах обычно говорят то же самое, — мрачно усмехнулась она.

— Девочка моя, перестань дергаться. Скорее всего у
тебя ничего нет. Он сделает надрез на твоей груди, обна-
ружит там остатки молока, зашьет и скажет тебе, чтобы
ты про это забыла. Не беспокойся раньше времени.

Сэм настолько жизнерадостно воспринимал то, что за два дня уже успело стать для нее трагедией, что от этого она только больше нервничала.

— Но что, если он прав? Он сказал, что образование такого типа, особенно расположенное так глубоко в груди, скорее всего является злокачественным. А вдруг это действительно так?

Алекс не оставляла попыток поделиться с мужем своими тревогами, заставить его вникнуть в происходящее, но он просто не мог этого сделать.

— Да нет у тебя никакого злокачественного образования, — упрямо твердил Сэм. — Поверь мне.

Он напрочь отказывался разделить ее состояние. У Алекс создалось впечатление, что он просто скрывается от реальности за занавесом оптимизма и юмора. Настойчивая уверенность мужа в том, что у нее все в порядке, заставила Алекс почувствовать себя одинокой. Ей очень хотелось поверить Сэму, но она не могла. Он добился только одного — поколебал ее веру в доктора Андерсона и доктора Германа. Настолько, что во время короткого перерыва на второй день процесса она позвонила одному из других врачей, рекомендованных Андерсоном.

Это была достаточно молодая женщина, опубликовавшая меньше статей, однако пользовавшаяся большим авторитетом и, по отзывам коллег, не менее консервативная, чем доктор Питер Герман. Ее звали Фредерика Уоллерстром, и она согласилась встретиться с Алекс на следующий день перед заседанием суда, в половине восьмого утра. Когда Алекс увидела ее, ей вдруг захотелось, чтобы доктор Уоллерстром несколькими теплыми и ласковыми словами избавила ее от всех мучений, чтобы она сказала ей, что все ее страхи напрасны, что опухоль доброкачественная и что ни один из тех ужасов, о которых она слышала, ее не коснется. Но мисс Уоллерстром была подчеркнуто сурова с ней и не сказала ни слова, пока не обследовала Алекс и не посмотрела снимки. Когда она наконец заговорила, ее взгляд был холоден, а на лице не отражалось никаких чувств.

— Я должна вам сказать, что доктор Герман был абсолютно прав в своих предположениях. На этой стадии обследования точно ничего сказать нельзя. Но я придерживаюсь мнения, что опухоль злокачественная.

Она говорила без обиняков и, казалось, совершенно не интересовалась тем, какое впечатление ее слова произведут на Алекс. Слушая эту женщину с короткими седыми волосами и сильными, похожими на мужские, руками, Алекс почувствовала, как ее ладони покрываются потом, а ноги начинают дрожать.

— Разумеется, мы можем ошибаться, но вы сами поймете, что мы скорее всего правы, — холодно добавила врач.

— А если она злокачественная, что вы мне порекомендуете, доктор Уоллерстром? — спросила Алекс, пытаясь напомнить себе о том, что в данном случае она заказывает музыку, она оценивает сидящую напротив нее женщину в белом халате и что окончательный выбор по-прежнему остается за ней. Но она все равно чувствовала себя маленькой девочкой, беспомощной и неспособной контролировать ситуацию, в то время как врач бесстрастно смотрела на нее.

— Разумеется, существует масса приверженцев лампэктомии, предлагающих делать ее практически во всех случаях, но я лично считаю, что риск, связанный с этим методом, слишком велик, и последствия такого решения могут быть самыми катастрофическими. Мастэктомия, особенно в сочетании с химиотерапией, — это самый надежный способ навсегда избавиться от болезни. Я придерживаюсь консервативного подхода, — твердо сказала доктор Уоллерстром, отметая все прочие школы — пусть даже солидные и авторитетные — без всяких колебаний. — Я сторонница мастэктомии. Конечно, вы можете предпринять что-нибудь еще — лампэктомию или облучение, например, но вы же деловая женщина и сами постепенно осознаете, что это нереально. У вас нет времени на длительное и кропотливое лечение, и впоследствии вы можете пожалеть о том, что не выбрали более радикального метода. Если вы сейчас предпочтете сохранить грудь, потом это может оказаться роковой ошибкой. Разумеется, вы можете рискнуть. Это ваше дело. Но лично я полностью солидарна с доктором Германом.

Она не только соглашалась с ним, но ей, казалось бы, нечего было добавить — ни капли тепла, доброты или чисто женского сочувствия к Алекс. Она была еще более безжалостна и хладнокровна, чем доктор Герман. Перед встречей Алекс думала, что они найдут общий язык хотя бы потому, что они обе женщины, но доктор Уоллерстром настолько не понравилась ей, что она еле дождалась окончания визита и, выйдя на улицу, с облегчением вдохнула свежий октябрьский воздух. Ей казалось, что она просто задыхается от всего услышанного.

Алекс приехала в здание суда в четверть девятого и была поражена тем, как мало времени врач потратила на такой серьезный разговор. Впрочем, серьезным он был исключительно для Алекс. Для всех остальных это был самый заурядный случай. Все очень просто — отрежь себе грудь, и проблема решена. Пока ты врач, а не пациент, все предельно легко. Для них это был вопрос теории и статистики. А для Алекс — ее жизнь, ее внешность, ее будущее. И принять решение ей было нелегко.

Алекс была разочарована тем, что, узнав независимое мнение второго человека, она еще больше уверилась в том, что с ней происходит что-то страшное и что возможностей для выбора у нее не так уж много. В глубине души Алекс надеялась на то, что доктор Уоллерстром хотя бы частично развеет ее страхи, сказав ей, что она просто перенервничала и повела себя глупо. Но вместо этого она только подкрепила испытываемый Алекс ужас, заставив ее чувствовать себя еще более испуганной и одинокой. Необходимость в биопсии не отпадала, нужно было проанализировать состояние опухоли, и окончательное решение все равно было за Алекс и ее хирургом. Разумеется, оставался шанс, что опухоль окажется доброкачественной, но после всего того, что она услышала в последние дни, это казалось ей все менее и менее вероятным.

Даже добродушный отказ Сэма поверить в худшее казался ей теперь абсурдным. Его непреклонное нежелание обсуждать с ней возможные варианты в сочетании с напряженным течением процесса и гормональными таблетками, которые продолжали влиять на ее настроение, привели к тому, что в течение всей недели Алекс с трудом удерживала себя в нормальном душевном и эмоциональном состоянии. У нее было такое ощущение, будто она идет по дну реки, борясь с давлением воды.

Единственное, что удерживало ее от того, чтобы утратить контроль над собой, — это невероятно сильная поддержка Брока во время работы. Когда суд полностью освободил Джека Шульца от всех обязательств перед истцом, это показалось ей чудом. Судьи отказали истцу во всех его требованиях, и Джек должен был быть благодарен ей до конца своих дней. Процесс занял всего шесть дней, и уже в четыре часа в следующую среду дело было закончено. Победа в зале суда была единственной приятной вещью, которая произошла за последнее время.

Опустошенная, но удовлетворенная, Алекс сразу же после окончания судебного заседания поблагодарила Брока за его помощь. Это были самые тяжелые десять дней в ее жизни, о чем, кроме нее самой, никто не догадывался, и без работы в связке с Броком ей пришлось бы трудно.

— Без тебя бы я не справилась, — с искренней благодарностью сказала Алекс. Последние несколько дней совершенно вымотали ее.

— Это все твоих рук дело, — с восхищением ответил он. Наблюдать за тобой в зале суда — одно удовольствие. Это похоже на балет или безупречно проведенную хирургическую операцию. Ты не пропустила ничего — ни единого шва, ни единого шага, ни единого разреза.

— Спасибо, — откликнулась Алекс, убирая с его помощью документы. Слова Брока напомнили ей о том, что она должна позвонить Питеру Герману. Ей было страшно снова с ним встречаться, а до биопсии оставалось всего пять дней. Ничего нового за прошедшее время она не узнала, за исключением того, что ее визит к доктору Уоллерстром только подтвердил предположения Питера Германа. А что касается ее мужа, то Сэм наотрез отказывался обсуждать с ней эту тему. Он сказал, что нечего поднимать шумиху вокруг того, что никогда не произойдет. Алекс очень надеялась на то, что он прав, но нельзя было поспорить с тем, что Сэм был единственным человеком, так оптимистично относившимся к происходящему.

Она пыталась порадоваться своей победе на процессе, но праздничного настроения у нее не было, несмотря на то, что Джек Шульц прислал ей огромную бутылку шампанского, которую она взяла домой. Нервная и подавленная, она очень боялась надвигавшегося понедельника.

Через день после окончания процесса Алекс снова явилась к Питеру Герману, и на этот раз он с ней и вовсе не миндальничал, заявив в самых конкретных выражениях, что если опухоль таких размеров, расположенная так глубоко, окажется злокачественной, то ей предстоят умеренно радикальная мастэктомия и усиленный курс химиотерапии, и что лучше всего ей начать привыкать к этой мысли. Он объяснил, что у нее есть два варианта действий. Первый — биопсия под общим наркозом, после которой она обсудит с ним дальнейшие действия, встретившись с врачом еще раз. Или же перед биопсией она подпишет специальный документ, который разрешит ему предпринимать все, что он сочтет нужным, сразу же после того, как будет проведена биопсия. Это позволяло делать общую анестезию один раз вместо двух, но от Алекс при этом требовалось полное доверие врачу. Герман объяснил Алекс, что обычно эти процедуры никто не объединяет, однако, сказал он, ему показалось, что Алекс хочется как можно быстрее решить эту проблему. Сложности могут возникнуть в одном-единственном случае — если она беременна. Герман сказал, что независимо от того, так это или нет, он не будет возражать, если она решит проводить эти процедуры раздельно.

Итак, окончательный выбор, так же как в случае с лампэктомией и мастэктомией, ей предстояло сделать самой. Алекс должна была решить, делать ли биопсию отдельно или в сочетании с самой операцией. По мере обсуждения этого вопроса с доктором Алекс начало казаться, что вместо того, чтобы растягивать агонию и снова возвращаться в больницу для операции, проще будет расправиться со всем этим ужасом за один прием. Таким образом, она доверила доктору Герману принятие окончательного решения после биопсии. Это был самый тяжелый выбор после посещения доктора Уоллерстром.

Несмотря на то, что перспектива лампэктомии, позволявшей сохранить грудь, казалась ей очень соблазнительной, в конце концов она пришла к выводу, что безопаснее и вернее будет все-таки удалить грудь. У обоих подходов существовали горячие сторонники, пользовавшиеся большим авторитетом в медицинском мире, однако Питер Герман явно предпочитал первый, и Алекс, боявшаяся операции как огня, все же решила следовать его подходу. Она согласилась и на умеренно радикальную мастэктомию, если опухоль окажется злокачественной, и на химиотерапию, если в ней возникнет необходимость, хотя говорить об этом пока было рано.

Но больше всего ее мучила мысль о том, что она может оказаться беременной. Несмотря на то, что она просто обожала Сэма и Аннабел, ей было бы невероятно трудно, просто невозможно отказаться от нерожденного ребенка. Доктор Герман очень доступно объяснил ей, что в первом триместре беременности врачи предпочитают мастэктомию, а не лампэктомию, потому что в первом случае не нужно проводить курс облучения. Но мастэктомия обычно сопровождается химиотерапией, почти автоматически влекущей за собой самопроизвольный аборт. Это же касается и второго триместра, так что назначенная в этот период химиотерапия скорее всего убьет ребенка. Только в третьем триместре врачи готовы будут подождать и начать лечение после рождения ребенка.

Доктор честно сказал ей, что у нее нет почти никаких шансов на то, что опухоль окажется доброкачественной. Ему не раз приходилось видеть опухоли такого типа. Единственное, на что он надеялся, — это на неглубокую степень проникновения и отсутствие метастазов, что позволит сделать вмешательство минимальным. И, разумеется, он рассчитывал, что рак не зашел дальше первой стадии.

При этих словах Алекс почувствовала, что у нее перед глазами снова все расплывается, и силой воли заставила себя вслушаться в его слова и понять их. Ей захотелось, чтобы рядом оказался Сэм, но он так активно отрицал наличие хотя бы малейшей проблемы, что ей даже в голову не пришло попросить его присутствовать.

— А ваша предполагаемая беременность? — спросил Питер Герман, когда она уже собралась уходить. — Насколько это возможно?

Этот фактор мог повлиять на некоторые их действия.

— Сейчас я не могу этого знать, — печально сказала она. В выходные это должно было выясниться.

— Вы не хотите ни с кем проконсультироваться перед биопсией? — спросил доктор, снова показывая свою «человечную» сторону. Он делал это редко и скупо, но то, что он все-таки пытался проявить какое-то участие, было приятно. — Это особенно важно, если вы решите сделать обе операции в один день, на случай подтверждения предположения о злокачественной опухоли. Тогда вам имеет смысл поговорить с психотерапевтом или другими женщинами, которые через это прошли. Обычно мы рекомендуем группы психологической помощи, особенно после операции. Это очень эффективно.

Алекс сокрушенно посмотрела на него и покачала головой:

— На это у меня нет времени. В особенности если я буду вынуждена не появляться в офисе в течение нескольких недель.

Ей необходимо было сдать дела, и она уже попросила Мэтта Биллингса поработать за нее, а значительную часть работы скинула на Брока, будучи уверена в том, что он ее не подведет. Но она не стала объяснять им, в чем причина ее временного исчезновения, признавшись только в том, что собирается пройти курс лечения, который может продолжаться от двух дней до двух недель. Оба ее коллеги были готовы помочь ей. Брок выразил надежду, что ничего серьезного с ней не происходит, а Мэттью даже и в голову не пришло, что это нечто большее, чем изменение формы носа или подбор контактных линз. Его жена сделала нечто подобное около года назад, и ему казалось, что Алекс в таких вещах совершенно не нуждается; впрочем, он всегда был убежден в том, что все женщины помешаны на своей внешности. Алекс выглядела совершенно здоровой, и он даже предположить не мог, насколько серьезно ее состояние.

— Как вы считаете, когда я смогу вернуться к работе? — в открытую спросила она врача.

— Скорее всего через две или три недели — это будет зависеть от того, как вы перенесете операцию. И потом, неизвестно, как ваш организм отреагирует на химиотерапию, которую мы начнем примерно через четыре недели после операции. Некоторые женщины справляются с этим легко, у других же возникают проблемы.

Питер Герман уже все решил. У нее рак, грудь надо отрезать, а потом делать химию. Может быть, Сэм и прав, и это всего лишь фабрика мясников, режущих груди, чтобы заплатить за аренду, но поверить в это было трудно. Сам тон доктора Германа свидетельствовал о том, что у нее была серьезная проблема.

На выходные он пригласил ее в больницу для анализов крови и рентгена груди, после чего они обсудили невозможность переливания ей ее собственной крови через такой короткий промежуток времени. Однако доктор сказал ей, что даже при радикальной мастэктомии переливание крови требуется крайне редко и если это понадобится, он организует сдачу донорской крови. Больше говорить было не о чем. Выразив желание связаться с ней в выходные, когда она поймет, беременна она или нет, и получив ее согласие, Герман отпустил свою пациентку. Алекс вышла из его кабинета на деревянных ногах.

Вернувшись в офис, она провела там остаток дня, а потом пришла домой к обеду. Только Кармен заметила, какой притихшей и замкнутой стала ее хозяйка. Алекс не стала рассказывать Сэму о своем визите к доктору Герману, пока они не легли спать. Когда она наконец заговорила, Сэм уже проваливался в дрему и почти никак не отреагировал на ее слова. Закончив свои подробные объяснения, Алекс обнаружила, что ее муж спит сном праведника.

Утром в пятницу она разобрала свой рабочий стол. Брок пришел к ней, чтобы забрать некоторые бумаги и пожелать удачи на следующей неделе.

— Я надеюсь, что все пойдет так, как ты хочешь, что бы это ни было.

Брок догадывался, в чем дело, потому что в одном из ее телефонных разговоров случайно услышал слово «биопсия» и весь похолодел. Но все равно он надеялся, что ничего серьезного с ней не произойдет и она быстро вернется к работе. Поспешно попрощавшись с напарником, Алекс дала Лиз свои последние инструкции. Она пообещала звонить, чтобы передавать сообщения, а через несколько дней, если она еще не вернется, прислать ей работу на дом.

— Берегите себя, — тихо сказала Лиз, нежно обняв Алекс, которая с трудом сдерживала слезы и вынуждена была отвернуться.

— И вы берегите себя, Лиз. До скорой встречи, — ответила она, пытаясь казаться уверенной. Сидя в такси по дороге к садику Аннабел, она беспрестанно рыдала. Была пятница, и они должны были идти на балет.

Съев ленч в кафе, Алекс и Аннабел отправились прямиком к мисс Тилли. Девочка была счастлива. Мама снова принадлежала только ей, а не «разговаривала с судьей».

Доедая мороженое с горячим сиропом, Аннабел не терпящим возражений тоном заявила, что ей совершенно не нравится, когда мама пропадает на своих процессах.

— Я попытаюсь не делать этого часто, — ответила Алекс. Она еще не говорила дочери о том, что в понедельник уедет в больницу, поэтому в субботу она попыталась обсудить эту проблему с Сэмом. Она считала, что лучше всего будет сказать, что она едет в командировку, потому что слова «больница» девочка испугается.

— Даже не думай об этом, — раздраженно сказал Сэм, — ты вернешься домой в тот же день.

Он казался сердитым и говорил злым голосом.

— Я не уверена в этом, — тихо ответила Алекс, расстроенная тем, что он отказывается посмотреть правде в глаза. Он избрал самый легкий путь — путь отрицания. — Если они сделают операцию, я буду лежать в больнице по крайней мере неделю.

Она пыталась заставить себя, да и Сэма тоже, смириться с этим, но он даже не хотел ни о чем слышать.

— Слушай, ты перестанешь или нет? Ты начинаешь меня сердить. Что случилось? Тебе что, сочувствие нужно?

Алекс никогда не видела его в такой ярости — как будто она коснулась какого-то нерва. Она вдруг подумала, что его беспокойство, по-видимому, связано с воспоминаниями о его матери. Но каковы бы ни были причины его раздраженности, Алекс все это заставляло нервничать еще больше.

— Да, ты прав, — повернулась она к нему в конце концов, рассерженная в первый раз после того, как все это началось, — мне нужна твоя поддержка. Этот твой упрямый отказ поверить в то, что происходит, отнюдь не облегчает мне жизнь. Неужели тебе не приходило в голову, что я могу нуждаться в твоей помощи? Мне очень

трудно. Через два дня я могу потерять грудь, а ты настаиваешь на том, что ничего подобного не случится.

Глаза Алекс наполнились слезами, пока она говорила это.

— Ничего не случится, — хрипло ответил он, а потом
отвернулся, чтобы скрыть свои собственные слезы. Но больше
он на эту тему не говорил, и в воскресенье она поняла, что
Сэм не собирается все это с ней обсуждать. Он просто не
мог. Это слишком его пугало, слишком напоминало ему о
матери. Но Алекс в результате осталась совсем без поддерж-
жки. У нее была куча знакомых и несколько довольно близ-
ких подруг, но она редко виделась с ними, за исключением
коллег. Она всегда работала, и у нее совершенно не оставалось времени на друзей. Ее лучшим другом был Сэм, а
теперь оказалось, что он не может ни смотреть в лицо тому,
что может с ней произойти, ни помочь ей. А звонить кому-
нибудь еще ей казалось глупым. «Привет, это Алекс Паркер, мне завтра сделают биопсию груди, ты не хочешь
поприсутствовать?».. На самом деле мне могут сделать и операцию, если опухоль окажется злокачественной, но Сэм говорит, что все это для того, чтобы врач мог купить себе
«мерседес»...» Связаться с друзьями ей было трудно —
труднее, чем признать, что Сэм покинул ее. Но это было
действительно так, и это было ужасно. Вечером она объяснила Аннабел, что уезжает по делам на несколько дней.
Девочка расстроилась, но сказала, что все понимает, что
папа будет о ней заботиться. У Алекс навернулись на глазах
слезы, когда она это услышала. Аннабел крепко ее обняла и
сказала, что будет очень скучать, что сделало расставание
еще более мучительным.

— А ты вернешься в пятницу, чтобы отвести меня к
мисс Тилли? — спросила она, глядя на маму огромными
зелеными глазами, в то время как Алекс пыталась восстановить самообладание.

— Я попробую, детка, я тебе обещаю, — хриплым голосом произнесла она, прижимая к себе дочь и молясь, чтобы не произошло ничего ужасного. Может быть, доктор Герман ошибается, и ей повезет. Прощание с Аннабел заставило ее почувствовать себя очень беззащитной и испуганной. — А ты обещаешь мне быть хорошей девочкой и не расстраивать папу и Кармен? Я буду по тебе очень скучать.

Гораздо больше, чем она думала, сказала себе Алекс, задыхаясь от слез. Но и биопсия, и то, что за ней могло последовать, должны были спасти ей жизнь. Она хотела быть с Аннабел как можно дольше. Всегда.

— А почему ты уезжаешь, мама? — грустно спросила Аннабел. Казалось, она почувствовала, что Алекс чего-то не договаривает.

— Потому что мне нужно. Для работы. — Это звучало неубедительно даже для ее собственных ушей.

— Ты слишком много работаешь, — мягко сказала Аннабел. — Когда я вырасту, я буду заботиться о тебе, мама. Я тебе обещаю.

Аннабел была настоящим ангелом, и Алекс с болью в сердце думала о том, что им придется на некоторое время расстаться. Мысль о том, что завтра утром она уйдет от своей дочурки в неизвестность, разрывала ей сердце, и она еще долго прижималась к Аннабел, прежде чем наконец выключила свет и отправилась готовить обед для них с Сэмом.

Но Алекс очень нервничала и была невыносима. Она могла думать только о том, что ей предстоит. А Сэм в течение всего обеда демонстративно обходил эту тему. Закончив есть, он отправился читать какие-то отчеты, а Алекс еще раз зашла в спальню Аннабел. Ей хотелось немного полежать рядом со спящей дочерью, почувствовать на щеке ее кудряшки и сладкое дыхание Потом, стоя в дверном проеме, Алекс подумала, что девочка похожа на маленького ангела. Она вошла в свою собственную спальню с молитвой на устах, чтобы завтра в больнице произошло чудо. Ей хотелось только одного — жить, даже если ради этого придется пожертвовать грудью.

Сэм спал перед экраном телевизора, когда она наконец скользнула в кровать. У него тоже была тяжелая неделя — к ним приезжали с деловым визитом арабы из Саудовской Аравии. Но он мог бы сказать ей хоть одно теплое слово по поводу того, что ей предстояло утром. Не обидеться на него было невозможно. Целый час она пролежала в кровати, мечтая и не решаясь заговорить. Сэм наконец зашевелился, но только для того, чтобы снять джинсы и джемпер и лечь рядом с ней.

— Сэм? — ласково позвала она. Ей хотелось, чтобы он проснулся, чтобы поговорил с ней, обнял ее, даже занялся с ней любовью, но он был где-то далеко, за миллионы миль от нее, полностью равнодушный к ее проблеме.

— М-м-м?

— Ты спишь? — Было ясно, что он спал. Алекс хотела разбудить его, но растолкать мужа было невозможно. — Я тебя люблю, — прошептала она, зная, что он ее не слышит. Он не слышал ничего, он был в своем собственном мире — слишком далеком, чтобы помочь своей жене или хотя бы признать, что с ней происходит что-то страшное. Сэм просто боялся втягиваться во все это, и Алекс это знала. Но такой одинокой, как сейчас, она себя не чувствовала никогда. В каком-то смысле он бросил ее на произвол судьбы.

Отправившись перед сном в ванную, она обнаружила то, чего ей хотелось меньше всего. Вопреки их попыткам двухнедельной давности, вопреки гормонам, которые она пила, у нее началась очередная менструация. Теперь ее ждали только биопсия и, возможно, операция. Но не ребенок.

Глава 5

На следующий день Алекс проснулась в шесть утра и некоторое время бесцельно бродила под дому. Она поставила вариться кофе для Сэма, сделала какие-то приготовления к завтраку и пошла проведать мирно спящую Аннабел. Сэм тоже еще спал, и смотреть на них обоих было очень странно. Через полчаса она уйдет из дома — на несколько часов или несколько дней — чтобы выиграть или проиграть битву, которая может стоить ей жизни. Это просто не укладывается в голове, думала она, стоя в дверях детской. Как же она расстанется со своей маленькой девочкой? Что с ними будет? Только сейчас до нее начало доходить, что же произойдет с ней этим утром.

Алекс не стала ничего есть и пить, хотя ей очень хотелось кофе. Стоя в ванной с зубной щеткой в руках, она внезапно почувствовала, как к глазам подступают слезы. Больше всего на свете ей сейчас хотелось убежать, спрятаться от всего этого, но от предавшего ее собственного тела скрыться было невозможно. Так и стояла она, глядя в зеркало, и слезы, которые уже не было сил сдерживать, свободно бежали по ее щекам. Отложив щетку, она опустила бретельки своей ночной рубашки. Шелковая сорочка беззвучно упала на пол, и Алекс увидела в зеркале свои небольшие плотные груди, которыми она всегда гордилась. Левая грудь была немного больше правой. Алекс вспомнила с улыбкой, что Аннабел всегда предпочитала большую грудь меньшей, когда Алекс ее кормила. Смотреть на свое симметричное и изящное тело было приятно — Алекс была длинноногая, с тонкой талией и хорошей фигурой, и никогда не предпринимала никаких особых усилий, чтобы все это сохранить. Но что будет сегодня? Что, если ей через несколько часов отрежут одну грудь? Изменится ли она? Может ли случится так, что Сэм больше никогда не захочет ее изуродованное тело? Ей хотелось поговорить с ним об этом, услышать от него, что ему совершенно не важно, сколько у нее будет грудей. Она нуждалась в этих словах утешения, но ее муж был не в состоянии даже разделить ее тревогу, постоянно твердя, что у нее все в порядке и что она просто мнительна.

Внезапно Алекс зарыдала — она осознала, что с ней может произойти. Раньше она не могла вообразить этого в полной мере. Потеря груди была вполне приемлемой ценой за жизнь, если уж она встала перед таким выбором, но ей все равно не хотелось ее терять. Трудно было свыкнуться с мыслью, что ее тело будет деформировано, что она станет похожа на мужчину и вынуждена будет прибегать к услугам пластической хирургии. Ничего этого ей не хотелось. И больше всего ей не хотелось терять грудь и болеть раком.

— Доброе утро, — сонно сказал Сэм, залезая под душ за ее спиной. Он вошел в ванную незаметно, не увидев, что Алекс плачет. Она неловко отвернулась от него, словно уже стеснялась своего тела, и завернулась в полотенце.

— Что-то ты сегодня рано встала, — продолжал Сэм. Просто удивительно! И что это она, действительно, вскочила ни свет ни заря? Алекс почувствовала, что ей хочется его ударить. Все то понимание, с которым он всегда относился к ее проблемам, за последние две недели, казалось, полностью исчезло.

— У меня сегодня операция, — напомнила она ему сдавленным голосом.

— У тебя биопсия. Не преувеличивай, — ответил Сэм, поворачивая кран.

— Когда ты, черт побери, проснешься? — не выдержала Алекс. — Когда ты поймешь, что в конце концов происходит? Только после того, как я останусь без груди? Неужели тебя это так пугает, что ты даже не можешь посочувствовать мне?

Сэм давно уже ждал от нее этих слов, давно хотел знать, действительно ли она в таком ужасном состоянии, но он не мог справиться с собственным ужасом. Стоя под душем, он невнятно пробормотал что-то в ответ. Алекс не расслышала и посмотрела на него с немым удивлением. Откинув пластиковую занавеску так, что капли воды стали попадать и на нее, Алекс яростно вскинула голову.

— Что ты сказал?

— Я сказал, что ты склонна к мелодраматизму. — Сэм был смущен и раздражен одновременно. Его жена стояла перед ним, мокрая и прекрасная, и его тело немедленно отреагировало на ее красоту. Но любовью они не занимались со дня получения результатов маммограммы. В последний раз это было в «голубой» день. Потом у нее начался процесс, а теперь она не могла справиться со своими чувствами по поводу возможного рака. И Сэм не пытался предложить ей секс. Он словно избегал этого.

— А я тебе говорю, что ты сукин сын, Сэм Паркер. Мне плевать, что тебе так же трудно справиться с происходящим, как и мне. Потому что это происходит со мной, а не с тобой. Ты мог бы все это время просто быть со мною рядом. Неужели это так трудно? Да, для вас это оказалось трудным, мистер Важная Персона, мистер Инвестиционный Капитал, мистер Наложивший в Штаны От Испуга!

Алекс едва сдержалась, чтобы не ударить его, но Сэм не стал ей возражать, а просто отвернулся от нее, закрывшись занавеской, и продолжал мыться.

— Полегче, Ал, полегче. Сегодня днем все кончится, и ты будешь чувствовать себя гораздо лучше.

Оба они знали, что серофен, который она принимала месяц назад, мог оказать отрицательное влияние на ее способность справляться с трудностями и настроение, но на этот раз дело было не в гормонах. Речь шла о жизни и смерти, о выживании и жизни. Под угрозой оказалось все существо Алекс, ее здоровье, жизнь, внешность, женственность, способность иметь детей, в конце концов. Что могло быть важнее всего этого? Может быть, многое, но на эту тему она еще не успела подумать. И Сэм не успел. Он сунул голову в песок и ничего не видел.

Когда Аннабел проснулась, пришла Кармен. Алекс сидела в детской, пока девочка одевалась, и Кармен заметила, что ее хозяйка нервничает. Алекс сказала ей то же самое, что и дочери, — что уезжает в командировку на несколько дней и хочет, чтобы Кармен с ними пожила.

— У вас все в порядке, миссис Паркер? — обеспокоенно спросила Кармен. Она никогда не видела маму Аннабел в таком напряженном состоянии. Алекс вдруг захотелось все ей рассказать, но она почувствовала, что если признается в этом, предстоящие ей события станут слишком реальными. Гораздо легче было врать, что она уезжает по делам.

— Все отлично, Кармен, спасибо.

Но провести няню было не так-то легко. Алекс надела джинсы и белый свитер, сунув босые ноги в мокасины. Она даже не накрасилась, чего никогда не бывало, когда она шла на работу. Кармен посмотрела на нее, нахмурившись, а потом перевела взгляд на одетого в деловой костюм Сэма, который пил кофе, ел яичницу и читал утреннюю газету. Когда он наконец отложил ее в сторону, Кармен заметила, что он непривычно добродушен. Правда, своей жене Сэм ничего не сказал, но с Аннабел и Кармен долго и весело шутил. И хотя она не могла понять, что именно происходит, что-то подсказывало ей, что дела плохи. Аннабел, впрочем, ни о чем не подозревала.

В семь пятнадцать Алекс напомнила мужу, что им пора. Он взял свой кейс и сумку Алекс и пообещал Аннабел вернуться домой к обеду. Поцеловав девочку и взбив ее кудряшки, он пошел к лифту, а Алекс обняла дочурку.

— Я буду очень по тебе скучать, — поспешно сказала Алекс, чувствуя, что ее начинает бить дрожь. Ей не хотелось растягивать сцену прощания, но она все бы отдала за то, чтобы вечно стоять вот так и держать девочку в своих объятиях. Но лифт уже пришел, и Сэм ждал ее. — Я тебя люблю, детка, и мы скоро увидимся... Я очень тебя люблю...

Последние слова Алекс сказала уже через плечо, вытирая на ходу слезы. Кармен проследила за ней взглядом и покачала головой. Когда она вернулась в кухню, Аннабел уже смотрела мультики. Няня была поражена выражением лица своей хозяйки. Моя посуду, из которой ел Сэм, она вспомнила, что Алекс даже ничего не поела, не выпила сока или кофе. Случилось что-то очень серьезное — догадаться об этом было нетрудно.

В такси по дороге в больницу Сэм вел светскую беседу, а Алекс чувствовала, что у нее даже нет сил отвечать. Это было еще хуже, чем разговор о том, что ей предстояло. Алекс могла думать только о личике стоявшей в дверях Аннабел, о ее объятиях и прощальном поцелуе. Вынести все это было просто невозможно.

— Сегодня приезжают еще одна группа арабов и какие-то люди из Нидерландов. Я должен признаться, что у Саймона исключительные связи. Я ошибался насчет него.

Разговор в таком духе происходил по пути к городской больнице Нью-Йорка, где они должны были встретиться с доктором Питером Германом.

— Я рада слышать, — огрызнулась Алекс, которой было совершенно неинтересно слушать ни про достоинства Саймона, ни про потенциальных клиентов Сэма. — Ты побудешь со мной или поедешь в офис?

Ее не удивил бы любой ответ, но она знала, что его присутствие было бы ей приятно.

— Я же говорил тебе, что останусь, так что не волнуйся. Я попросил Дженет позвонить врачу, и он сказал, что вместе с анестезией вся процедура займет полчаса, самое большее — сорок пять минут, если они задержатся. Потом ты будешь спать примерно до полудня. Я думаю, что пробуду здесь до половины одиннадцатого или до одиннадцати. Тебя как раз перевезут в палату. А днем я тебя заберу.

В машине повисло долгое молчание. Алекс кивнула и отвернулась к окну.

— Хотела бы я разделять твой оптимизм.

Алекс уже говорила ему, что выбрала «одношаговую» процедуру. Она собиралась подписать бумагу, подтверждающую ее согласие на любые действия, которые врач сочтет нужным предпринять в зависимости от результатов биопсии. Так что если результаты будут плохими, операцию сделают сегодня же. Ей не хотелось снова возвращаться в больницу после мучительного ожидания, зная, что она потеряет грудь. Что бы ни должно было произойти, пусть это произойдет сегодня — биопсия, мастэктомия или лампэктомия, если у нее не обнаружат ничего серьезного и смогут просто вырезать опухоль. Но ей уже были известны соображения доктора Германа на этот счет. Пока она не проснется, она не будет знать, что он с ней сделал. Но зато ей не придется дважды переживать ужас неизвестности и ожидания. Сэм по-прежнему считал, что она не в своем уме.

— Ты действительно так веришь этому типу? — снова спросил он, когда они пересекли Йорк-авеню и увидели впереди больницу, похожую на готового пожрать ее динозавра.

— У него великолепная репутация. Я навела о нем справки. И я была еще у одного врача, — ответила Алекс. Об этом она еще мужу не говорила. — И она полностью согласилась с его словами, Сэм. Все предельно ясно и очень неприятно.

— Я на твоем месте не давал бы ему такой свободы действий. Почему бы не провести обе процедуры — если вторая понадобится — отдельно?

Но Алекс с ним не согласилась. Она советовалась с Джоном Андерсоном, и он сказал, что она поступает правильно и что Питеру Герману можно довериться целиком и полностью.

Такси остановилось у ворот больницы. Сэм расплатился и забрал небольшую дорожную сумку Алекс. Она взяла с собой очень немного на случай, если Сэм окажется прав и ей не нужно будет оставаться здесь надолго. Если понадобится, он привезет ей остальное. Укладывая вещи, она вспомнила, как собиралась в роддом перед появлением Аннабел. Какое это было счастливое время! Алекс казалось, что это было так давно, хотя прошло всего около четырех лет.

В приемном покое они пробыли совсем недолго — Алекс уже была зарегистрирована накануне, потому что сдавала кровь и делала рентген груди. Ей дали карту и назвали номер палаты на шестом этаже. Кроме того, медсестра вручила ей пластиковый пакетик с зубной щеткой, кружкой, мылом и зубной пастой. Взяв его в руки, Алекс совсем расстроилась и почувствовала себя узницей в тюрьме.

Они медленно поднялись по лестнице до лифта, минуя
больничную суету. Сэму было явно неуютно, он побледнел, а Алекс просто охватил ужас, когда они, выйдя из
лифта, увидели двух пациентов, мирно спящих под капельницей. Дежурная сестра показала ей нужное направ-
ление, и они в конце концов вошли в небольшую унылую
комнату с бледно-голубыми стенами. На одной из них
висел плакат, а больничная койка, казалось, занимала все
пространство. В комнате не было абсолютно ничего при-
влекательного. По крайней мере она была одна, и ей не
надо было ни с кем говорить, кроме Сэма, болтавшего
какую-то чепуху про вид из окна, чрезмерную дороговиз-
ну больничного обслуживания и отсутствие системы соци-
альной медицины в Канаде или Великобритании. Алекс
хотелось накричать на него, но она знала, что он пред-
принимает искренние усилия, чтобы принять происходящее, хотя и не может помочь. Он слишком нервничал
сам, чтобы даже попытаться сделать это.

В палату быстрым шагом вошла медсестра, чтобы удостовериться в том, что Алекс ничего не ела и не пила с
полуночи, привезла капельницу, положила на кровать рубашку и сказала, что вернется через минуту. Все это заставило Алекс заплакать от беспомощности. Это было
ужасно. Сэм крепко обнял ее, изо всех сил пытаясь дать
ей понять, насколько ему ее жалко.

— Все скоро кончится. Попытайся забыть. Подумай об Аннабел, о том, как мы летом поедем на
море... о Хэллоуине... и ты не успеешь оглянуться,
как все кончится.

Алекс грустно рассмеялась его словам, но даже мысли
об Аннабел и Хэллоуине было недостаточно, чтобы изба-
вить ее от этого кошмара.

— Мне так страшно, — прошептала она.

— Я знаю... но у тебя все будет хорошо, я тебе обещаю. — Но он не мог ничего обещать, и никто не мог. Все было в руках Бога. И никто не знал, какую судьбу Он ей уготовил. Но сейчас она была смертельно напугана и смертельно бледна.

— Как дико... мы оба — влиятельные люди в том, что касается нашей работы. Мы сильные, мы занимаемся своим делом, мы общаемся со множеством людей, принимаем кучу решений, связанных с деньгами, судьбами людей и целых корпораций... А потом тебя бьет по голове что-нибудь подобное, и ты становишься бессильным и вынужден зависеть от людей, которых никогда раньше не видел, от судьбы, от собственного тела.

Алекс казалось, что она превратилась в ребенка совершенно беспомощного перед навалившимся на него кошмаром.

В дверях снова появилась медсестра и попросила ее переодеться в рубашку. Скоро ей должны были поставить капельницу. Все это было сказано быстро, без всякой симпатии и интереса.

— Наверное, врач придет с каким-нибудь приятным сюрпризом, — неудачно пошутил Сэм. — Например, с завтраком из четырех блюд.

— Никаких приятных сюрпризов не будет, — ответила Алекс, вытирая глаза. Если бы она могла плюнуть на эту проклятую тень на маммограмме и сбежать отсюда... Но она знала, что не может этого сделать. Может быть, Сэм и прав. Может быть, врачи просто страхуют себя. Дай Бог, если так.

Когда Алекс переоделась, медсестра опять вернулась в комнату и велела ей лечь. Пока в капельнице был только солевой раствор, чтобы избежать обезвоживания организма.

— А потом через этот же катетер мы сможем ввести вам любой другой препарат, если понадобится. Сегодня вам предстоит общая анестезия, — сказала сестра, как стюардесса, объявляющая, что самолет совершает рейс до Сент-Луиса.

— Я знаю, — ответила Алекс самым твердым голосом, на который была способна, пытаясь сделать вид, что она контролирует себя и ситуацию, что она активно участвует в процессе, что она сама приняла решение. Но сестру все эти тонкости не интересовали. Ей было все равно, кто что решил и почему. Это была фабрика тел, мастерская по ремонту вышедших из строя организмов, и она должна была заботиться о том, чтобы ремонт прошел как можно быстрее, чтобы поскорее освободилось место для следующих пациентов.

От укола жгло руку, но сестра сказала, что через несколько минут это пройдет. Измерив Алекс давление и послушав сердце, она сделала какие-то записи в карте и повернула выключатель, отчего в коридоре над дверью палаты зажглась лампочка.

— Теперь врач узнает, что вы готовы. Я позвоню наверх. Через несколько минут вас отвезут в операционную.

Была уже половина девятого, а биопсия была назначена на девять. В больницу же Алекс приехала в семь тридцать.

— Мне позвонить куда-нибудь, пока я тебя здесь жду? — спросил Сэм, подавленно глядя на свою распростертую под капельницей жену. Медсестра снова вошла в комнату с планшетом.

— Нет, спасибо. По-моему, я обо всем позаботилась, — ответила Алекс, глядя на бумагу, которую ей протягивала сестра. Всю предыдущую неделю Алекс готовилась к предстоящему отсутствию, и сейчас все ее дела были в безупречном состоянии. Что же до бумаги — это было согласие, которое она уже обсудила с доктором Германом. Алекс прочитала только первые несколько строк, гласившие, что может быть сделано все, вплоть до радикальной мастэктомии, хотя врач объяснял ей ранее, что в подобных случаях, как правило, делается только умеренная мастэктомия. Это означало, что в самом худшем случае Алекс отнимут грудь и удалят ткани из верхней части руки, малые грудные, а не большие мышцы. Удаление больших грудных мышц делало пластическую операцию по восстановлению внешнего вида груди невозможной. Если же удалялись только малые пекторальные мышцы, то впоследствии можно было имплантировать протез. Алекс не смогла читать дальше. Подписав бумагу и отдав планшет медсестре, она подняла на Сэма полные слез глаза, пытаясь не думать о том, что может с ней произойти.

— Не забудь позвонить Аннабел во время ленча, если я все еще буду под наркозом.

Или, не приведи Господи, в операционной, мысленно закончила она, вытирая слезы дрожащими пальцами. Сэм взял ее за руку:

— Я позвоню ей. У меня сегодня ленч в «Ла Гренуе» с арабами Саймона и его помощницей из Лондона, которая получила степень экономиста в Оксфорде. Он говорит, что ребята из нашего Гарварда в подметки не годятся тем, кто окончил Оксфорд. — Сэм улыбнулся его снобизму, пытаясь отвлечь жену. Подобные двум черным ангелам, в дверях появились два санитара с каталкой, приехавшие за Алекс. На них были зеленые штаны, голубые рубахи, шапочки и матерчатые тапки.

— Александра Паркер?

Ей хотелось сказать «нет», но она знала, что это не поможет, и кивнула. Алекс была в слишком тяжелом состоянии, чтобы разговаривать. После того как ее перело-

жили на каталку, она снова начала плакать. Почему, ну
почему с ней все это случилось?

— Держись, детка. Я буду здесь. А сегодня вечером
мы кое-что отпразднуем. Не бойся.

Сэм наклонился и поцеловал ее, а Алекс проговорила
сдавленным шепотом сквозь слезы:

— Я ничего не хочу — только быть дома с тобой и
Аннабел и смотреть телевизор.

— Как захочешь. А теперь давай-ка покончим со всем
этим, чтобы поскорее забыть.

Сэм легонько сжал ее грудь, и Алекс засмеялась. Ей
отчаянно хотелось, чтобы все это закончилось сегодня же.
Она от всей души хотела бы разделить оптимизм Сэма,
но для нее это было невозможно. И кроме того, Алекс
пыталась не думать о том, что он ни разу не пообещал ей
любить ее всегда — даже без одной груди.

Они безжалостно покатили ее по коридору к большому лифту. Люди расступались на их пути, провожая недо-
уменными взглядами эту красивую женщину, с которой,
казалось бы, не может произойти ничего плохого. В сму-
щении они отводили глаза — рыжая Алекс с разметав-
шимися по подушке роскошными волосами, беспомощно
лежащая на каталке, выглядела нелепо.

Этаж, где располагались операционные, был пропитан
резким запахом антисептиков. Электрические двери открылись и захлопнулись, и Алекс внезапно обнаружила,
что находится в небольшой комнате, полной хромирован-
ного оборудования, какой-то аппаратуры и ярких ламп.
Среди всего этого она увидела Питера Германа.

— Доброе утро, миссис Паркер.

Он не стал спрашивать, как у нее дела — ему
это было прекрасно известно. Коснувшись ее руки,
доктор попытался успокоить свою подопечную.

— Очень скоро вы уснете, миссис Паркер, — ласково сказал он, заставив Алекс удивиться. Сейчас, среди этой сложной техники, он был царь и бог — и при этом он обращался с ней добрее, чем когда-либо. Может быть, это потому, что он добился того, чего хотел? Неужели Сэм прав? А она, наоборот, ошибается? А вдруг они все сумасшедшие? И только врут ей? Неужели она умрет? Где Сэм? ...и Аннабел... В ее вену вошла вторая игла, и голова Алекс пошла кругом. Во рту внезапно появился вкус чеснока и арахиса, и кто-то велел ей досчитать от ста до одного. Не досчитав и до девяноста восьми, Алекс провалилась в беспамятство.

Глава 6

Сэм целый час ходил взад-вперед по маленькой голубой палате. В половине десятого он позвонил своей секретарше, ответил на несколько звонков и подтвердил, что придет на ленч с Саймоном. Сегодня днем они должны были встретиться с адвокатами. Саймон присоединялся к ним в качестве партнера, принося с собой все свои важные связи и очень небольшое количество денег. На первых порах это партнерство должно было быть ограниченным, а его процент в имуществе фирмы значительно меньшим, чем у Сэма, Тома или Ларри. Но пока он был этим явно удовлетворен. Саймон говорил, что позднее, когда он докажет свою состоятельность и их дело будет развиваться в результате его связей, он внесет деньги за более солидную часть имущества.

После этого Сэм спустился в холл и выпил два глотка — больше он не смог — отвратительного кофе из автомата. Все эти больничные запахи, все эти люди, передвигавшиеся на каталках или креслах на колесиках, заставляли его самого чувствовать себя больным. Последний раз он был в больнице, когда родилась Аннабел, и с тех пор у Сэма сохранился ужас перед этим местом. Тогда Алекс нуждалась в его присутствии, а сейчас он чувствовал себя лишним и беспомощным. Его жену увезли от него неведомо куда, она была под наркозом и не знала, находится он рядом или нет. Он мог быть в любом другом месте. И к половине одиннадцатого он понял, что имеет на это право. По его расчетам, она уже должна быть в палате. По крайней мере можно узнать, когда она там окажется. Сэм не хотел уезжать, не увидев ее или хотя бы не поговорив с ее врачом. Но к одиннадцати он должен был оказаться в офисе. А его сидение здесь было абсолютно бесполезным занятием — он это знал. В этой крохотной голубой комнате он чувствовал себя абсолютно заброшенным.

Позвонив в офис еще раз, Сэм решительно направился к стойке дежурной медсестры.

— Я хотел бы узнать о состоянии здоровья миссис Александры Паркер, — отрывисто сказал он. — В девять ей должны были сделать биопсию. Врач обещал, что в десять процедура закончится. Сейчас уже почти одиннадцать. Пожалуйста, узнайте, почему происходит эта задержка. Я не могу ждать ее вечно.

Медсестра подняла бровь, но ничего не сказала. Стоявший перед ней хорошо одетый и красивый мужчина выглядел очень респектабельно. Вокруг него словно была аура начальника, на которую поддалась даже она, не знавшая, ни кто он такой, ни почему он не может ждать, подобно любому другому посетителю. Медсестра позвонила наверх, где ей сказали, что все задерживается. В конце концов сегодня был понедельник. Сегодня надо было сделать все, что накопилось за выходные, — прооперировать все руки, ноги и бедра, которые ждали этого со вчерашнего вечера. А ведь оставались еще и срочные случаи — аппендициты, например.

Сэм снова вспомнил про бессмысленное ожидание в аэропорту. Однажды он должен был встретиться с Алекс в Вашингтоне для какой-то вечеринки. В Нью-Йорке шел снег, и Сэм прождал ее прилета шесть часов. Сейчас он начинал чувствовать примерно то же самое, что и тогда. К половине двенадцатого он понял, что его терпение иссякло.

— Это смешно, — снова обратился он к девушке за стойкой. — За это время ей уже могли бы сделать операцию на сердце. Ее увезли три часа назад. По крайней мере могу ли я узнать, в чем дело?

— Извините, сэр. Возможно, привезли какого-нибудь срочного больного. К сожалению, такие случаи нельзя предвидеть.

— Узнайте, пожалуйста, где она и что происходит.

— Может быть, она в послеоперационном покое, если только действительно не случилось что-то непредвиденное. Я сейчас позвоню. Подождите в комнате, можете выпить кофе. Как только я что-нибудь узнаю, я к вам зайду.

— Большое спасибо, — улыбнулся Сэм, и медсестра подумала, что он явно несносный человек, но имеет на это полное право. Она снова позвонила в хирургическое отделение, но практически ничего не узнала, за исключением того, что Александра Паркер по-прежнему находится в операционной. Операция началась поздно, и дежурная сестра отделения понятия не имела, когда она закончится.

Найдя Сэма, девушка передала ему эту информацию. Он позвонил в офис еще раз, чтобы извиниться перед теми, кому была назначена встреча на одиннадцать. К часу он пообещал подъехать в «Ла Гренуй». Он просто не мог себе позволить уехать, не узнав, что с его женой.

Только в половине первого ему сказали, что Алекс в послеоперационной — через четыре часа после того, как они расстались. Выслушав его возмущения по поводу бессмысленной задержки, медсестра сообщила ему, что доктор Герман через несколько минут спустится, чтобы встретиться с ним.

Он пришел без десяти час и застал Сэма расхаживающим по палате, подобно разъяренному льву. Унылый больничный интерьер, запах антисептиков и бесконечное ожидание, которому могли предаваться разве что люди, ничем более в жизни не занятые, окончательного доконали его. У Сэма стояла работа, и он не мог себе позволить целый день впустую дожидаться какого-то проклятого врача.

— Мистер Паркер? — Доктор Герман вошел в палату прямо в операционной рубахе и с маской на шее. На ногах у него было нечто вроде носков. Пожав Сэму руку, он окинул его почти ничего не выражавшим взглядом.

— Как моя жена? — Сэм не желал терять времени на всякие прелюдии, поскольку был уверен, что все в полном порядке. Он уже почти опоздал на ленч с Саймоном, его помощницей и новыми клиентами, прождавшими его целое утро.

— Сейчас все уже хорошо. Она потеряла очень мало крови, и нам не потребовалось делать переливание.

В последнее время этот вопрос стал самым насущным, и Герман был уверен, что Сэм это оценит, но на того это не произвело никакого впечатления — казалось, он слегка смутился, услышав о переливании.

— Переливание при биопсии? — В комнате повисло долгое молчание. — По-моему, это несколько необычно.

— Мистер Паркер, как я и подозревал, мы обнаружили у вашей жены обширную опухоль глубоко в груди. Помимо протоков, она затронула и окружающие ткани, хотя края опухоли чистые. Через два или три дня я смогу сообщить вам о состоянии лимфатических узлов. Но у меня нет никаких сомнений по поводу того, что опухоль злокачественна; я думаю, что это рак второй стадии.

Сэм почувствовал, как у него начинает кружиться голова. Это было похоже на то, что происходило с Алекс, когда она услышала про тень на маммограмме. Все, что ей говорили после этого, было лишь смешением звуков и шумов.

— Мы надеемся, что нам удалось удалить очаг, — продолжал Герман, — но я уже говорил вашей жене об опасности рецидива. Чаще всего рак груди не имеет летального исхода — разумеется, при правильном и своевременном лечении, включающем в себя удаление опухоли на стадии зарождения, когда она еще не распространилась на весь организм. Поэтому мы пытаемся придерживаться крайне решительных методов. Если нам повезет и если не затронуты лимфатические узлы, то я думаю, что в целом мы справились с ее недугом.

— Скажите, что это означает? — спросил Сэм, чувствуя, как у него подкашиваются колени. — Вы вырезали опухоль?

— Конечно. И разумеется, мы удалили грудь. Это единственный способ застраховать ее от возможных рецидивов. Не может быть рецидива в груди, которой нет. Разумеется, рак может возникнуть снова в грудной клетке или в других местах; могут также появиться и метастазы, но это зависит от величины опухоли и от того, затронуты ли лимфатические узлы. Но удаление груди решает массу проблем.

Алекс-то это понимала.

— А может, лучше сразу ее убить, чем так издеваться над человеком? Разве это не решит все проблемы одним махом? Что это за варварство — отрезать женщине грудь, «чтобы опухоль не распространялась»? Что у вас, черт побери, за медицина?

Сэм был в ярости и не постарался даже понизить голос.

— «Медицина осторожности», мистер Паркер. Мы придерживаемся активного подхода к лечению рака, потому что не хотим, чтобы наши пациенты умирали. И, как вы, наверное, уже поняли, мы произвели рассечение подмышечной впадины и взяли на анализ кусок подмышечной ткани. Впрочем, я надеюсь, что она не слишком сильно затронута. Патолог подтвердит это в течение ближайших нескольких дней, а через две недели мы получим резуль-

таты гормональных анализов. Тогда у меня сложится окон
чательная картина, и станет ясно, как лечить ее дальше.

— Как лечить ее дальше?! Что еще вы собираетесь
делать? — Сэм был в неистовстве. Одним идиотским
движением они навсегда обезобразили бедную Алекс.

— В зависимости от степени поражения лимфатических узлов мы, возможно, проведем курс достаточно сильной химиотерапии просто для того, чтобы исключить
возможные рецидивы. Кроме того, может встать вопрос и
о гормональной терапии, но на этот счет я пока ничего
определенного сказать не могу. Женщинам ее возраста
гормоны назначают редко. Поскольку грудь удалена, необходимость в облучении отпадает. Начало курса химиотерапии мы отложим на несколько недель. Ей нужно время,
чтобы встать на ноги, а нам чтобы оценить ситуацию. Я
созову консилиум онкологов, и мы обсудим ее случай —
разумеется, после того, как мы получим полную патологи-
ческую картину. Я могу заверить вас в том, что все меры
по лечению вашей жены будут тщательно взвешены.

— Так же тщательно, как вы ей грудь отрезали? —
Как они могли? Сэм не в состоянии был в это поверить.

— Поверьте мне, мистер Паркер, у нас не было
другого выхода, — тихо сказал Питер Герман. Ему
уже не раз приходилось иметь дело с самыми раз-
ными мужьями онкологических больных — с разъ-
яренными, испуганными или теми, кто просто
отказывался поверить в реальность происходящего.
Мужья мало отличались от самих пациенток. Но у
доктора сложилось ощущение, что сама Алекс Паркер оценила всю опасность положения гораздо лучше, чем ее супруг.

— Проведенная нами операция называется умерен-
ной радикальной мастэктомией, — продолжал он. — Это
означает, что мы отняли не только всю грудь, но и груд-

ные ткани, в том числе и те, которые окружают грудную кость, ключицу и ребра, а также малые грудные мышцы. Через несколько месяцев она сможет сделать восстановительную пластическую операцию, если пожелает и если к тому времени курс химиотерапии закончится. А потом она сможет носить протез.

В его устах все это звучало очень просто, но даже Сэм понимал, что простота эта обманчива. Одним взмахом скальпеля доктор Питер Герман изменил все. Слушая ее, Сэм поймал себя на мысли, что его любимую жену заменили каким-то мутантом.

— Я не могу понять, как вы могли это сделать, — с нескрываемым ужасом выдавил он, и врач понял, что Сэму просто требовалось время, чтобы все это осознать.

— У вашей жены рак, мистер Паркер. Мы хотим вылечить ее.

К этому нечего было добавить, и Сэм кивнул, пытаясь скрыть выступившие на глазах слезы.

— Как вы считаете, каковы ее шансы на выживание? — Это был вопрос, который доктор Герман ненавидел лютой ненавистью. Он не был Богом. Он был человеком. Он, наконец, просто не мог этого знать. С какой радостью он дал бы всем своим пациенткам гарантии долгой жизни — если бы был в состоянии.

— Сейчас трудно сказать что-либо определенное. Опухоль была весьма обширная и глубоко расположенная, но вы должны знать, что основной целью радикальной хирургии и усиленного послеоперационного лечения является полное уничтожение очага болезни. Если мы оставим сотую долю процента риска, со временем это может принести ей серьезный вред. Именно поэтому мы не можем не удалить грудь при опухоли такой стадии. Зачастую раннее обнаружение и радикальное лечение решают дело в положительную сторону. Я надеюсь, что очага не осталось, что опухоль была компакт-ной, что окружающие ткани и лимфатические узлы не поражены или почти не поражены. Кроме того, мы надеемся на то, что после самого важного шага — радикальной операции — она нуждается в дополнительной гарантии, то есть в курсе химиотерапии. Но только время сможет показать, добились ли мы успеха. Вы оба должны призвать на помощь все свои силы и все свое терпение.

Значит, она скоро умрет, решил Сэм, слушая врача. Они будут отрезать от нее по кусочку — сначала одну грудь, потом другую, они залезут в ее внутренности, отравят ее кишки ядом химических препаратов, и она в любом случае умрет. Итак, он ее потеряет. Этого Сэм вынести не мог. И он не собирался наблюдать за ее мучительной смертью, как это было в случае с его матерью.

— Я полагаю, что будет бестактным задать вам вопрос о проценте вашего успеха в борьбе с подобными видами рака?

— Иногда все проходит великолепно. Мы просто должны действовать со всей решительностью, какую способна выдержать ваша жена. В ее пользу говорят хорошее здоровье и сильный характер.

Да, только ей не повезло. В сорок два года Алекс должна будет бороться за свою жизнь. И вполне возможно, что этой битвы она не выиграет. У Сэма все это просто не укладывалось в голове. Как в плохом фильме, где героиня умирает, а муж остается в одиночестве с ребенком на руках. Его отца это убило. Сэм понимал, что с ним этого случиться не должно. Глаза его наполнились слезами. Только не думать о том, каким было ее тело и каким оно стало теперь. Услышанное им было так мрачно... пластическая операция... химиотерапия... протез... Господи, не видеть бы всего этого.

— Я думаю, что ваша жена пробудет в послеоперационной палате до вечера. Она проснется около шести или семи. В первые несколько дней за ней будут следить личные сиделки. Хотите, чтобы я распорядился насчет этого?

— Если вам не трудно, — холодно произнес Сэм. Этот человек разрушил его жизнь в одно мгновение. Невозможно было освоиться с мыслью, что у Алекс на самом деле рак и что доктор Герман действительно пытается вылечить его. — Сколько она здесь пробудет?

— Скорее всего до пятницы. Возможно, мы выпишем ее раньше, если все пойдет хорошо. Сейчас многое зависит от ее настроя и темпов восстановления. На самом деле это довольно простая операция, особенно если учесть, что в данном случае поражены в основном протоки. Мы удалили только саму грудь и почти не затронули нервов.

Сэм понял, что ему сейчас станет дурно. Он уже услышал гораздо больше, чем хотел.

— Я хочу, чтобы сиделки находились рядом с ней постоянно. Когда я могу ее увидеть?

— Не раньше вечера, когда ее перевезут из послеоперационной.

— Я приеду вечером, — отрывисто произнес Сэм. Он посмотрел на врача долгим взглядом, не в состоянии поблагодарить его за то, что он сделал. Можно сказать, что он ее просто убил. — А вы будете сегодня разговаривать с Алекс?

— Сегодня вечером, когда она более или менее придет в себя. Если до этого момента что-нибудь случится, мы вам позвоним. Но я думаю, что осложнений не возникнет. Операция прошла безупречно мягко.

У Сэма схватило живот, когда он услышал эти слова. С его точки зрения, этот человек безупречно поработал мясником.

Доктор вышел из палаты, прекрасно понимая, почему муж Алекс настроен так враждебно. Оставив дежурной медсестре телефон офиса и телефон «Ла Гренуй», Сэм выбежал из больницы в полном неистовстве. Ему хотелось воздуха, пространства, хотелось видеть людей, которые ничего не потеряли, которые не были больны и не умирали от рака. Больше находиться в этом чудовищном месте он не мог. Подобно утопающему, на секунду вынырнувшему на поверхность, он глотнул холодного октябрьского воздуха. Это помогло — открывая дверцу такси, Сэм почувствовал, что снова приходит в себя.

Приказав водителю ехать прямиком в «Ла Гренуй», он попытался не думать о том, что Питер Герман сказал о его Алекс, о том, как мало им известно, о его надеждах, о лимфатических узлах, опухолях, анализах и биопсиях, о метастазах и химии. Он не хотел больше слышать об этом. Ни единого слова.

Было время ленча, и «Ла Гренуй» был битком набит людьми. Сэм появился там около двух часов, чувствуя себя так, как будто он прилетел с другой планеты.

— Сэм, мальчик мой, где тебя носило? Мы напились как свиньи, пока тебя ждали, и если я сейчас не упаду со стула, я тебе что-нибудь закажу.

Как правило, их арабские клиенты не пили, за исключением тех не слишком религиозных и достаточно спокойных мусульман, которые, находясь за пределами своей страны, могли пропустить стаканчик-другой. Гости Саймона были все как на подбор красивыми и элегантными мужчинами, годами жившими в Париже и Лондоне. Они вкладывали кучу денег в мировой нефтяной бизнес. Сам Саймон был ровесником Сэма. Плотно сложенный, голубоглазый, с волнистыми светлыми волосами, проплешины в которых из-за высокого роста были почти незаметны,

он отличался налетом истинно британского аристок-
ратизма. Саймон был просто создан для твидовых
костюмов, туфель ручной работы, до жесткости на-
крахмаленных рубашек и свиты из важных клиентов. Сэм постепенно пришел к выводу, что новый
партнер ему скорее нравится, чем не нравится. У
него было хорошее чувство юмора, и он явно стремился к тому, чтобы подружиться с Сэмом. Дома
у него осталась жена, с которой он разошелся, что,
однако, не мешало им проводить вместе отпуск. По-
видимому, это был достаточно свободный союз. Трое
его сыновей учились в Итоне.

Рядом с ним сидела молодая женщина, которую Саймон представил Сэму, — та самая выпускница экономи-
ческого факультета Оксфорда. Ее звали Дафна. Это была
очень красивая женщина, чуть моложе тридцати лет, с
прямыми черными волосами до пояса — почти такого же
цвета, как у Сэма. Высокая и гибкая, с белой кожей
истинной англичанки, она смотрела на Сэма пляшущими
от радости глазами. Казалось, она в любой момент может
выкинуть какой-нибудь забавный фортель или сказать что-
то невероятно смешное. Когда она через некоторое время
отправилась в туалет, Сэм отметил про себя, что она об-
ладает не только высоким ростом, но и очень красивой
фигурой, что подчеркивала короткая, еле-еле прикрывав-
шая ягодицы юбка. Наряд Дафны был изысканным: изящ-
ная кожаная сумочка, короткое платье из черной шерсти,
черные шелковые чулки и нитка жемчуга. Дух юности,
интеллигентности и женственности исходил от этой девушки, и было совершенно очевидно, что все мужчины в
«Ла Гренуе» сочли ее просто великолепной.

— Хороша, да? — улыбнулся Саймон, увидев, что
Сэм провожает ее полным восхищения взглядом.

— Да уж. Ничего не скажешь, ты умеешь выбирать себе помощников, — поддразнил своего нового партнера Сэм, размышляя о том, спал ли он с ней.

— Она очень умна, — тихо добавил Саймон, когда Дафна вернулась. — Видел бы ты ее в купальнике! А танцует она вообще как девочка с Бродвея.

Сэм заметил, что Дафна и Саймон обменялись взглядами. Что бы это могло быть — дружба или сожительство? Или, может быть, только желание со стороны Саймона? В компании нескольких мужчин Дафна держалась очень свободно и с достоинством, и краем уха Сэм услышал, как она вела достаточно компетентную беседу о ценах на нефть с одним из арабов.

Для Сэма было просто счастьем оказаться здесь, среди занятых, здоровых и живых людей, и после чудовищного утра в больнице он чувствовал огромное облегчение. Но он понимал, что ему придется вернуться и встретиться с женой. В результате он выпил немного больше вина, чем следовало, и наобещал арабам с три короба. Впрочем, они скорее всего этого не заметили. Фирма Сэма им очень понравилась, они слышали самые положительные отзывы о ней от друзей и знакомых, и, казалось, они были очень довольны тем, что Саймон становится партнером Сэма.

Только вернувшись в офис и проведя встречу с адвокатами, Сэм начал спускаться с небес и вспомнил все, что предстояло пережить ему и Алекс. Он сидел и смотрел в пустоту, поглощенный мучительными раздумьями. Рак. Это слово приводило его в ужас.

— У вас неприятности?

Сэм не видел, кто вошел в его кабинет, и, подняв глаза, увидел Дафну.

— Да нет, не совсем. Простите. Я просто отключился. Чем могу служить?

— Вы выглядели каким-то встревоженным, когда пришли в ресторан, — сказала она, глядя ему прямо в глаза. Ее длинные стройные ноги невольно привлекали взгляд Сэма. Красивые ноги в сочетании с умной головой встречались не так уж часто. Было трудно не влюбиться в нее, но Сэм прекрасно понимал, что она могла быть чьей-нибудь девушкой. Они никогда не изменял Алекс, но Дафна была такой молодой и красивой...

— У вас неприятности? — повторила она свой вопрос, забираясь в кресло.

Наверное, у меня это на лице написано, подумал Сэм.

— Да нет. Просто трудности, особенно в последние несколько дней. Сделка, над которой я работал, наткнулась на неожиданные препятствия. Но я вполне контролирую ситуацию.

Ему не хотелось говорить ей и вообще кому бы то ни было про Алекс. Не понимая, почему, он начинал постепенно стесняться этого, как будто они сделали что-то ужасное, как будто они должны скрывать какую-то тайну — страшную тайну под названием «рак».

— Это бывает, — спокойно ответила она, оценивающе глядя на него. Она слегка раздвинула ноги, и Сэм попытался сделать вид, что не заметил этого. — Я хотела поблагодарить вас за то, что вы разрешили мне присутствовать при этой встрече. Видите ли, Саймон здесь человек новый, и он не всегда считает удобным сразу продвигать своих людей. Я постараюсь сделать так, чтобы вы не чувствовали, что вам приходится общаться со мной только из-за Саймона.

— Как долго вы его знаете?

Дафна казалась слишком молодой для того, чтобы находиться в длительных отношениях с кем бы то ни было, но Саймон сказал, что ей двадцать девять лет.

— Очень долго, — рассмеялась она. — Почти двадцать девять лет. Он мой двоюродный брат.

— Саймон? — смущенно переспросил Сэм. Он-то подозревал здесь отношения совсем другого плана. Конечно, все было возможно, но скорее всего между ними ничего не было. — Повезло ему, однако.

— Я в этом не уверена. На самом деле с моим братом у него гораздо более близкие отношения. Он всегда говорил, что я совсем еще ребенок. Только после того как я поступила в Оксфорд, мне удалось произвести на него какое-то впечатление. Мой брат на пятнадцать лет старше меня. Они с Саймоном очень увлекаются охотой в отличие от меня. — Дафна улыбнулась, и Сэм опять попытался не замечать красоты ее ног, которые ни секунды не оставались неподвижными. Казалось, в ней было что-то неустойчивое и живое, и Сэму внезапно пришло в голову, что было бы неплохо сделать ее своей сотрудницей. Саймон надеялся, что Дафна проработает с ним год, после чего она собиралась вернуться в Англию и поступить в юридический колледж. Странно, но в чем-то она напоминала ему Алекс, когда он только с ней познакомился — тот же огонь, те же пытливые, оживленные глаза.

— Вам здесь нравится? Я имею в виду в Нью-Йорке. Я не думаю, что он многим отличается от Лондона.

Большие города всегда полны жизни, радости и бодрости. Как Дафна.

— Мне здесь очень хорошо, хотя я никого, кроме Саймона, не знаю. Он водил меня во всякие клубы, потому что он как бы опекает меня. Я подозреваю, что я для него большая обуза, но он очень терпелив.

— Я думаю, что никакая вы для него не обуза, наоборот, ему должно это нравиться.

— Да, он очень добр. Как и вы. Спасибо вам за то, что вы мне позволили здесь находиться.

— Я уверен в том, что вы станете очень выгодным приобретением для фирмы, — официальным тоном ответил Сэм. Они обменялись улыбками, и под восхищенным взглядом Сэма она вышла из его кабинета.

Очень скоро часы показывали уже пять часов, а потом и шесть, и Сэм не мог решить, что ему делать — то ли ехать домой к Аннабел, то ли вернуться в больницу к Алекс. Ему не хотелось будить ее звонком, тем более что, по словам врача, она может оказаться в своей палате на раньше семи. Так что он все-таки отправился домой, пообедал вместе с дочерью, посмотрел с ней телевизор, почитал на ночь и уложил. Кармен спросила, общался ли он с миссис Паркер, а Аннабел пожаловалась на то, что мама ей не позвонила. Сэм сказал, что у нее скорее всего целый день были переговоры, поэтому позвонить она не смогла, но прозвучала эта ложь как-то неубедительно — по крайней мере Кармен посмотрела на него с подозрением. Она понимала, что что-то произошло. Утром Алекс ушла не с чемоданом, а с маленькой дорожной сумкой, и это Кармен тоже отметила.

В восемь часов вечера Сэм переоделся в джинсы. Ему не хотелось ехать в больницу. Он знал, что сделать это необходимо, но внезапно понял, что не хочет видеть Алекс. Она будет сонная, слабая, возможно, страдающая от боли, хотя врач и говорил, что проточные опухоли менее болезненны. Если они отрезали ей всю грудь, то это, должно быть, очень больно. Мысль о том, что придется смотреть в глаза изуродованной жены, доводила его до тошноты. Кто должен сообщить ей страшные новости? А может быть, она уже знает? Или чувствует?

Сэм вошел в больницу в сумрачном настроении. Поднявшись в унылую палату, он, к своему разочарованию, обнаружил, что Алекс уже проснулась. Она лежала на кровати, рядом стояла капельница, и пожилая сиделка рядом с ней читала журнал при свете лампы. Алекс тихо плакала и смотрела в потолок. Сэм не мог понять, почему она плачет: потому, что ей больно, или потому, что она уже все знает, — а спросить ее об этом он не решался.

Сиделка встретила его вопросительным взглядом, и Алекс объяснила, что это ее муж. Женщина кивнула и тихо вышла из палаты вместе со своим журналом, сказав, что будет в коридоре.

Сэм осторожно подошел к кровати и посмотрел на свою жену. Она была не менее красива, чем прежде, но усталое лицо ее заливала мертвенная бледность. Когда родилась Аннабел, Алекс выглядела примерно так же, за исключением того, что тогда глаза ее светились от счастья. Взяв ее правую руку в свою, Сэм заметил, что левый бок и грудь у нее крепко забинтованы.

— Здравствуй, моя девочка, ну как ты? — Сэм явно чувствовал себя не в своей тарелке, а Алекс и не пыталась скрыть слез. В глазах ее был немой упрек.

— Где ты был, когда я проснулась?

Неужели она уже долго лежит здесь в полном одиночестве? Ведь она должна была проснуться не раньше семи.

— Врач сказал, что ты придешь в себя только поздно вечером. А я решил побыть с Аннабел и подумал, что тебе бы хотелось именно этого.

В какой-то степени это было правдой, но на самом деле он просто не хотел возвращаться сюда. И Алекс это понимала.

— Я здесь с четырех часов. Где ты был? — Страдания сделали ее безжалостной.

— Я был на работе, а потом поехал к Аннабел. Я уложил ее, а потом поехал сюда. — Он произнес эти слова таким невинным и легким тоном, как будто он не мог появиться в больнице на минуту раньше.

— Почему ты мне не позвонил?

— Я думал, что ты спишь, — нервно ответил он. Алекс посмотрела на мужа, и шлюзы открылись. Она плакала так, как будто никогда не сможет остановиться. Питер Герман зашел к ней после того, как она проснулась, и рассказал ей все про опухоль, про мастэктомию, про риск и опасность, про лимфатические узлы, которые он тоже частично удалил, про свои надежды на то, что, поскольку края опухоли были чистыми, можно было надеяться на ее локальный характер, про то, что через четыре недели начнется курс химиотерапии. Алекс подумала, что жизнь ее кончена. Потеряв грудь, она все еще могла потерять жизнь. Сейчас ее изуродовали, а в течение последующего полугода она будет ощущать себя безнадежно больной от химии. Может быть, у нее выпадут волосы, а после того как лечение закончится, она скорее всего не сможет иметь детей. Сейчас у нее было такое ощущение, что все пропало — в том числе и ее семейная жизнь. Сэм даже не сидел рядом с ней, когда она пришла в себя. Он не присутствовал при ее разговоре с доктором, когда он сообщал ей эти чудовищные новости. Герман не захотел ждать с этим разговором, не захотел, чтобы она беспокоилась и задавала себе вопросы, чтобы сама обнаружила, что осталась без груди, или услышала это от медсестер. Он принадлежал к тем врачам, которые предпочитают говорить своим пациентам всю правду, что он и сделал. Алекс казалось, что он ее просто убил. А Сэм никак не помог ей и не поддержал ее.

— Я осталась с одной грудью, — продолжала она говорить сквозь слезы, — у меня рак...

Сэм молча слушал ее, держа в объятиях, и тоже плакал. Он чувствовал, что не в силах справиться со всем этим.

— Мне так жаль... но все будет хорошо. Герман говорит, что удалил очаг.

— Но он не знает этого точно, — всхлипнула Алекс. — И потом, мне скорее всего придется пройти курс химиотерапии. Я не хочу этого. Я хочу умереть.

— Ты не умрешь, — резко ответил Сэм. — Даже и не заикайся об этом.

— Почему? Интересно, что ты почувствуешь, когда посмотришь на мое тело?

— Мне станет очень горько, — честно сказал он, заставив ее заплакать еще сильнее. — Мне очень тебя жаль.

Это прозвучало так, как будто это была не его проблема, а только ее. Сэму действительно было очень жаль свою жену, но он не хотел делить с ней этот груз. Когда его мать заболела раком, его отца это в конце концов свело в могилу. Нет, с ним этого не произойдет. В его сознании эти две смерти были связаны, и сейчас он боролся за собственное выживание.

— Ты больше никогда меня не захочешь, — вздохнула Алекс. Она сейчас была озабочена менее важными проблемами, чем он.

— Не говори глупостей. А как же «голубые» дни? Сэму хотелось заставить ее улыбнуться, но ей стало только хуже, и она посмотрела на него с болью в глазах.

— Никаких «голубых» дней больше не будет. После химии я могу стать бесплодной. Чтобы не было рецидивов, мне нельзя беременеть в течение пяти лет.

А через пять лет я буду слишком стара для того, чтобы иметь ребенка.

— Перестань видеть все в таком мрачном свете. Лучше попытайся расслабиться и увидеть в этом положительные стороны, — сказал Сэм, имитируя оптимизм, которого вовсе не испытывал. Но провести Алекс было нельзя.

— Какие положительные стороны? Ты что, с ума сошел?

— Герман говорит, что удаление груди может означать спасение твоей жизни. Это чертовски важно, — твердо сказал Сэм.

— А что бы ты, интересно, почувствовал, если бы потерял одно из своих яичек?

— Это было бы ужасно, так же, как и то, что произошло с тобой. Я бы, как и ты, не хотел бы терять кусок своего тела. Но мы должны учиться видеть в этом хорошее.

Сэм пытался как-то скрасить ситуацию, но до Алекс его доводы не доходили.

— Ничего хорошего в этом нет. Есть я, твоя больная жена. В ближайшие шесть-семь месяцев мне будет трудно даже двигаться, я изуродована до конца своих дней и никогда не смогу иметь детей. И кроме всего прочего, болезнь может дать рецидивы.

— Что ты еще придумаешь, чтобы вогнать себя в депрессию? Как насчет геморроя и простатита? Ради Бога, Алекс, я знаю, что все это ужасно, но не воспринимай это как конец света.

— Это и есть конец света. И не учи меня, как ко всему этому относиться. Сейчас ты уйдешь отсюда и окажешься дома. Ты завтра увидишь Аннабел, а я нет. Ты весь год будешь чувствовать себя превосходно, а когда ты завтра утром посмотришь в зеркало, ты не обнаружишь никаких изменений. А в моей жизни изменилось все. Так что не надо говорить мне, как мне воспринимать свое положение. Тебе этого не понять.

Алекс кричала на него, и Сэм поймал себя на том, что никогда не видел ее такой жалкой и такой злой.

— Я знаю. Но у тебя есть я, есть Аннабел, и ты так же красива, как и прежде. У тебя остается твоя работа и вообще все, что имеет ценность. Да, ты осталась без одной груди. Но ты могла попасть в аварию или родиться калекой. Ты не должна позволить этому разрушить твою душу. Ты не имеешь на это права.

— Я, черт возьми, имею право делать то, что я хочу. Оставь свои красивые слова.

— Тогда чего же ты от меня хочешь? — спросил вконец измученный Сэм, не зная, что сказать ей. Он не обладал способностью утешать; кроме того, он находился в таком месте и в такой ситуации, в которые он меньше всего на свете хотел бы попасть.

— Я хочу реальности, хочу симпатии. В последние две недели, когда я говорила тебе о том, что это может произойти, ты даже не слушал меня. Тебе не хотелось знать, как я себя чувствую, насколько я испугана тем, что меня ждало. Ты просто говорил банальности и вешал мне на уши лапшу. Да ты даже не соизволил появиться, когда врач рассказывал мне о моем диагнозе! Ты был на работе, проворачивал свои сделки, а потом поехал домой и смотрел этот идиотский ящик вместе с нашей дочерью, так что ты не имеешь морального права рассказывать мне, что я должна чувствовать. Да ты даже представить себе не можешь, что испытывает сейчас твоя жена!

— Ты права, — тихо сказал Сэм, пораженный ее злобой. Она была обижена на всех, на все и на него, потому что изменить уже ничего было нельзя. — Я не знаю, что и сказать тебе, Ал. Я бы очень хотел, чтобы все было по-другому, но ты же знаешь, что это невозможно. И мне очень жаль, что я не приехал раньше.

— Мне тоже, — ответила она и снова начала плакать. Ей было так одиноко, так страшно. Она чувствовала себя совершенно беззащитной и беспомощной. — Что же будет? Как я смогу работать, быть твоей женой, воспитывать Аннабел?

— Тебе просто нужно делать то, что ты можешь делать, а все остальное пусть идет как идет. Хочешь, я позвоню тебе на работу?

— Нет. — Она жалобно взглянула на него. — Я сама позвоню в ближайшие несколько дней. Доктор Герман говорит, что во время химиотерапии я, возможно, смогу работать — все будет зависеть от того, как я буду себя чувствовать. Некоторые люди работают, но вряд ли среди них есть адвокаты. Может быть, я буду брать работу на дом.

Алекс просто представить себе не могла, как справится со всем этим. Шесть месяцев химии казались ей вечностью.

— Пока еще рано думать об этом. Ты только что перенесла операцию. Попытайся не брать все это в голову.

— И что же мне делать? Записаться в группу поддержки?

Врач говорил ей об этом, но она решительно отмела саму идею. Ей не хотелось общаться с другими несчастными.

— Попробуй расслабиться, — сказал Сэм, и Алекс ощетинилась, но тут в дверях внезапно показалась медсестра со шприцем в руках. Это была инъекция снотворного и болеутоляющего, распоряжение насчет которой было получено от Питера Германа, и Сэм сказал, что Алекс обязательно должна принять лекарства.

— Зачем? — вскинулась она. — Чтобы я перестала на тебя орать?

Она смотрела на него, как ребенок, и Сэм нагнулся и поцеловал ее в лоб.

— Да. Сейчас ты на некоторое время замолчишь и уснешь, а то ты себя совсем с ума сведешь.

Сегодня утром с ней случилось все то, чего она так боялась. И теперь ей предстояло научиться жить со своим диагнозом.

Перед ней лежала нелегкая дорога, и Алекс это понимала. В отличие от Сэма, который все еще пытался отрицать весь ужас происходящего, она прекрасно видела все, что ее ждет. «Я люблю тебя, Алекс», — сказал он после того, как ей сделали укол, но Алекс не ответила. Она еще не впала в дрему, но была слишком измучена, чтобы сказать, что тоже его любит. А через несколько минут она начала засыпать. Не сказав ему больше ни слова, она просто провалилась в сон, держа плачущего Сэма за руку. В своих бинтах, с волосами цвета пламени и навсегда изуродованным телом она выглядела такой усталой, такой грустной и заброшенной.

Сэм на цыпочках вышел из комнаты и сказал медсестре, что уходит. В лифте он задумался над тем, что ему сказала Алекс. Теперь он может выйти из больницы и отправиться домой. Это произошло с ней, а не с ним. По пути домой он понял, что с этим не поспоришь. У него ничего не отрезали, он был вне опасности. Ему нечего было бояться, кроме ее возможной смерти, о чем он даже думать не мог — настолько это было ужасно. Посмотрев в зеркало в одной из витрин, он увидел того же человека, что и утром во время бритья. Ничего не изменилось — за исключением того, что сегодня он утратил часть себя, ту часть, которая была связана с Алекс. Она уходила от него — постепенно, шаг за шагом, так, как в свое время ушли его родители, и Сэм не хотел, чтобы она и его утянула за собой. Она не имела права этого делать, не имела права ожидать, что и он умрет вместе с ней. Размышляя обо всем этом, Сэм шел домой так быстро, как только мог, как будто за ним гнались грабители или демоны.

Глава 7

Проснувшись на следующее утро, Алекс обнаружила рядом с кроватью женщину, которая явно ожидала ее пробуждения. Медсестра суетилась около капельницы. Как и предупреждал доктор Герман, Алекс чувствовала лишь незначительную боль, но та душевная тоска, которая навалилась ей на сердце, как только она вспомнила все, что произошло вчера, была неизмеримо тяжелее.

Женщина в цветастом платье и с седыми волосами улыбнулась ей. Алекс воззрилась на нее с удивлением — она видела эту даму впервые в жизни.

— Здравствуйте, я Элис Эйрес. Я хотела узнать, как вы себя чувствуете.

У Элис были добрая улыбка и живые голубые глаза. Она вполне годилась Алекс в матери. Алекс попыталась сесть, но не смогла; тогда сиделка переложила подушки так, чтобы две женщины могли нормально разговаривать.

— Вы медсестра?

— Нет, просто подруга. Я доброволец. Я знаю, что вам только что пришлось пережить, миссис Паркер. Или можно звать вас Александрой?

— Просто Алекс. — Она смотрела на свою собеседницу, не в состоянии понять, какого черта она здесь делает. Привезли завтрак, но Алекс отказалась от него, хотя после операции ей полагалась щадящая диета. Ей хотелось только кофе.

— На вашем месте я бы поела, — сказала миссис Эйрес. — Вам необходимы силы и хорошее питание. Хотите овсянку?

Она была похожа на добрую фею из «Золушки».

— Я терпеть не могу горячую кашу, — враждебным тоном ответила Алекс, разглядывая пожилую женщину. — Кто вы и что вы здесь делаете?

Все это напоминало какой-то сюрреалистический фильм.

— Я нахожусь здесь потому, что в свое время перенесла аналогичную операцию. Я знаю, что это такое и что вы сейчас должны испытывать, — знаю лучше, чем другие люди, даже ваш муж. Я знаю, как вы сейчас озлоблены и испуганы, какой ужас охватывает ваше сердце и как страшно вам взглянуть на свое изменившееся тело. Я сделала себе пластическую операцию, — продолжала она, протягивая Алекс чашку кофе. — Если хотите, я вам покажу. Это выглядит очень естественно и даже красиво. Я думаю, что никто не догадывается о том, что у меня была удалена грудь. Хотите посмотреть?

Алекс подумала, что все это выглядит отвратительно.

— Нет, спасибо.

Доктор Герман уже объяснил ей, что она может поставить себе имплантант с вытатуированным соском. Все это казалось ей ужасным и ненужным. Она уже искалечена — так почему бы не оставить все так, как есть? —

Почему вы сюда пришли? Кто вас попросил об этом?

— Ваш хирург вписал ваше имя в список тех, кого должны посетить члены нашей группы поддержки. Со временем вы, возможно, пожелаете вступить в группу или поговорить с другими женщинами о пережитом вами. Это может оказаться очень полезным.

— Я так не думаю, — ответила Алекс, от всей души желая, чтобы ее собеседница ушла, но не решаясь прогнать ее. — Я не привыкла обсуждать свои проблемы с посторонними людьми.

— Я понимаю, — ответила Элис Эйрес с мягкой улыбкой, вставая. — Вам сейчас нелегко. Я уверена, что вы беспокоитесь по поводу химиотерапии. На некоторые из связанных с этим вопросов мы тоже можем ответить, почти так же компетентно, как ваш врач. У нас есть и мужская группа. Может быть, это заинтересует вашего мужа.

Элис положила на кровать Алекс маленький буклет, но Алекс даже не взглянула на него. Чтобы Сэм вступил в группу мужей, чьи жены перенесли онкологическую операцию? Да ни за что!

— Я не думаю, что моего мужа это заинтересует. В любом случае спасибо.

— Не унывайте, Алекс. Я буду думать о вас, — ласково сказала Элис, прикоснувшись к накрытой одеялом ноге Алекс, и вышла из комнаты. Сестрам она сказала, что это был классический первый визит. Как и следовало ожидать, Александра Паркер была в состоянии депрессии и озлобленности на весь мир. Они решили посещать ее регулярно, и Элис Эйрес отметила, что в следующий раз нужно прислать кого-нибудь помоложе. Ей казалось, что ровесница Алекс сможет принести гораздо больше пользы. Самой младшей участнице их группы было двадцать пять, и к большинству молодых женщин ходила именно она. Кроме того, множество женщин в группе были примерно такого же возраста, как Алекс.

— Что это была за дура? — рявкнула Алекс, когда в комнату вошла новая сиделка, сменившая ночную.

— Напрасно вы так, это хорошее дело. Они добрые люди и помогают многим женщинам, — объяснила сестра, в то время как Алекс выбросила разноцветный буклет в мусорное ведро. — Давайте я оботру вас губкой.

Алекс посмотрела на нее исподлобья, но потом поняла, что у нее нет иного выбора, кроме как подчиняться больничным правилам. После того как ее «вымыли» и она почистила зубы, Алекс лежала и тупо смотрела в окно. Потом подали ленч — еще одну порцию пюреобразной пищи, к которой Алекс даже не прикоснулась. Потом пришел лечащий врач, чтобы сделать перевязку. Смотреть на себя Алекс не решалась, поэтому во время этой процедуры она глядела в потолок. Ей хотелось закричать во все горло. Сразу же после этого позвонил Сэм. Он был уже на работе и собирался прийти ближе к вечеру — он думал, что она должна как следует отдохнуть и выспаться. Аннабел была здорова. Сэм сказал, что очень соскучился по Алекс, но она ему не поверила. Если он ждет не дождется встречи с ней, то почему он не пришел утром или во время ленча? Сэм ответил, что пошел в ресторан «Времена года» с одним из своих старейших клиентов — теперь ему хотелось познакомить Саймона и его помощницу со своими клиентами. Но на пути домой он пообещал заехать к ней.

Алекс хотелось бросить трубку во время разговора с ним, но она этого не сделала. Вместо этого она позвонила Аннабел, и они прекрасно поболтали о ее садике и о «путешествии» Алекс. Она пообещала своей дочери вернуться домой на выходные. После этого ей сделали обезболивающий укол, в котором она не чувствовала особой необходимости. Однако она понимала, что лучше уж пребывать в вызванной наркотиками полудреме, чем размышлять о своем будущем и об отсутствии мужа. Проснувшись, она позвонила на работу. Мэтта Биллингса не было, но Брок был на месте. Элизабет Хэзкомб сообщила ей, что все дела в полном порядке. Никаких экстренных случаев за время ее отсутствия не произошло. Лиз сказала, что все они очень скучают.

— У вас все в порядке? — обеспокоенно спросила она, но голос Алекс был вполне уверенным и сильным и звучал куда лучше, чем даже утром.

— Да, все нормально. Я вернусь на работу, как только смогу.

— Мы будем ждать.

Днем доктор Герман сказал ей, что она может есть нормальную пищу и либо выписаться уже завтра, либо подождать, пока организм окрепнет. Однако разрез заживал превосходно.

— Я лучше останусь, — тихо ответила Алекс, к удивлению врача. Он считал, что она принадлежит к тем пациенткам, которые стремятся вырваться из больничной рутины как можно раньше. Ей вполне можно было позволить выписаться на третий-четвертый день, хотя он всегда советовал полежать в больнице подольше.

— Я-то думал, что вы только и мечтаете с нами расстаться, — улыбнулся он, прекрасно понимая, что она пережила.

— Дома меня ждет трехлетний ребенок. Я хочу вернуться к ней, когда я буду в лучшей форме и мне не придется ей все объяснять.

— К выходным вы будете в прекрасной форме. Я думаю, что мы уже уберем дренаж, оставив только перевязку. У вас была серьезная операция, поэтому вы будете утомляться, но боль вряд ли возникнет. В любом случае мы дадим вам обезболивающие лекарства. Вам останется только одно — попытаться восстановить силы. А через три-четыре недели, в зависимости от результатов остальных тестов, мы начнем лечение.

«Лечение». Слишком мягкое слово для обозначения химиотерапии. Одна мысль об этом вызывала у нее сердечную боль.

— А работа?

— Я бы сказал, что с работой надо подождать еще неделю, пока не снимут бинты и вы не восстановите силы. А когда начнется курс химиотерапии, вы сами поймете, способны ли вы совмещать лечение с работой. Если мы будем точно дозировать препараты и лечить вас в щадящем режиме, вы сможете позволить себе умеренный объем работы.

Интересно, когда в последний раз объем ее работы был «умеренным»? Может быть, в тот день, когда родилась Аннабел, но не раньше и не позже. Но по крайней мере он не говорит, что она вообще не сможет работать. Он считает, что она должна попытаться. Это уже что-то.

После того как доктор ушел, Алекс молча сидела на стуле, глядя в окно. Потом она прогулялась по коридору и поняла, что чувствует слабость, сонливость и с трудом сохраняет равновесие. Бинты стесняли свободу ее движений, и пошевелить левой рукой она не могла. Хорошо, что она не левша.

Когда в пять часов приехал Сэм с огромным букетом красных роз, Алекс была одна. Увидев лицо своей жены, он застыл в дверном проеме. На нем было написано такое отчаяние, что Сэм просто не знал, что ей сказать. Алекс обдумывала свою судьбу и свое будущее. И на мгновение Сэм вспомнил изможденное лицо его умирающей матери. Ему захотелось бежать отсюда прочь, со всех ног, и он еле-еле подавил крик ужаса.

— Привет, как ты себя чувствуешь? — пытаясь казаться непринужденным, спросил Сэм. Цветы он поставил в вазу. Алекс только пожала плечами и не ответила. А он как бы себя чувствовал? Впрочем, она не видела, что его трясет.

— Хорошо, — все-таки произнесла она в ответ, но как-то неубедительно. Грудь немного ныла, а дренажная трубка стесняла ее, но этого вполне можно было ожидать. — Спасибо за цветы, — продолжала она, делая вид, что она в восторге, но не слишком успешно. — Доктор Герман говорит, что я смогу вернуться к работе через полторы недели.

Ну что же, не так плохо. Услышав это, Сэм улыбнулся и почувствовал некоторое облегчение.

— Тебя это не может не радовать. Когда ты возвращаешься домой?

— Может быть, в пятницу, — ответила она неуверенно. Ее беспокоило, сможет ли она ухаживать за Аннабел и что она скажет дочери про свои бинты. — Попроси Кармен пожить у нас в выходные. Я знаю, что ей самой нужен выходной, но я без нее не справлюсь.

— Конечно. А с Аннабел могу возиться я. С ней же нет никаких проблем.

Алекс кивнула, ощутив, как она соскучилась по своей дочурке, а потом вдруг вопросительно посмотрела на Сэма. Интересно, во что теперь превратится их жизнь? Они потратили столько времени и энергии на то, чтобы завести второго ребенка, занимаясь любовью по расписанию, что она не могла себе представить, как они будут жить без этого. Будет ли она возбуждать его без одной груди? Как он сможет на нее смотреть? Чтобы подготовить свою пациентку, доктор Герман показывал ей фотографии, и она пришла в ужас. На месте груди были плоскость без всякого соска и диагональный рубец. Алекс даже не могла вообразить, как отреагирует на это Сэм, когда бинты наконец снимут. Доктор сказал, что после удаления дренажной трубки она сможет принимать душ. Нити, которыми ее зашили, будут рассасываться довольно долго, а после этого она останется с той же плоской грудью со шрамом посередине, которую она видела на фотографиях.

— А что мы будем делать в выходные? — непринужденно спросил Сэм, и Алекс воззрилась на него с удивлением. Он вел себя так, как будто ничего не произошло. — Давай позовем кого-нибудь и пообедаем с друзьями или пойдем в кино, если дома будет Кармен.

Алекс смотрела на мужа, не веря собственным ушам. Как он может?

— Я не хочу никого видеть. Что я им скажу? Привет, мне только что удалили грудь, и мы решили, что устроим обед в честь этого события, пока не началась химиотерапия? Ради Бога, Сэм, где вся твоя тактичность? Все это не так просто.

— Я это прекрасно понимаю, но я не хочу, чтобы ты сидела на одном месте и жалела себя. Ты же знаешь, что жизнь должна продолжаться. В конце концов твоя грудь не была слишком большой, так что подумаешь, большое дело!

Сэм пытался шутить, но для Алекс это действительно было большое дело. Она утратила часть своего облика и самоощущения, а жизнь ее в каком-то смысле висела на волоске. Да, это была очень большая травма, несмотря на то, что грудь ее была маленькой. Она бы многое отдала за то, чтобы ее не потерять.

— Как ты теперь будешь меня воспринимать? — в лоб спросила она, глядя Сэму прямо в лицо. Ей хотелось услышать от него правду, потому что до операции он не утруждал себя тем, чтобы заверить ее в своей любви. Сэм считал, что само его присутствие здесь говорит само за себя. Для Алекс этого было недостаточно. Он просто заходил на часик каждый день, между работой, домом и остальной своей жизнью. Казалось, он воспринимал все это слишком легко.

— Что ты имеешь в виду? — переспросил он с некоторым раздражением.

— Я спрашиваю, не вызовет ли у тебя отвращения мой нынешний вид?

Сама себя она еще не видела, поэтому не была уверена в том, о чем спрашивает, но ей отчаянно хотелось услышать от Сэма слова поддержки.

— Откуда я могу знать, что я буду чувствовать? Я не думаю, что для меня это имеет такое большое значение. Давай попробуем пересечь этот мост, раз уж мы к нему подошли.

— Когда? На следующей неделе? Завтра? Сейчас?

В глазах Алекс появились слезы — снова она услышала от него не то, что хотела, не то, что ей было нужно. Что до Сэма, то ее вопросы, казалось, приводят его в ужас.

— Хочешь, я тебе покажу? — продолжала она. — Или ты желаешь сначала увидеть фотографии, чтобы знать, к чему тебе готовиться? У доктора Германа есть несколько отличных экземпляров, очень четких и красочных. Это выглядит, как плоский кусок мяса без всякого соска.

Алекс увидела, что Сэм побледнел и разозлился.

— Зачем ты это делаешь? Ты хочешь напугать меня или заставить меня в ужасе бежать, прежде чем мы научимся с этим жить? В чем дело, Ал? Ты сердишься на меня или просто обижена на судьбу? Попробуй как-то изменить свое отношение к этому вопросу, пока перед тобой еще не встала проблема восстановления груди.

— Кто тебе сказал, что я собираюсь восстанавливать грудь? — удивленно спросила Алекс.

— Доктор Герман говорил мне, что через несколько месяцев ты при желании сможешь сделать пластическую операцию. Мне кажется, что игра стоит свеч.

— А до этого времени я, по-твоему, должна сидеть взаперти? — ядовито откликнулась Алекс, и Сэм воздел к небу руки в явном раздражении.

— Слушай, по-моему, у тебя просто крыша поехала из-за всего этого. Мне очень жаль, что тебе удалили грудь. Мне очень жаль, что ты, как ты говоришь, «изуродована». Я не знаю, что я испытаю, когда это увижу. Понятно? Я тебе сообщу. Договорились?

— Обязательно сообщи. — Нет, он опять не говорил ей того, что надо было сказать. Он не попытался убедить ее в том, что для него это все совершенно не важно, что она по-прежнему остается для него красавицей. Сэм хотел, чтобы их жизнь текла, как и прежде, как будто ничего не произошло. Обед и поход в кинотеатр казались ему совершенно естественным делом. Он отказывался понять, насколько обескуражена она была всем случившимся. Тем не менее она пыталась как-то выкарабкаться из своей депрессии, а он ей явно не помогал.

— Алекс, попробуй сконцентрироваться на том, чтобы побыстрее восстановить свои силы и вернуться домой. Когда ты увидишь Аннабел, ты почувствуешь себя гораздо лучше. Ты снова начнешь работать, и жизнь постепенно войдет в норму.

— О какой норме ты говоришь, если я буду сидеть на химии, Сэм? — грубо спросила она.

— О той, какую ты сама для себя определишь, — жестко ответил Сэм, не понимая, однако, до конца, что такое химиотерапия. — Ты не должна раздувать все это в трагедию и наказывать нас. Если ты будешь такая злая, как сегодня, Аннабел будет трудно это понять. Тебе придется смириться с тем, что произошло. Я теперь вообще не уверен в том, что в состоянии тебе помочь.

В конце концов прошел только один день. Может быть, в этом все дело?

— Явно не в состоянии, — жалобно проговорила Алекс, — потому что ты, как мне кажется, слишком занят своей собственной жизнью, чтобы обременять себя всем, что происходит со мной. Сейчас, например, тебя ничего, кроме Саймона и новых клиентов, не интересует.

— У меня такая же напряженная работа, как и у тебя. Если бы что-то подобное происходило со мной, я не думаю, что ты бы отменяла процессы или встречи с клиентами. Попытайся реально смотреть на вещи. Ведь из-за того, что произошло вчера, весь мир не остановился.

— Да, это звучит весьма утешительно.

— Прости меня, — грустно произнес Сэм. — Что бы я ни сказал, это только больше тебя бесит.

— Ты мог бы сказать, что для тебя это вообще не имеет значения и что ты все равно будешь любить меня, с одной грудью или с двумя. Но раз ты говоришь совсем другое, это означает, что ты действительно так думаешь. Может быть, в этом все дело.

— Откуда я могу знать, что я буду чувствовать? Откуда ты можешь это знать? Может быть, это ты не захочешь больше заниматься со мной любовью после всего этого. Как я могу быть в чем-то уверен?

Его патологическая честность больно ранила Алекс — она была к ней не готова. Ее врач, или любой другой терапевт, или сама Алекс могли бы объяснить ему, как ему себя вести, но Сэм никогда бы не стал никого слушать. Он говорил ей правду и прекрасно это знал. А она не хотела воспринимать эту правду.

— А я уверена в том, что буду любить тебя, что бы с тобой ни случилось, как бы тебя не изуродовали. Даже если бы ты был обезображен, облысел, остался бы без яиц или провел остаток жизни в инвалидной коляске!

— Очень благородно с твоей стороны, — холодно сказал Сэм, — но, по-моему, ты просто не понимаешь, что говоришь. Как ты можешь знать, что бы ты чувствовала, если бы со мной произошло что-либо подобное? Пока не попадешь в переделку, бесполезно что-либо предсказывать. Легко говорить, что на твое отношение ко мне это все никак не повлияло бы, но знать наверняка ты этого не можешь. Может быть, тебе стало бы трудно со мной общаться, даже если бы ты чувствовала, что для меня это будет очень больно.

— То есть ты хочешь сказать, что тебе со мной становится трудно?

— Я говорю, что я не знаю, и я тебе не лгу. Я не могу тебе обещать, что это меня не напугает или не заставит в первое время чувствовать себя неловко. Конечно, черт возьми, это огромное изменение в жизни. Но по крайней мере мы можем попытаться сделать так, чтобы это не испортило наших отношений. Нельзя раздувать случившееся так, как это делаешь ты. И потом, жизнь не сводится к одним грудям, сексу и телу. Мы же с тобой еще и друзья, а не просто любовники.

— Но я не хочу, чтобы мы были просто друзьями, — с горечью сказала Алекс, снова начиная плакать. Сэм из последних сил пытался скрыть свое раздражение.

— Я тоже этого не хочу, поэтому пусть все идет как идет, Ал. Пусть все как-то утрясется. Мы оба должны к этому привыкнуть и подождать, что будет дальше.

Почему он не может ей солгать? Почему он не может сказать, что все равно ее любит? Потому что тогда он не был бы Сэмом. Алекс всегда любила его честность и прямоту, даже когда они причиняли ей боль. И особенно больно ей было сейчас.

— И чего я совершенно не могу понять, — продолжал Сэм, — это как ты смогла уместить всю свою личность в одну не слишком большую грудь? Я хочу сказать, что ты не фотомодель и не девочка из кордебалета. Ты адвокат. Для того чтобы ты состоялась как человек, тебе не нужны сиськи. Ты умная женщина, которая потеряла грудь — грудь, понимаешь? — а не мозги, так что же ты сходишь с ума?

Он не понимал, что она могла потерять жизнь, что она утратила неотъемлемую часть себя и, не исключено, возможность заниматься сексом. Алекс чувствовала себя совершенно другим человеком.

— Да, я осталась без груди, и какой бы маленькой она ни была, я достаточно тщеславна для того, чтобы не хотеть ходить с рубцом на теле до конца своих дней. Я могу остаться без волос... окончательно стать бесплодной... Все изменилось, Сэм, а ты говоришь, что не уверен в том, как ты будешь воспринимать мое тело. Разве ты не понимаешь, что я все теперь чувствую по-другому?

— Может быть, я действительно чего-то не понимаю. Если бы на следующей неделе мне сказали, что я бесплоден, я бы очень расстроился, но меня бы радовало то, что у нас есть Аннабел. Перестань придавать всему этому такое огромное значение. Ты — это твой разум, твоя жизнь и твоя карьера, все то, что ты делаешь и что ты представляешь, а вовсе не количество твоих грудей. Кому какое дело, сколько их у тебя?

— Может быть, тебе, — честно ответила Алекс.

— Да. Может быть. И что дальше? Единственное, что нам остается, — это попробовать удержаться вместе. Научись жить с тем, с чем ты теперь вынуждена жить, тогда и я, может быть, буду отно-

ситься к тебе с нежностью и любовью. Но я не собираюсь всю оставшуюся жизнь сидеть рядом с тобой и сокрушаться — мы от этого оба очумеем, только
и всего.

— Так что же ты мне в итоге хочешь сказать?

— Я хочу сказать, чтобы ты перестала себя жалеть и постаралась забыть то, что с тобой произошло.

Его слова, безусловно, не были лишены разум-
ного зерна, но отчасти он все равно оставался совершенно бесчувственным к тому, что она испытывала.

— Понимаешь, я не хочу постоянно помнить о
том, что у тебя рак. Я просто не могу, — подытожил Сэм.

Это было честно — честнее некуда.

— Что значит «постоянно»? — Алекс смотрела
на него с недоумением. — Это произошло только
вчера, и с тех пор я видела тебя дважды, каждый
раз — в течение часа. Так что я не могу сказать,
что мы потратили на мою проблему много времени.

— А я не могу сказать, что здесь уместно слово
«мы». Понимаешь, это именно ты должна справиться с тем, что произошло, и научиться с этим жить.

— Спасибо за помощь.

— Я не могу помочь тебе, Алекс. Только ты можешь себе помочь.

— Я это запомню.

— Мне очень жаль, что ты на меня так злишься, — сказал Сэм с убийственным спокойствием, которое взбесило ее еще больше.

— Мне тоже очень жаль.

Несколько минут они молчали, а потом Сэм встал,
не смотря Алекс в глаза:

— Наверное, я пойду. Дома Аннабел ждет. Уже поздно, а я пообещал ей прийти к обеду.

Алекс чувствовала, что он ускользает из ее рук, и это привело ее в ужас. Все, что она ему сказала, никак не могло вызвать его сочувствия, но и от него она не услышала того, что хотела услышать. Алекс была обижена на своего мужа за то, что его не было рядом с ней. Он отсутствовал, когда она очнулась после операции, когда доктор сказал ей, что у нее рак и что ей удалили грудь; и сегодня его целый день не было. Сэм жил своей жизнью — Саймон, клиенты, рестораны, сделки и важные дела. Ей казалось, что он совсем не понимает, что она чувствует, какой силы внутренняя дрожь сотрясает все ее существо, как ей страшно, какая неуверенность в себе и в его любви охватила ее неожиданно для нее самой. Ему легко было говорить, что совершенно не важно, сколько у тебя грудей — одна или две. Но для Алекс это было очень важно. Она придавала огромное значение тому, привлекательна ли она в глазах своего мужа, любит ли он ее по-прежнему. А Сэм не сказал ей ни единого слова, которое убедило бы ее в том, что он будет любить ее, что бы ни произошло. Он как бы откладывал свое решение на тот момент, когда он увидит, как выглядит ее изуродованное тело. После его ухода Алекс все еще была в ярости. Кроме того, он, как и вчера, поцеловал ее в лоб, а не в губы — как будто он боялся прикоснуться к ней.

Этим вечером она снова долго и молча плакала. Она даже не стала гулять по коридору или звонить Аннабел или Сэму. Ей хотелось одного — побыть одной. Алекс сидела спиной к двери, когда услышала, что кто-то вошел, но не повернулась — она была уверена, что это сиделка.

Внезапно на ее плечо легла чья-то рука, и на какое-то сумасшедшее мгновение она подумала, что это Сэм. Но, подняв заплаканные глаза, она встретилась взглядом с Элизабет Хэзкомб.

— Вы пришли ко мне? — спросила пораженная Алекс.

— Да, — объяснила посетительница, — но до сегодняшнего вечера я не знала, что это вы...

Лиз понимала, что вторгается в жизнь Алекс, но не могла не чувствовать, как остро ее начальница сейчас нуждается в чьей-то помощи.

— Два раза в неделю я прихожу сюда, потому что я член группы поддержки женщин, перенесших операцию по удалению груди, — продолжала Лиз. — Ваше имя стояло в списке — А. Паркер... Я не могла в это поверить. Я попросилась к вам, чтобы удостовериться, вы ли это. Я надеюсь, что вы простите меня, Алекс. — С этими словами Лиз по-матерински обняла ее, и слезы снова появились на глазах Алекс. — Милая моя... мне так жаль...

Алекс не могла даже вымолвить ни слова — она просто безмолвно рыдала в объятиях своей секретарши. Держать это в себе она уже была не в состоянии — слишком много страхов, опасений и разочарований навалилось на нее в последнее время.

— Я знаю... я знаю... поплачьте, и вам станет лучше, — успокаивающе говорила Лиз.

— Мне уже никогда не станет лучше, — жалобно вымолвила Алекс, глядя на нее сквозь слезы, и Лиз улыбнулась:

— Вы ошибаетесь. В это сейчас трудно поверить, но вы поправитесь. Все мы через это прошли.

— И вы тоже? — Алекс была удивлена, она не знала, что и Лиз пережила этот кошмар.

— У меня удалены обе груди, — сказала Лиз. — Это было много лет назад. Я ношу протезы. Но сейчас можно сделать великолепную пластическую операцию. В вашем возрасте это вполне стоит усилий и денег. Но, конечно, еще рано, — ласково добавила она.

Лиз вела себя так мудро и заботливо, что Алекс почувствовала большое облегчение.

— Мне предстоит химиотерапия, — сквозь новый приступ рыданий проговорила она. Лиз держала ее за руку, благодаря судьбу за то, что та привела ее к Алекс в палату. Она и не подозревала, через что придется пройти ее начальнице, хотя давно почувствовала, что что-то в ее жизни разладилось.

— Я прошла курс химии. И гормональной терапии тоже. Это было семнадцать лет назад, и теперь я совершенно оправилась. У вас тоже будет все в порядке, если вы будете доверять врачам. У вас замечательный доктор.

Помолчав, Лиз посмотрела на Алекс более пристально. Та была в плохой форме, и это было слишком заметно.

— А как Сэм все это воспринял?

— Сначала он даже не хотел признавать, что со мной что-то случилось, и все время говорил мне, что врачи ничего не найдут. А теперь он обозлен из-за того, что у меня плохое настроение. Он считает, что я делаю из мухи слона, что удаление груди — это пустяковое дело, но в то же время говорит, что ему это может надоесть и что он не знает, что он будет чувствовать, когда увидит мое тело.

— Он напуган, Алекс. Ему тоже очень непросто. Конечно, для вас это плохое утешение, но многие мужья просто не могут свыкнуться с мыслью, что у их жен рак.

— Когда он был ребенком, его мать умерла от рака, и я думаю, что его просто мучают воспоминания о ней. Или он просто подонок.

— Может быть, и то, и другое. Вам нужно сейчас сконцентрироваться на себе. Не думайте о нем. Пусть Сэм сам справляется со своими проблемами, особенно если он не собирается помогать вам решать ваши. А вы должны попытаться стать как можно сильнее и оставаться в строю. Вам нужно победить болезнь. Обо всем остальном вы успеете поволноваться позже.

— Но если я буду вызывать у него отвращение, если мое тело его испугает?

Одна мысль об этом приводила Алекс в ужас, но Лиз смотрела на нее совершенно спокойно. Она сочувствовала Алекс, а не Сэму. Ей это все было прекрасно известно. Она сама через это прошла, и ей тоже в свое время было нелегко. Поначалу ее муж тоже отказывался поверить в происходящее, но постепенно он справился со своим страхом и очень поддержал Лиз. И сейчас она хотела внушить своей собеседнице мысль, что Алекс должна пережить это — с Сэмом или без него.

— Он ведь должен вырасти, правда? Он взрослый человек и рано или поздно все поймет. Понимаете, он прекрасно знает, что вам сейчас нужно, но просто не может этого обеспечить, а это означает, что вы должны получить поддержку от других — друзей, родственников или таких, как я. Мы работаем для вас. Я готова прийти к вам по первому вашему зову.

Алекс снова начала плакать, и Лиз крепко обняла ее. Потом она показала ей несколько упражнений, рассказала несколько полезных вещей, но не стала оставлять никаких буклетов. Она слишком хорошо знала свою начальницу. У Алекс никогда не хватало терпения на брошюры и поверхностную информацию. Она стремилась проникнуть в самое сердце вещей. И сейчас этим сердцем вещей для нее стало обыкновенное выживание.

— Когда вы возвращаетесь домой?

— Скорее всего в пятницу.

— Отлично. Набирайтесь сил, побольше спите, принимайте лекарства, если будете испытывать боль. Ешьте регулярно и постарайтесь до начала курса химиотерапии как следует окрепнуть. Для химии вам понадобится вся ваша энергия, — мудро сказала Лиз.

— Я возвращаюсь на работу через полторы недели, — неуверенно, словно спрашивая мнения Лиз, произнесла Алекс. Ей вдруг стало очень уютно от мысли, что теперь она может с кем-то поговорить — с кем-то, кто через все это уже прошел.

— Множество женщин работают, даже несмотря на химиотерапию. Вам просто нужно будет выработать для себя самый оптимальный режим — когда отдыхать, когда оставаться дома, когда наиболее выгодно использовать свою энергию. Это немножко похоже на ведение войны. У вас должно быть единственное желание — выиграть. Не забывайте об этом никогда. Химия — отвратительная вещь, но она действительно поможет вам победить болезнь.

— Я бы очень хотела в это верить.

— Не слушайте все эти ужасные истории, а просто постарайтесь сконцентрироваться на цели. Выигрывайте, выигрывайте, выигрывайте. Не позволяйте никому отвлекать вас от цели — даже Сэму. Если он не может вам помочь, забудьте о нем.

Алекс рассмешила страстность, с которой были сказаны эти слова.

— Вы меня утешили, — сказала Алекс, глядя на свою секретаршу с некоторой застенчивостью. То, что у нее была другая жизнь, о которой Алекс ничего не знала, потрясло ее. Невероятно, но у каждого человека, оказывается, есть скрытая и очень важная тайна, о которой никто ничего не знает. Точно так же, как никто на работе не знал о предстоящей Алекс биопсии и о возможной операции.

— Знаете, сегодня утром я, по-моему, нагрубила одной женщине из вашей группы поддержки. Элис... не помню, как дальше, — извиняющимся тоном продолжала Алекс, заставив Лиз улыбнуться.

— Эйрес. Она к этому привыкла. Может быть, и вы когда-нибудь будете делать что-нибудь подобное. Многим людям это очень нужно.

— Спасибо вам, Лиз, — сказала Алекс, делая ударение на каждом слове.

— Можно мне прийти завтра? Может быть, во время ленча?

— Конечно, я буду очень рада. Только не говорите никому на работе. Я не хочу, чтобы кто-либо знал об этом. Правда, со временем мне придется сказать Мэттью — может быть, после того, как начнется химиотерапия.

— Это ваше дело. Я никому ничего не скажу. — Обнявшись еще раз, они расстались. Когда Алекс ложилась спать, она чувствовала себя намного лучше и гораздо спокойнее. Лежа в постели и размышляя обо всем, что произошло, она решила позвонить Сэму и сказать ему, как она его любит.

Но к телефону очень долго никто не подходил, пока наконец трубку не взяла Кармен. Было уже десять часов, и ее голос был сонным.

— Простите меня, Кармен. Мистер Паркер дома? — Секунду поколебавшись и подавив зевок, Кармен сказала, что дверь спальни открыта, и свет там не горит.

— Нет, миссис Паркер. Его нет. Как ваши дела?

— Все в порядке, — несколько более уверенным тоном, чем днем, сказала Алекс. — Он что, в кино пошел?

— Я не знаю. Он ушел сразу после обеда. Но он не ел вместе с Аннабел, так что, возможно, он куда-то пошел с друзьями. Он мне ничего не сказал и, наверное, забыл оставить номер телефона.

Обычно именно Алекс вспоминала о том, что нужно оставить телефон того места, куда они шли вечером.

Интересно, куда это отправился Сэм. Наверное, **его** так расстроил их разговор в больнице, что он пошел в ресторан или прогуляться. Он делал это иногда, если у него было плохое настроение, — чтобы разобраться со своими проблемами, Сэму иногда требовалось побыть в одиночестве.

— Ладно, скажите ему, что я звонила, — сказала Алекс, и, поколебавшись, добавила: — И скажите, что я его люблю. А утром поцелуйте за меня Аннабел.

— Хорошо, миссис Паркер. Спокойной ночи... и храни вас Господь.

— И вас, Кармен. Спасибо.

Она не могла с уверенностью сказать, что Он хранит ее в последнее время, но по крайней мере она была жива, а через три дня она уже вернется домой к своей дочери. Пройдет всего три недели, и начнется серьезная битва. Но после разговора с Лиз она была*настроена на то, чтобы выиграть ее.

Алекс долго не могла уснуть в этот вечер, сидя на больничной кровати. Она думала о Лиз, о Сэме, об Аннабел и обо всем хорошем, что было у нее в жизни, пытаясь сосредоточиться на том, чтобы выиграть бой. ...Аннабел, думала она, погружаясь наконец в сон после укола... Аннабел... Сэм... Аннабел... Она вспомнила, как держала свою девочку на руках и кормила ее грудью.

Глава 8

Вернувшись из больницы, Сэм не успел сесть за стол вместе с Аннабел, как зазвонил телефон. Это был Саймон. Он приглашал его на обед вместе с какими-то клиентами из Лондона. Сэм сказал, что только что сел обедать вместе со своей дочерью.

— Ну тогда отложи ложку, парень. Это нужные люди, Сэм. Они тебе понравятся. Я думаю, что они нам очень пригодятся. Они представляют самые крупные ткацкие фабрики в Англии и собираются здесь вкладывать свои деньги. Это хорошие ребята, ты обязательно должен с ними встретиться. И потом, я взял с собой Дафну.

Интересно, что бы это значило? Сэм не понимал намерений Саймона и попытался возражать. Час перепалки с Алекс вымотал его. Но у него было настолько поганое настроение, что перспектива сидеть дома в одиночестве после того, как Аннабел ляжет спать, его совершенно не привлекала.

— На самом деле я не могу.

— Чепуха, — настаивал Саймон. — Ведь твоя жена уехала? Поцелуй свою крошку и иди к нам. Мы встречаемся в «Ле Кирк» в восемь. Дафна нашла в центре какую-то приличную дискотеку и хочет затащить их потанцевать. Ты же знаешь этих британцев, их обязательно нужно куда-нибудь пригласить, когда делаешь с ними дела, а то они подумают, что их обманывают. Они еще хуже итальянцев, потому что помирают с тоски в своей Англии. Ладно, парень, перестань ныть. Мы ждем тебя в восемь. Заметано?

— Заметано. Я приеду. Может быть, я минут на пять опоздаю, но я приду.

Сэму хотелось уложить Аннабел и прочитать ей сказку.

Вернувшись на кухню, он просидел с ней до того момента, когда надо было ложиться спать. Потом он в который раз прочитал ей «Спокойной ночи, луна», выключил свет, оставив только ночник, вернулся к себе в спальню, побрился, сменил рубашку и подумал об Алекс. Последние два дня были крайне тяжелыми для обоих, и Сэм задумался над тем, как трудно им будет, когда в пятницу она вернется домой. Она придавала слишком большое значение операции и потере груди. И он признавался себе в том, что боится всего этого гораздо больше, чем предполагал. Но кому будет не страшно смотреть на отрезанную грудь? Как ни крути, картина складывалась унылая. Сэму, разумеется, не хотелось говорить об этом Алекс. Если бы она на него не давила! Он вспомнил о том, как его мать перед смертью все время просила его говорить ей, что он ее любит. Закрыв глаза, он попытался изгнать из памяти этот настойчивый голос. Алекс. Теперь Алекс.

Причесавшись, умывшись и побрызгав на лицо одеколоном, Сэм удовлетворенно осмотрел себя в зеркале. В темно-сером костюме и белой рубашке он выглядел потрясающе. При взгляде на него любой мог бы понять, что перед ним один из самых преуспевающих бизнесменов Нью-Йорка. Когда он входил в «Ле Кирк», все посетители, как обычно, смотрели ему вслед. Большинство из них знали, кто он, читали о нем в газетах, а остальные спрашивали себя, кто это, особенно женщины. Сэм привык к этому и совершенно не обращал внимания на то впечатление, которое он производил на людей. Алекс обычно подшучивала над этим. Она всегда говорила, что его привлекает легкий успех у женщин. Вспомнив об этом по пути к заказанному столику, он улыбнулся.

Но эта улыбка относилась к той Алекс, которую он знал раньше, а не к озлобленной женщине в больничной палате.

— Как хорошо, что ты пришел, Сэм! — Саймон даже встал, чтобы приветствовать своего коллегу, и представил его всем сидевшим за столом — четырем англичанам и трем американским девушкам. Две из них были модели, одна актриса, и все три были прехорошенькими. Была здесь и Дафна, так что без эскорта оказались только Сэм и Саймон. В маленьком ресторане их шумная группа весьма выделялась. Несмотря на производимый ими шум, Сэму удалось завести очень толковый разговор с одним из англичан. По другую руку от него сидела Дафна, беседовавшая с моделью. После десерта, когда изрядно выпившие гости наконец-то перешли к ничего не значащей болтовне, Сэм и Дафна смогли поговорить.

— Я слышала, что ваша жена — крупный адвокат, — светским тоном сказала она, и Сэм кивнул. Даже здесь разговор об Алекс причинял ему боль, и он поймал себя на том, что не хочет говорить о ней.

— Она судебный адвокат фирмы «Бартлетт и Паскин».

— Наверное, она очень умная и очень сильная личность.

— Да, — сдержанно ответил Сэм, и Дафна по его тону почувствовала, что это не самая лучшая тема для разговора.

— А дети у вас есть?

— Дочка, Аннабел, — улыбнулся Сэм. — Ей три с половиной года, и она прелесть.

— А у меня в Англии четырехлетний сын, — спокойно сказала Дафна.

— Правда? — поразился он. Она казалась ему
слишком молодой для того, чтобы иметь мужа или
детей, несмотря на то, что ей было двадцать девять.
Ни за что нельзя было подумать, что она замужем.

— Чему вы так удивляетесь? Я разведена. Разве Саймон вам не говорил?

— Нет.

— В двадцать один год я вышла замуж за довольно дрянного человека. В конце концов он сбежал от меня к другой, и мы развелись. Поэтому мои
родственники решили, что мне было бы неплохо на
год куда-нибудь уехать. Тут, в Америке, это, по-
моему, называется терапией. А мы называем это праз-
дниками, — с улыбкой сказала Дафна.

— А ваш сын?

— Он себя прекрасно чувствует в обществе моей
матери.

— Наверное, вы по нему скучаете.

— Да. Но мы, англичане, не так сходим с ума
от детей, как вы. В семь лет мы отправляем их в
интернат, вы же знаете. В школу он пойдет через
три года, а потом будет учиться в Итоне. И я думаю, что иногда ему полезна разлука с мамочкой.

Сэм не мог себе представить длительной разлуки
с Аннабел. Он бы места себе не находил, но Дафна
была хладнокровной особой и прекрасно знала, чего
ей хочется в жизни.

— Вас это шокирует? — спросила она, видя, насколько он удивлен.

— Да, немного, — честно ответил Сэм с улыбкой. — У нас здесь несколько другие представления о материнстве.

С другой стороны, ее облик вообще плохо вязался с
образом матери. Может быть, ей хотелось глотнуть свободы перед тем, как она станет старше.

— Я думаю, что мы как народ несколько более хладнокровны, чем вы. Американцы слишком серьезно относятся к тому, что считают своим долгом, к тому, что от них требуется, к тому, что они должны чувствовать. А британцы берут и делают — без лишних слов. Это достаточно просто.

— И немного эгоцентрично. — Сэм почувствовал, что ему очень нравится разговаривать с этой девушкой — чем дальше, тем больше. Она была умна, честна и совершенно откровенна по поводу того, кто она и чего она хочет.

— Это до смешного просто: ты стремишься к тому, чего ты хочешь — если хочешь, — и тебе не надо извиняться или делать вид, что ты не то, что ты есть на самом деле. Мне это нравится. Здесь мне все кажется несколько преувеличенным. Все все время извиняются за то, что они делают, или не делают, или не чувствуют.

Она рассмеялась заразительным смехом, который сразу понравился Сэму. Это был необузданный взрыв почти чувственного веселья. Сэм легко представил ее без одежды, нимало не смущенную этим обстоятельством.

— А вы когда-нибудь разводились? — в лоб спросила она, заставив Сэма расхохотаться.

— Нет.

— Большинство американцев разводились, или мне так кажется.

— А ваш развод был очень болезненным?

Беседа двух полузнакомых людей явно приобретала слишком личный характер, но Сэму это нравилось. В Дафне была какая-то распахнутость и даже развязность.

— Да нет. Это было большое облегчение. Мой муж был законченным подонком. Теперь мне трудно понять, как он мог оставаться женатым человеком в течение такого долгого времени — семь лет. Могу вас уверить, это было достаточно ужасно.

— А к кому он ушел? — Сэм получал удовольствие от этих опережающих события вопросов. Ему было приятно играть в эту игру, целью которой было узнавание.

— Естественно, к официантке — достаточно, впрочем, симпатичной. Но он ее уже бросил. А теперь живет в Париже с какой-то девушкой, которая называет себя художницей. Он безумный человек, но, к счастью, помнит о том, что у него есть Эндрю, наш сын, так что беспокоиться мне не о чем.

Казалось, она вообще не способна беспокоиться, сохраняя контроль над любой ситуацией. И сидевшие за столом англичане разглядывали ее с видимым удовольствием. Дафна выглядела так, как будто она может получить все, что хочет.

— А вы были в него влюблены? — спросил Сэм, чувствуя себя совершенно бесстыжим.

— Может быть. Немного была. Когда тебе двадцать один год, очень трудно понять разницу между любовью и хорошим сексом. Я даже сейчас не могу сказать определенно, что это было.

Дафна улыбнулась широкой улыбкой, и Сэм, посмотрев на нее, вдруг захотел стать моложе и иметь ее. Она была потрясающей девушкой. Но потом он подумал об Алекс, и Дафна, казалось, это заметила.

— А вы? Вы влюблены в свою жену? Я слышала, что она очень красивая женщина.

Да, она была красива для своих сорока двух лет, да и для любого возраста. Но до Дафны — лишенной каких-либо комплексов и потому на редкость притягательной — Алекс было далеко, и Сэм это знал.

— Да, я ее люблю, — твердо ответил он, выдерживая пристальный взгляд Дафны.

— Но ведь я спрашиваю не о том. Я хочу знать, влюблены ли вы в нее. Это совсем другое, — сказала она, поднимая бровь.

— Разве? Мы женаты уже семнадцать лет. Это много, и мы очень привязаны друг к другу. Я очень ее люблю, — повторил он, словно пытаясь убедить себя в этом, но так и не ответив на вопрос Дафны.

— То есть вы хотите сказать, что вы не знаете, влюблены ли вы в нее до сих пор? И вообще — это было когда-нибудь? — настаивала Дафна, играя с ним в кошки-мышки, чего Сэм явно не замечал.

— Конечно, было, — с несколько шокированным видом ответил он. Саймон, сидевший напротив, с удивлением заметил, что воздух между Сэмом и Дафной явно чересчур наэлектризован. Они были поглощены друг другом настолько, что могло показаться, как будто они решают важнейшие проблемы.

— Тогда что же случилось потом? Когда вы перестали быть в нее влюблены? — спросила Дафна обвиняющим тоном, подобно прокурору, и Сэм погрозил ей пальцем:

— Я этого не говорил. Сказать такое было бы просто ужасно.

Особенно сейчас. Но сейчас он мог думать только о Дафне.

— И я этого тоже не говорила. Это вы сказали, что были влюблены в нее, но сейчас вы, по-моему, не можете сказать, что вы в нее влюблены.

Черт побери, до чего сексуально выглядит эта настырная девчонка!

— Иногда семейная жизнь преподносит такие сюрпризы — как подводные камни. Бывает, что ты выдыхаешься, как марафонец на дистанции, и происходит что-то не то.

— И сейчас у вас, судя по всему, как раз такой период? — спросила она таким бархатным голосом, что у Сэма внутри что-то заныло.

— Может быть. Трудно сказать.

— По какой-то определенной причине? Что-то случилось?

— Это долгая история, — почти печально сказал он.

— А вы изменяли своей жене? — нисколько не смущаясь, выпалила Дафна, и Сэм рассмеялся:

— Вам никто никогда не говорил, что вы несносны? И красивы... и чувственны... с бархатной кожей...

— Говорили, — ответила она с чарующей улыбкой. — На самом деле я горжусь этим.

— По-моему, здесь нечем гордиться. — Попытка приструнить ее не имела никакого успеха. — Мой возраст позволяет мне делать все, что угодно. Я еще недостаточно взрослый человек, чтобы меня принимали всерьез, и достаточно взрослый для того, чтобы сознавать, что я делаю. Совсем маленьких девочек я не люблю. А вы?

Разговор легко перескакивал с одной темы на другую. Дафна откинула назад рассыпанные по голым плечам длинные черные волосы. Соблазнительная и манящая, она в чем-то напоминала Алекс, а в чем-то была совсем другой. Гораздо более дерзкая и раскованная, она обладала тем же самым острым умом и тем же элегантным, худощавым телом. Но чисто внешне она была гораздо сексуальнее, чем Алекс, и Сэм смущенно признался себе в том, что ему это нравится. Только бы этого никто не заметил. Дафна не лезла за словом в карман и без конца подшучивала над Сэмом, вызывая у него желание вернуть ей шутку, включиться в ее игру — игру, в которой не могло быть проигравших. Но Сэм прекрасно понимал, что он не может себе позволить подобных игр. Дафна тоже это знала, но это ее не останавливало.

— А вы? — поддразнил он ее в ответ на вопрос о юных девушках. — Какие мужчины вам нравятся — молодые или старые?

— Мне нравятся мужчины вообще, — как ни в чем не бывало ответила Дафна и ласково добавила: — Но больше всего — мужчины вашего возраста.

— Как вам не стыдно, — притворно нахмурившись, подхватил Сэм, — это и так ясно.

— Я всегда выражаюсь ясно, Сэм. Я не люблю терять время зря.

— Я тоже. Я женат.

— А разве вам это мешает? — Она смотрела Сэму прямо в глаза, и он понял, что игра пошла в открытую.

— Думаю, что да. Я не играю в такие игры.

— Это плохо. Было бы очень приятно попробовать.

— Мне в жизни нужно нечто большее, чем приятность. Этот опасный спорт, которым я не занимался уже много лет, подходит только одиноким мужчинам, которым я, признаться, иногда завидую.

Сэм рассмеялся, глядя ей прямо в глаза. Ему вдруг захотелось снова стать молодым и свободным. Эта девушка заставила его вспомнить молодость — пусть ненадолго. У него было такое чувство, как будто он съел пирожное с давно забытым вкусом.

— Вы мне нравитесь, — честно сказала Дафна. Он играл в открытую, и это вызывало у нее симпатию. Внезапно она поняла, что немного завидует его жене.

— Вы мне тоже нравитесь, Дафна. Вы потрясающая девушка. Вы даже заставили меня пожалеть о том, что я не холостяк.

— Пойдемте с нами на дискотеку после обеда.

— Наверное, мне не стоит этого делать. Но все может быть.

Сэм улыбнулся, предвкушая то удовольствие, которое он получит от танца с ней. Однако он сознавал, что это опасно — особенно сейчас, когда Алекс находится в таком положении и когда между ними такие напряженные отношения.

Но когда, выйдя из ресторана, они обнаружили, что лимузин уже стоит у входа, Дафна схватила его за руку и втолкнула внутрь, и у Сэма не хватило душевных сил ей противостоять. Они поехали в центр, в какой-то ночной клуб в Сохо, о существовании которого он даже не подозревал. В клубе была очень милая блюзовая группа, и, сам не заметив как, Сэм оказался в жарких объятиях Дафны, чувствуя, как ее тело прижимается к нему в полумраке зала. Ему стоило больших усилий заставить себя вспомнить об Алекс.

— Мне пора, — наконец сказал он. Было уже очень поздно, и он не мог справиться с ощущением двусмысленности того, что они делают. Нечего было обманывать себя. Он был женат, она — свободна. Как бы привлекательна она ни была, он не мог себе этого позволить.

— Вы сердитесь на меня? — ласково спросила Дафна, когда Сэм расплатился за напитки и собирался оставить ее здесь с Саймоном.

— Конечно, нет. На что я должен сердиться? — удивился Сэм.

— Сегодня вечером я затеяла с вами опасную игру. Мне не хотелось вызывать у вас чувство неловкости, — извиняющимся тоном сказала Дафна.

— Ничего вы не затевали. Вы польстили мне, потому что я на двадцать лет вас старше. Но поверьте, если бы я мог, я был бы у ваших ног, но я не могу.

— Это вы мне льстите, — с притворной застенчивостью сказала она, глядя на него такими глазами, что у Сэма защемило сердце.

— Нет, но мне хотелось бы. — И тут Сэм сказал то, что не должен был говорить: — Моя жена очень больна.

Он смотрел в сторону, пытаясь не думать о последствиях того, что случилось за последние два дня, о тех словах, которые они с Алекс друг другу сказали.

— Это усложняет мою жизнь. Я не знаю, что произойдет дальше, — продолжал он.

— Очень больна? — Дафне не хотелось произносить слово «рак», но Сэм прекрасно понял, о чем она спрашивает.

— Очень больна, — подтвердил он печальным голосом.

— Мне очень жаль.

— Мне тоже. Это непросто для нас обоих и заставляет меня испытывать некоторую неловкость.

— Я не хочу вносить в это свою лепту, — сказала она, придвигаясь к нему так близко, что он — не без удовольствия — смог увидеть, что у нее под юбкой.

— Вы ничего никуда не вносите. Не надо извиняться. Сегодняшний вечер — самый приятный за последние несколько лет, и мне это очень нужно.

Сэм снова поднял на нее глаза, и между ними возникло что-то, очень удивившее его. Это было похоже на настоящее чувство. Игры кончились. Рядом с ним был человек, с которым он мог поговорить, и внезапно ему расхотелось уезжать.

— Ну что, последний танец?

Он совсем не собирался этого делать и некоторое время ругал себя, но потом, танцуя с ней щека к щеке, почувствовал, что совершенно растворен в нежности, желании и музыке. Ее тело приникло к нему, словно созданное для него. Началась следующая песня, потом еще одна, и в конце концов он заставил себя оставить ее. С сожалением он привел ее обратно к Саймону, как взятую напрокат драгоценность, которую так не хочется отдавать вопреки необходимости.

— Похоже, вы неплохо провели время, — со значением сказал Саймон. Он прекрасно видел, что происходило, и был весьма заинтригован. Сэм казался ему не созданным для внебрачных связей, но он явно приударял за его кузиной. Правда, сейчас он наконец собрался домой.

— Какая лисичка, правда? — искушающе спросил Саймон.

— Береги ее, — серьезно сказал Сэм перед уходом. Всю дорогу домой в такси он был погружен в мысли о Дафне, вспоминая, как они танцевали. Он не скоро сможет это забыть. Уже оказавшись в своей квартире, он почувствовал вину перед Алекс, особенно когда он увидел написанную рукой Кармен записку у кровати. Но, проваливаясь в сон, он не видел лица своей жены — перед его глазами стояла Дафна.

Глава 9

Встав на следующее утро, Сэм прежде всего позвонил Алекс, но медсестра сказала, что она на процедуре и вернется только через полчаса. В это время он уже ехал на работу. Его ждал клиент, и ему надо было сделать тысячу телефонных звонков, так что снова позвонить жене он так и не собрался. А после того как все клиенты ушли, он встретился в коридоре с Дафной. Ее лицо просияло, как только она его увидела, но во время их пятиминутного разговора она держалась исключительно вежливо и по-деловому. Прогулявшись до его кабинета, она выразила надежду, что не слишком надоела ему накануне вечером. Теперь она взяла себя в руки, заверила его Дафна, и отныне их отношения будут строиться на строго деловой основе.

— Как жаль, — рассмеялся Сэм. — Мне кажется, это я вам надоел.

— Я бы не сказала, — ответила она своим нежным грудным голосом, так не вязавшимся с ее безупречными манерами деловой англичанки. — Вообще-то заигрывание с женатыми мужчинами не входит в мои правила. Но вы настолько обаятельны, Сэм, что вам нужно красить лицо в черный цвет или надевать на голову пластиковый пакет, прежде чем знакомиться с кем бы то ни было. Вы очень опасны.

Снова она льстила ему и играла с ним, и Сэму это очень нравилось.

— Наверное, мне следовало оставаться дома, — неуверенно произнес он, — но я очень хорошо провел время, в особенности в ночном клубе.

— Я тоже, — эхом откликнулась она, и внезапно оба поняли, что флиртуют друг с другом.

— Что мы будем с этим делать? — спросил Сэм с улыбкой. Он решил первым признаться в своих чувствах.

— Еще не знаю. Думаю, что надо принять холодный душ. Я, правда, не пробовала.

— Может быть, стоит попробовать встать под душ вдвоем, — сказал Сэм, тут же пожалев о своих словах.

Похоже, он не в состоянии держать себя в руках в ее обществе и способен думать только об одном — о том, чтобы быть рядом с ней, чтобы соблазнить и покорить ее. Ничего подобного с ним никогда не было, и он понятия не имел, как все это остановить. Они были похожи на поднесенные к огню спички, которые мгновенно вспыхивают.

— Но лучше всего справиться с собой, — твердо закончил он.

— Есть, сэр, — отсалютовала она с улыбкой, исчезая в кабинете, соседнем с кабинетом Саймона. Сэм проводил ее взглядом, с трудом оторвав глаза от ее фигуры.

— Берегись! — сказал Ларри, его старый партнер, проходивший по коридору в этот момент, и закончил шепотом: — Она опасна... как и все английские девушки.

— Почему ты не предупредил меня? — шутливо простонал Сэм, скрываясь в своем кабинете. Чтобы голова немного освежилась, он позвонил Алекс.

— Где ты был вчера вечером? — с горечью в голосе спросила она. — Я тебе звонила.

— Я знаю. Прости меня. Я обедал с Саймоном и с новыми клиентами из Лондона. Он позвонил мне, когда я пришел домой, и уговорил меня приехать. Мы были в «Ле Кирк».

Внезапно Сэм понял, что говорит слишком много и как бы оправдывается. Чтобы сменить тему, он спросил:

— Как ты себя чувствуешь?

— Хорошо, — сказала она все тем же грустным тоном. — Вчера вечером ко мне приходила Лиз Хэзкомб. Оказалось, что она член добровольной группы поддержки.

— Как здорово, — откликнулся Сэм, чувствуя, как растет между ними пропасть. Она могла говорить только о болезни и связанных с этим вещах. — Как ты думаешь, она расскажет об этом твоим сотрудникам?

— Вряд ли. Лиз очень сдержанный человек. Но она очень удивилась, увидев меня... и очень помогла.

— Я рад.

— Как там Аннабел?

— Прекрасно. Она вся в предвкушении Хэллоуина и постоянно примеряет свой костюм.

Услышав об этом, Алекс почувствовала, что вот-вот расплачется.

— Ты придешь сегодня? — неуверенно спросила она, как будто не знала, может ли она на него рассчитывать по-прежнему. Сэм почувствовал ее недоверие и слегка обиделся:

— Конечно. Я заеду по дороге домой.

Алекс надеялась, что он придет во время ленча, но ей не хотелось на него давить. Сэм сказал, что у него по горло работы, и попрощался с ней.

Но когда он попытался сосредоточиться, оказалось, что единственное, о чем он может думать, — это Дафна. Это был кошмар. У него были больная жена, маленький ребенок и куча обязанностей, но маленькая страстная кузина Саймона из далекой Англии за один вечер вскружила ему голову. Поэтому к моменту встречи с Алекс он был в отвратительном настроении, испытывая смесь чувства вины, раздражения и сожаления о том, что вообще познакомился с Дафной. Ему не хотелось усложнять свою жизнь, но он явно увлекся ею, как наркотиком, которого никогда раньше не пробовал, но который ему дали.

— Что случилось? Ты весь как на иголках. — Алекс мгновенно схватила его состояние, что еще больше его разозлило. Как будто у него на шее была вспыхивающая неоновая вывеска, гласившая: «Дафна».

— Не говори ерунды, — огрызнулся он, немедленно пожалев о своей несдержанности. — Просто я беспокоюсь о тебе. Мы ждем не дождемся твоего возвращения в пятницу.

— Ты говорил что-нибудь Аннабел?

— Конечно, нет.

— Я думаю, надо ей сказать, что я попала в дорожное происшествие.

— Зачем вообще что-то ей говорить? — Ну вот, опять. Снова отрицание. Это не переставало удивлять Алекс.

— Я вся перебинтована. На месте груди у меня будет рубец. Потом, я плохо себя чувствую и не смогу позволить ей прыгать на себе. Неужели ты считаешь, что ей не надо ничего объяснять, Сэм? Она же не дурочка.

— Тебе совершенно необязательно расхаживать перед ней в чем мать родила.

— До конца моих дней? Она моется вместе со мной и любит смотреть, как я одеваюсь. Я никогда не скрывала от нее своего тела. Кроме того, через несколько недель, когда начнется химиотерапия, я буду совсем больная и очень усталая. Она должна это знать.

— Почему ты продолжаешь придавать такое огромное значение всему этому? Почему это должно превращаться в проблему и для меня, и даже для

Аннабел? Почему ты не можешь просто тихо жить со всем этим? Я не могу этого понять.

— И я не могу понять. Я не понимаю, как ты можешь продолжать считать, что ничего не произошло. Это случилось не только со мной, но и со всеми нами. По крайней мере вы оба должны понимать это.

— Ради Бога, Алекс, ей три с половиной года. Что ты от нее хочешь? Симпатии, да? Алекс, это ненормально.

— Я думаю, что ты сошел с ума.

— Перестань ныть по этому поводу, перестань превращать свою болезнь в кошмар для окружающих. Поговори с терапевтом, делай что-нибудь, запишись в группу поддержки, но не навешивай это мертвым грузом на меня и Аннабел. Не наказывай нас за то, что тебе не повезло.

Алекс отвернулась от него к окну. Когда она заговорила, ее тон был ледяным:

— Я хочу, чтобы ты немедленно ушел.

— С превеликим удовольствием. — Сэм выбежал из больницы и даже не позвонил ей в этот вечер. А Алекс позвонила только Аннабел, чтобы пожелать ей спокойной ночи. Она не стала звать к телефону Сэма, что заметила только Кармен.

Сэм просидел весь вечер дома, размышляя о том, что им всем предстояло, и ему это явно не нравилось. Алекс придавала слишком большое значение всему, что с ней произошло, — рубцу, удаленной груди, пошатнувшемуся здоровью, а потом и ее лечению — химиотерапии; им придется слушать о ее волосах, их выпадении, о том, как она смертельно больна. Что ждет их дальше? Месяцы и годы ожидания результатов анализов, постоянный страх перед рецидивом, неизвестность, встретит ли она следующий Новый год. Сэм не в состоянии был все это выдержать. Это слишком напоминало ему мать. Оставшиеся ему годы он рассчитывал провести совсем не так. Ему совершенно не хотелось каждый день выслушивать рассказы жены о ее раке. Внезапно Алекс представилась ему трагической героиней, которая хочет проглотить его живьем и разрушить его жизнь. Алекс, которую он знал и любил, куда-то исчезла, а на ее месте оказалась эта озлобленная, напуганная, подавленная женщина.

В четверг они дважды говорили по телефону об Аннабел, но оба пришли к выводу, что им лучше не видеться. Однако Лиз Хэзкомб приходила к Алекс ежедневно, после того как обнаружила ее в списке перенесших операцию.

В пятницу Сэм появился в больнице в полдень, чтобы забрать Алекс домой. Последние два дня он ее вообще не видел, и она внезапно показалась ему очень хрупкой. Она надела трикотажное платье, которой Сэм по ее просьбе принес ей из дома. Достаточно свободное, оно легко скрыло повязку. Сверху Алекс накинула ярко-синее пальто, также принесенное Сэмом. Она не стала краситься, но и без того, вопреки ожиданиям Сэма, выглядела хорошо — высокая и стройная, с чистыми волосами, свободно рассыпанными по плечам. Однако лицо ее было испуганным. Глаза казались огромными, лицо было бледным, а руки, когда она засовывала ночную рубашку в сумку, дрожали.

— Как ты себя чувствуешь, Алекс? Тебе больно? — Сэм был удивлен тем, как нервно вела себя Алекс. Когда он видел ее во вторник и среду, она была гораздо более бодрой, и Сэм спрашивал себя, не запоздавшие ли это осложнения после операции. Это снова заставило его почувствовать вину из-за того, что накануне он к ней не пришел, но он просто не мог выдержать этого давления. Но сейчас она выглядела такой подавленной.

— Я хорошо себя чувствую, — немного хрипло ответила Алекс. — Я просто немного боюсь возвращаться домой. Там же не будет ни медсестер, ни группы поддержки, и никто не будет меня перевязывать. А что я скажу Аннабел, когда ее увижу?

При мысли об этом глаза Алекс наполнились слезами. Вчера вечером она уже рыдала на плече у Лиз Хэзкомб, которая продолжала уверять ее, что все чувства Алекс совершенно нормальны.

— Тогда почему Сэм продолжает вести себя так, как будто я сошла с ума? — спросила она у Лиз.

— Потому что он тоже испуган. И это тоже совершенно нормально. Единственная проблема с Сэмом заключается в том, что он не признает случившегося.

Сейчас, обняв Алекс за плечи и подхватив ее сумку, он вовсе не выглядел испуганным. Наоборот, когда они спустились на лифте и сели в заказанный Сэмом для такого случая лимузин, ей показалось, что он полностью контролирует ситуацию.

В квартире стояла тишина. Кармен забрала Аннабел из садика и пошла с ней на балет. Алекс хотела отдохнуть перед возвращением дочери и переоделась в халат, но поняла, что усталость просто сразила ее. Все ее переживания просто вымотали ее. Сэм расстроился, увидев, что Алекс надевает ночную рубашку. Она сидела к нему спиной и, перед тем как повернуться, накинула халат, так что он увидел только розовый шелк.

— Зачем ты переоделась? Аннабел забеспокоится, если увидит тебя в рубашке.

— Я очень устала и хочу немного полежать.

— Ты могла бы полежать и в платье, — упрекнул ее Сэм, подумав, что она снова изображает инвалида, и Алекс это почувствовала. Но откуда ему было знать, как она устала и вымоталась, как она боится увидеть свою дочь и услышать ее нетерпеливые вопросы. Все это было очень грустно и пугающе. Когда Алекс легла на кровать и включила телевизор, Сэм принес ей приготовленный Кармен ленч, и Алекс увидела, что он в пальто.

— Куда ты собрался? — Алекс боялась оставаться одна. Она вообще боялась всего на свете и жалела, что вернулась домой, понимая, однако, что рано или поздно ей пришлось бы это сделать.

— Я еду на работу, — объяснил Сэм. — Сегодня я попытаюсь прийти раньше. У меня встреча с Ларри и Томом, которую я просто не могу отменить. Позвони мне, если что.

Алекс кивнула, и Сэм послал ей воздушный поцелуй, но не подошел к ней, и Алекс это заметила. После операции он еще ни разу не поцеловал ее как следует. Интересно, когда он справится со своим страхом и снова будет с ней рядом, подумала она.

Меньше всего на свете Алекс хотела оказывать на мужа какое-то давление, но то, что он так откровенно держал дистанцию, заставляло ее чувствовать себя крайне одинокой.

Алекс долго лежала в полной тишине, ожидая возвращения Аннабел и думая, что она ей скажет. Она много всего придумала, но в тот момент, когда ее дочь вошла в дом, все приготовленные слова были забыты. Ей хотелось только одного — обнять свою любимую девочку, сказать ей, как она ее любит и как она по ней скучает.

Аннабел издала торжествующий вопль, когда увидела, что мама стоит в дверях спальни и ждет ее. Алекс встала, услышав лифт и звук поворачиваемого Кармен ключа. Все ее тело дрожало от нетерпения.

— Мамочка! — закричала Аннабел, подбежав к Алекс и с размаху кинувшись в ее объятия. Алекс попыталась защитить себя от удара, но не смогла. Боль заставила ее поморщиться, и Кармен это заметила. Но Аннабел видела только одно — что ее мама снова дома. Отступив от нее на шаг, девочка озорно посмотрела на нее: — А что ты мне привезла из своей командировки?

Внезапно Алекс поняла, что она совершенно забыла об этом. Лицо Аннабел сразу омрачилось.

— Ты знаешь, — стала вдохновенно врать Алекс, — там ничего хорошего не было, даже в аэропорту. Я думаю, что на следующей неделе мы с тобой пойдем в «Шварц» и попробуем там что-нибудь отыскать. Ты довольна?

— Ух ты! — Аннабел хлопнула в ладоши, мигом забыв про свое разочарование. Ей нравилось ходить в «Шварц» с мамой. А потом она с удивлением заметила ночную рубашку Алекс.

— А почему ты в ночнушке? — с подозрением спросила она, как и предсказывал Сэм. Она во многом напоминала свою мать, все подмечая и желая понять, что, как и почему.

— Перед тем как ты пришла, я спала. Я очень устала и попала в небольшое дорожное происшествие в Чикаго.

— Правда?! — воскликнула Аннабел. На нее это явно произвело впечатление, и она забеспокоилась. — Тебе было больно?

Казалось, она сейчас заплачет, и Алекс поспешила поцеловать ее, чтобы успокоить.

— Немного, — ответила она, продолжая придумывать свою историю.

— А тебе налепили пластырь? — Алекс кивнула. — А можно посмотреть?

Дрожащими руками Алекс распахнула халат, открыв наглухо перебинтованное тело, и Кармен ахнула. Она поняла, что произошло нечто воистину ужасное, и посмотрела Алекс прямо в глаза.

— А сейчас тебе больно? — повторила Аннабел, пораженная размерами бинта.

— Немножко, — призналась Алекс, — поэтому нам надо быть осторожнее и не прыгать по маме.

— Ты плакала?

Алекс кивнула и инстинктивно посмотрела на Кармен, чьи глаза были полны слез. Подойдя к своей хозяйке, она нежно дотронулась до ее руки, заставив Алекс расплакаться.

Аннабел убежала в комнату за куклой, а Кармен с упреком произнесла:

— Почему вы мне ничего не сказали, миссис Паркер? У вас все хорошо?

— Будет хорошо, — безжизненным голосом ответила Алекс. Кармен поняла, что у нее что-то с грудью, но о том, что произошло, она могла только догадываться по тому, как ее хозяйка выглядела сбоку.

Аннабел вернулась из детской тяжело нагруженная — она несла в руках трех кукол и книгу. Ей надо было много чего рассказать про балет и про садик и показать картинку, которую она нарисовала для мамы, не говоря уже о том, с каким нетерпением она дожидалась Хэллоуина. В садике должен был быть парад, а Кэти Ловенстайн приглашала всех в гости. Она не знала, с какой из тысячи новостей начать, и Алекс подумала о том, как она могла прожить без своей дочки целых пять дней. Встреча с ней после вынужденной разлуки немедленно вернула ее обратно к жизни — теперь ей было, за что бороться.

— Как вы себя чувствуете, миссис Паркер? — снова спросила ее Кармен. Алекс и Аннабел играли на большой кровати в спальне, и Кармен принесла хозяйке чашку чая и сандвич с курицей, заставив ее все это съесть. Алекс не была голодна, но, вспомнив слова Лиз о том, что нужно восстанавливать силы, через силу поела. Лиз уже звонила, чтобы узнать, как у нее дела, и была очень рада услышать более оживленный, чем раньше, голос Алекс. Аннабел невероятно подняла ей настроение; но потом, когда Алекс стало жарко и она сняла халат, она заметила, что девочка инстинктивно отшатнулась. Бинты пугали ее. Алекс незаметно накинула халат и напомнила себе о том, что ее дочь не должна слишком часто видеть повязку. В какой-то степени Сэм был прав. Она не должна была превращать это в их проблему, да у нее и не было такого намерения. Ей нужны были их любовь и поддержка, но ей не хотелось ни пугать их, ни заставлять себя жалеть. В чем-то Сэм был так же напуган, как Аннабел.

Ближе к вечеру Кармен пришла за Аннабел, чтобы помыть ее, но девочка захотела помыться вместе с мамой в ее мраморной ванной и с ее замечательными пузырями.

— Конечно, заинька, я тебе разрешаю взять мои пузыри. Но свой большой пластырь я не могу снимать до следующей недели.

Когда в больнице она принимала душ, ее заматывали в большой кусок пластика.

— Давай-ка помойся без меня.

Аннабел согласилась, и Алекс посмотрела на часы. Было уже пять. Она думала, что Сэм сегодня пораньше вернется с работы. Впрочем, по пятницам, когда надо было закончить все дела, чтобы не оставлять ничего на выходные, ее муж всегда возвращался поздно.

Сэм действительно засиделся в офисе. Он отрабатывал все детали своей последней сделки, не в силах признаться себе, что домой ему идти не хочется.

— Все работаете? — спросила Дафна, как бы случайно заглядывая к нему в кабинет в четверть шестого. Эти выходные она собиралась провести в Вермонте вместе с английскими друзьями Саймона. Она столько слышала о том, как прекрасны тамошние парки в золотую осень, что ей самой хотелось на это посмотреть.

— Это очень красиво, — подтвердил Сэм, чувствуя, что ему очень бы хотелось уехать вместе с ней. Он взъерошил волосы рукой и угрюмо посмотрел на Дафну. Пора было идти домой, но он всячески оттягивал этот момент. Напряжение между ним и Алекс все росло, и даже Аннабел было не по силам его снять.

— А вы? Как вы будете развлекаться? — спросила Дафна, которой явно не хотелось уходить. Сэм был так печален и так одинок, как будто ему было некуда пойти и он собирался ночевать в своем кабинете.

— Я не думаю, что буду развлекаться. Моя жена только что вернулась из больницы. Скорее всего мы посидим дома.

— Я очень вам сочувствую, Сэм, — ласково сказала Дафна. Их глаза снова встретились, и девушка улыбнулась.

— Спасибо, Дафна. Удачных выходных и до понедельника.

Дафна кивнула. Ей очень хотелось пересечь комнату и обнять Сэма, но он выглядел таким серьезным, что она просто не решилась. Вместо этого она посмотрела на него долгим взглядом, а потом посла-

ла воздушный поцелуй и вышла из комнаты. Если
бы она могла провести выходные с ним, а не с Саймоном и его англичанами!

В половине шестого Сэм решил, что дальше тянуть
нельзя. Надев пальто, он спустился вниз и прошел несколько кварталов пешком, прежде чем взять такси до
дома. Дома он оказался еще до шести, и Алекс встретила
его удивленным взглядом. Она играла с Аннабел и читала
ей сказки. Кармен готовила обед; она настояла на том,
чтобы остаться у них на выходные.

— Привет. Как дела? — Алекс пыталась вести себя
с ним непринужденно, но Сэм чувствовал явную непов-
кость, и, когда он заговорил, голос его был совсем чужим.

— Хорошо. Извини, что я задержался, у меня был
сумасшедший день.

— Ничего. Аннабел мне скучать не давала. Мы прекрасно провели время.

Они вместе пообедали на кухне, причем Аннабел говорила больше, чем ее родители, вместе взятые. К удивлению Алекс, девочка не чувствовала напряжения между
мамой и папой. Она была так счастлива, что Алекс вернулась домой, что витала в облаках и не умолкала ни на
минуту. Она была полна всяких забавных историй и шу-
ток, новых песенок и каких-то невнятных историй про ее
друзей. Обед получился вполне оживленным. Они уложили Аннабел, а Кармен прибрала на кухне. Но когда
Алекс и Сэм вернулись в свою комнату, разговор сам
собой иссяк, и они оба не знали, что сказать друг другу.
Сэм выглядел усталым и рассеянным.

— У тебя на работе что-то не так? — спросила Алекс,
не понимая, почему он так нервничает.

— Нет, все в порядке. — Но Сэм не мог задать ей
такой же вопрос. Его жена всю неделю не появлялась на
работе. Она могла говорить только о своей болезни.

Включив телевизор, Сэм уткнулся в экран, найдя в нем своего рода убежище, и вскоре задремал. Алекс молча наблюдала за ним. Возвращение из больницы совершенно измотало ее, но она была рада, что в конце концов оказалась дома. Она только не знала, что делать с Сэмом. Лиз во время их разговора по телефону снова утешила ее и посоветовала быть терпеливой. Она сказала, что ее муж тоже первое время сторонился ее, боясь ее болезни, и даже обижался на нее, но потом привык.

Сэм проснулся после последних новостей, потянулся и с удивлением посмотрел на свою жену, как будто не ожидал увидеть ее рядом. Потом, не говоря ни слова, он переоделся в пижаму. Алекс уже помылась, надела другую ночную рубашку и сверху накинула пеньюар, чтобы не расстраивать Сэма видом своих бинтов. Однако когда он вернулся из ванной — Алекс показалось, что прошла целая вечность, — она почувствовала, что он словно не решается улечься рядом с ней.

Сэм боялся ее, как будто она могла заразить его своей болезнью. Ей нужно было получить от него так много, а он просто не подозревал, какую поддержку он может ей дать. Его собственная неадекватная реакция пугала его больше, чем все остальное. Ему было легче вообще не общаться с Алекс.

— Что-то не так? — смущенно спросила она. Он как будто не был уверен в том, что ему стоит ложиться в их супружескую постель. Но в комнате для гостей спала Кармен, так что выбора у него не было.

— Я... я не причиню тебе боли, если лягу рядом?

Алекс не смогла сдержать улыбки. Ему явно было очень неуютно, и он чувствовал себя не в своей тарелке в обществе своей жены. В какой-то степени это было трагично, если не считать того, что Алекс из-за этого испытывала чувство печали и раздражения. Он вдруг стал совсем чужим.

— Если только ты мне пяткой по лбу не заедешь, — сказала она, делая вид, что все нормально, хотя они оба понимали, что это не так.

— Я просто подумал, что, если я ночью как-нибудь неловко повернусь... или неосторожно дотронусь до тебя...

Он обращался с ней не как с женщиной, а как с хрустальной вазой, бросаясь от одной крайности к другой. То он делал вид, что ничего не произошло, то словно бы стремился убежать от нее на край земли. Это было более чем неприятно.

— Ты не сделаешь мне больно, Сэм, — тихо сказала Алекс, пытаясь вселить в него уверенность. Он скользнул в кровать, но так, как будто рядом с ним лежала не его жена, а противотанковая мина, которую он боялся случайно снять с предохранителя. Алекс почувствовала себя парией.

— Как ты себя чувствуешь? — нервным голосом спросил он, прежде чем погасить свет. — Хочешь чего-нибудь?

— Нет, спасибо, все хорошо. —Алекс так мечтала спать рядом с Сэмом, что ей действительно было почти хорошо. Однако ему этого явно не хотелось. В конце концов он уснул — почти на краю кровати — под пристальным взглядом Алекс. Отрезанная грудь словно разлучила их, сделав чужими друг другу. И как только Сэм провалился в сон, Алекс заплакала от тоски по своему мужу.

В субботу он проснулся раньше Алекс, и к тому моменту, когда она встала и снова переоделась в халат, Сэм и Аннабел были уже одеты и обсуждали предстоящую прогулку в Центральный парк. Сэм купил дочке нового воздушного змея, которого они сегодня собирались запустить.

— Хочешь пойти? — с сомнением спросил Сэм, но Алекс покачала головой. Она все еще очень легко уставала и решила, что подождет их дома.

— Я побуду здесь. А когда вы вернетесь, мы с Аннабел займемся печеньем, — ответила она. Ей хотелось показать, что она по-прежнему остается хозяйкой.

— Ура! — завопила Аннабел. Ее вполне устраивали оба плана — и воздушный змей, и печенье. Через полчаса они ушли. Аннабел была в превосходном настроении, а Сэм почти не разговаривал с Алекс — как будто то, что она вернулась, очень раздражало его. Даже когда она была в больнице, ему было легче с ней общаться. Алекс это очень сильно нервировало.

Когда они вернулись, их уже ждал ленч — приготовленные Алекс суп и сандвичи. Она убедила Кармен в том, что не нуждается в ее услугах, и та ушла домой на несколько часов, но обещала вернуться к вечеру. Ей хотелось помочь Алекс.

Аннабел принялась восторженно рассказывать о том, как высоко они запустили змея около пруда, где плавали модели кораблей. Змей зацепился за дерево, и папе пришлось лезть на самый верх, чтобы забрать его.

— Ну, конечно, не на самый верх, — смущенно сказал Сэм. Они неплохо провели время и купили каштаны.

За время их отсутствия Алекс причесалась и надела водолазку и джинсы, так что последствия операции были почти незаметны. Свитер был очень свободным, и оставшаяся грудь едва была видна. Но Аннабел, которая после ленча уселась к матери на колени и прижалась к ней, заметила, что что-то не так.

— Мама, твоя пораненная грудка стала меньше, — сказала она, с изумлением разглядывая фигуру матери. — Она что, отвалилась, когда ты ударилась?

— Вроде того. — Алекс улыбнулась, пытаясь сохранить самообладание. Это все равно надо было обсудить с ней, и сейчас выдался как раз довольно удачный момент. Чем раньше, тем лучше. Сэм был в другой комнате и был явно поражен, услышав, о чем они говорят.

— А когда ты снимешь бинт, что там будет? У тебя что, теперь совсем нет грудки? — спрашивала Аннабел, пораженная тем, что часть тела ее матери исчезла. Это не укладывалось в ее детской головке.

— Может быть. Я еще не видела.

— Она что, просто отвалилась?

Алекс не хотелось пугать свою дочь или вводить ее в заблуждение.

— Нет. Просто мне было очень больно, и меня забинтовали.

— Как же это могло случиться? — удивленно спросила Аннабел, не понимая, что произошло с матерью в этой ее поездке. Сэм посмотрел на нее с раздражением. К счастью, девочка пошла играть в другую комнату, забыв, к радости Алекс, о заданном ей вопросе. У нее все равно не было ответа. Объяснять своей дочери, как это могло случиться, ей совершенно не хотелось.

Но Сэм не мог удержаться от своих замечаний. Ему не нравилась эта тема.

— Зачем ты ей это все объясняешь? Что это за тема для разговора с ребенком? Ей три с половиной года, и ей совсем это не нужно.

Ему это тоже было не нужно в его пятьдесят лет.

— И мне не нужно, Сэм, но так или иначе мы не можем от этого отвернуться. И потом, она меня спросила. Она сидела у меня на коленях и почувствовала, что мое тело изменилось.

— Тогда не позволяй ей сидеть у тебя на коленях. Есть масса способов избежать контактов с твоим телом.

— Я уже заметила. Ты успешно пользуешься большинством из них, — огрызнулась она. Сэм очень тщательно избегал ее. Днем он вдруг сказал ей, что должен пойти на работу, поразив Алекс до глубины души. В выходные дни он редко ходил на работу. Но теперь она знал, почему он это делает. Он просто не мог находиться рядом с ней.

Алекс и Аннабел провели вечер дома за приготовлением печенья. По телевизору показывали «Питера Пэна» и «Русалочку». Сэм ушел в три часа, когда обстановка в доме настолько накалилась, что Алекс даже была рада его исчезновению. Ей трудно было выдержать это напряжение. Между ними словно был пропущен заряд электричества.

— Почему папа так на тебя сердится? — спросила Аннабел, когда они резали тесто. Алекс остолбенела.

— С чего ты взяла, что он на меня сердится? — откликнулась она, пораженная интуицией своей дочери.

— Он с тобой разговаривает, только если ему что-то очень нужно.

— Может быть, он просто устал, — объяснила Алекс, возясь с тестом. Аннабел отламывала большие его куски и съедала их.

— Он скучал, пока тебя не было. И я тоже, — серьезно сказала она. — Может быть, он сердится из-за того, что ты уезжала.

— Может быть, — согласилась Алекс, не желая впутывать дочь в их отношения. — Я уверена, что, когда он сегодня придет, все будет в порядке.

Алекс поцеловала дочку в веснушчатый нос и протянула ей еще кусочек теста.

Сидя в своем кабинете, Сэм предавался унынию. Работы в офисе у него было мало. Его деятельность предполагала постоянные контакты с клиентами, общение и сделки. Ему никогда не приходилось иметь дело с той лавиной бумажной работы, с которой постоянно сталкивалась Алекс. Он пришел в офис только для того, чтобы сбежать из дома, и теперь чувствовал себя полнейшим идиотом. Сэм избегал своей жены и понимал это. Он боялся видеть ее тело, боялся чувствовать, что ей больно, боялся, что не сможет обращаться с ней так, как нужно. Гораздо легче было злиться и раздражаться на нее и стараться общаться с ней как можно меньше.

— Что вы здесь делаете? — Сэм вскочил на ноги, услышав чей-то голос.

Он был уверен, что он совершенно один. Сигнализация была в порядке, и охранник ничего не сказал ему о том, что здесь кто-то есть. Наверное, она пришла только сейчас. Это была Дафна. На ней были обтягивающий жакет из черного джерси и черные леггинсы, делавшие ее ноги поистине бесконечными. Волосы она заплела в длинную косу, а на ноги надела ботинки из настоящей английской замши.

— Я думал, что вы в Вермонте, — удивленно сказал Сэм.

— Я должна была поехать. Но Саймон простудился, а его друзья не захотели ехать без него, так что мы остались. И я решила кое-что здесь доделать. Я надеюсь, вы не будете против, Сэм? Я не хотела вам мешать. Когда я вас увидела, мне показалось, что вы где-то далеко — в миллионах миль отсюда.

Эти слова она произнесла с нежным сочувствием, которое не вязалось с ее юной и дерзкой сексуальностью.

— Как ваши дела? — спросила она.

— Не слишком хорошо, а то бы я здесь не сидел, — честно ответил он, вытягивая ноги под столом и играя с карандашом. Удивительно, что с ней он мог говорить обо всем на свете, а с Алекс — ни о чем. — Я даже не знаю, почему я сюда пришел. — Он посмотрел на нее несчастным взглядом, но потом улыбнулся. — Может быть, шестое чувство мне подсказало, что здесь будете вы.

— Это нехорошо, — поддразнила она, — но я принимаю ваше объяснение. Сделать вам кофе?

— Конечно, большое спасибо. — Сэм проводил ее на кухню, ощущая слабый запах ее духов — теплых, мускусных и чувственных. — Простите меня, — внезапно сказал он, когда Дафна повернулась к нему. — На этой неделе я вел себя, как лунатик. Я не знаю, что со мной происходит, и не могу контролировать свое состояние. Я не вправе переносить весь этот ад на вас.

— Если обед в «Ле Кирк» и дискотека это ад, то будьте так добры, Сэм, продолжайте в том же духе.

Эти слова были сказаны с соблазнительной улыбкой, но в ней была не только сексуальность, но и что-то очень теплое и нежное. Озорство и игривость сочетались в этой удивительной девушке с заботливостью, и Сэму это очень нравилось. Дафна во многом напоминала Алекс. И вдруг она заставила его потерять дар речи своим следующим вопросом. Он был задан очень мягким голосом, но Сэм был совершенно не готов ответить на него.

— Ваша жена умирает, Сэм?

Некоторое время он не знал, что ответить.

— Она может умереть. Я не знаю. Я думаю, что она очень больна, хотя я и не совсем понимаю, чем.

— У нее рак?

Сэм кивнул.

— На этой неделе ей удалили грудь и скоро начнут делать химиотерапию.

— Как тяжело, должно быть, вам и вашей дочке. — Дафна явно сочувствовала только ему и Аннабел, но не Алекс.

— Да, пожалуй... По крайней мере нам будет весьма нелегко... Химиотерапия — это кошмар. Я не уверен в том, что это нужно делать.

— Мы все так говорим, пока не столкнемся с этим сами. Человеку свойственно бороться за свою жизнь до последнего, как раненому волку, и пробовать все возможности. Мой отец умер год назад, перебрав все средства — вплоть до неких чудо-пилюль из Ямайки, которые оказались не чем иным, как дурацким снадобьем какого-то местного знахаря. Нельзя упрекать вашу жену за ее попытки спасти свою жизнь. Но для вас это ад, бедный вы мой.

Они стояли в маленькой комнатке без окон. Сэм вдыхал аромат почти готового кофе и слушал голос Дафны, переходивший в шепот.

— Вы не должны меня жалеть, — прошептал он в ответ, не понимая, почему они так тихо говорят. Они были совершенно одни, и Сэму хотелось только одного — привлечь ее к себе и говорить еще тише. — У меня все в порядке...

— В противном случае вы бы... — начала Дафна и вдруг сделала то, к чему Сэм был совершенно не готов. Она обняла его, пробежалась пальцами по его шее, от чего Сэм буквально задрожал, и поцеловала его. Сила, с которой его тело отвечало на прикосновения Дафны, пугала его. Контролировать себя он был не в состоянии. Ему хотелось сдернуть с нее эти обтягивающие леггинсы и уложить ее прямо на пол, но он не осмеливался сделать этого. Сэм только целовал ее, жадно поглаживая руками это молодое и соблазнительное тело, состоявшее, казалось, из одних мышц, с упругим животом и великолепным изящным задом. Дафна была сложена как балерина, а ее грудь идеально ложилась в его ладони. Их губы и языки были неутомимы. Дафна не выдержала первой. Это она вызвала лавину, которую сама же теперь не могла остановить, и ощущения, которые они испытывали, были почти невыносимы. Задыхаясь, Дафна произнесла:

— О Господи, Сэм... Я не могу... Господи... как я тебя хочу...

— Я тоже тебя хочу, — прошептал он, покрывая поцелуями ее шею и грудь. Потом он встал перед ней на колени и прижался лицом к ее лону. Дафна издала продолжительный нежный стон, но Сэм, обхватив ее еще крепче, внезапно пришел в себя. Он не мог себе этого позволить. — Дафна... мы не должны... — Встав на ноги, Сэм обнял ее, испытывая невероятное чувство вины перед Алекс. Но с этим нечеловеческим влечением к Дафне он ничего не мог поделать. — Я не могу. Я не имею права так осложнять твою жизнь... и поступать так со своей женой.

— Мне на это наплевать, — хриплым голосом ответила Дафна. — Я взрослая женщина и имею право сама принимать решения.

— Да при чем здесь это... Понимаешь, ты заслуживаешь большего. Я с ума схожу от желания, когда вижу тебя. И так было с самой первой встречи. Но тебе-то это что дает?

— Ничего хорошего.

— Я бы хотел дать тебе больше, но мне нечего давать. Не сейчас.

Еще не сейчас. А может быть, никогда.

— Для начала вполне хватит, — игриво сказала она. — Я многого не прошу.

— Ты имеешь право на большее. Ты заслуживаешь этого. — И с этими словами, не тратя времени на лишние разговоры, Сэм снова приник к ней губами. Казалось, прошли часы, прежде чем они поняли, что больше они не могут себя сдерживать.

— Ты знаешь, он поднимается, и с этим что-то надо делать, — сказал Сэм. Они оба рассмеялись, почувствовав его слишком очевидную эрекцию. Дафна стала нежно поглаживать его плоть через джинсы, и движение ее пальцев совершенно выбило Сэма из колеи.

— Я предлагаю что-нибудь вроде этого, — улыбнулась Дафна. Поцеловав его еще раз, она нагнулась к выпуклости между его обтянутыми голубой тканью бедрами и стала нежно пощипывать ее губами.

— Перестань, — неуверенно произнес Сэм, — не надо... О Господи... Дафна... Если ты не остановишься, я перейду к решительным действиям.

Она приводила его в неистовство, и ему это нравилось.

— Я очень на это надеюсь, — с озорной улыбкой сказала Дафна, вставая и наливая ему кофе.

— Как я могу? — спросил он, думая и о жене, и о дочери:

— Все бывает. Такова жизнь. Иногда она идет совсем не так, как мы планировали. На самом деле я не уверена, что вообще можно что-то спланировать. Моя жизнь по крайней мере никаким прогнозам не поддается.

— А я сейчас попал в поистине угрожающую ситуацию.

— Твоя жена — близкий тебе человек? — спросила Дафна. Они старательно пили кофе, пытаясь забыть сладость соприкосновения тел.

— Я считал, что да. А теперь мне кажется, что я вообще не могу с ней разговаривать. Единственное, что существует — это ее болезнь. Это стало предметом всех ее мыслей, интересов, разговоров. Мне трудно это выдержать.

— Я не могу ее осуждать. Но она тем не менее ждет от тебя очень многого, не так ли?

— Я считаю, что у меня есть перед ней определенные обязанности, — сказал Сэм, а потом поделился с ней своей самой большой тайной. — Моя мать умерла от рака, когда мне было четырнадцать лет. Я ненавидел ее за это. Я помню только то, что она была очень больна, постоянно говорила о своей болезни и без конца ложилась на операции. Всякий раз врачи ненадолго возвращали ее к жизни, пока в конце концов не доконали. И ее смерть убила моего отца. Мне казалось, что она хочет утянуть за собой в могилу всех нас. Если бы я ей позволил, она бы сделала это со мной. Но я не дал ей отравить меня так, как она отравила отца. Я отказался становиться частью ее трагедии. И теперь я чувствую то же самое в отношении Алекс. Понимаешь, я должен держаться от нее в стороне, чтобы сохранить свою жизнь.

Это было ужасное признание, но ему стало неизмеримо легче, когда он сделал его. Казалось, Дафна поняла, что он хочет сказать, в отличие от Алекс, которая была слишком поглощена собой, чтобы увидеть, в каком ужасном положении находится ее муж.

— Но ты же не можешь быть один? — спросила она хриплым голосом, сводившим его с ума.

— Я не знаю. Я должен попытаться. Но ты не облегчаешь мне мою задачу.

— Да уж, — сказала Дафна, снова сжимая в руке выпуклость под «молнией» джинсов и заставляя его закрыть глаза от удовольствия. — Я бы даже сказала, что я ее усложняю.

— И была бы совершенно права. — Сэм поцеловал ее, умирая от желания, но оставаясь твердым в своем намерении не заниматься с ней любовью. Он был в долгу перед Алекс. Не желая отдавать ей свою жизнь, он все же считал, что обязан сохранять ей верность. Ему просто не повезло, что их с Дафной пути столкнулись именно в этот момент. А может быть, это должно было случиться. Возможно, это была награда за то, что он потерял.

Они долго стояли в темной комнате. На улице уже совсем стемнело. Сэму казалось, что с того момента, когда он пришел сюда, прошло несколько дней. Когда он обнял Дафну в последний раз, его голос дрогнул от желания. Они положили кофейные чашки в раковину, Дафна помыла их, и они вернулись в кабинет.

— Ты останешься здесь? — спросил Сэм. Ему страшно не хотелось уезжать, но он знал, что должен сделать это. Ему надо было возвращаться домой, хотя он ничего не сделал — только потискал Дафну.

— Я возьму работу домой, — откликнулась она. Сэм проследовал в ее кабинет, чтобы помочь ей, и там тоже ее поцеловал. Дафна мягко опустилась на стол, и Сэм едва справился с искушением овладеть ею прямо здесь. Он снова напомнил себе о том, что он женат. Леггинсы Дафны только усугубляли ситуацию — казалось, что на ней вообще ничего нет. Его пальцы ощущали каждый дюйм ее тела, словно она и не пыталась ничего скрыть от него. Постепенно Сэм обнажил ее грудь — столь прекрасную, что он чуть не заплакал. Соски ее округлых, безупречных грудей напряглись под его пальцами. Дафна умоляла его продолжать, но он лишь без устали целовал ее.

Только через полчаса она одернула свою рубашку, и они в конце концов вышли из кабинета. Было почти семь часов. Они сели в такси — Сэм сказал, что подбросит ее до дома, — и он почувствовал себя подростком, заигрывающим на заднем сиденье машины с хихикающей девицей.

— Тебе придется запирать кабинет, — предупредил он. — Я не уверен, что смогу взять себя в руки, когда в следующий раз тебя увижу.

Это было истинной правдой, но Дафне это, похоже, нравилось.

Он довез ее до Восточной 53-й улицы, где она снимала квартиру в старом доме. Дом принадлежал какой-то актрисе и был обставлен, по словам Дафны, довольно убогой мебелью.

— В гости зайдешь? — приглашающим тоном сказала она, выйдя из такси и стоя перед ним в своих вызывающих леггинсах. Сэм покачал головой:

— Я не уверен, что буду хорошо себя вести.

— Я тоже не уверена в этом, — засмеялась Дафна. Но потом она нагнулась к нему, взяла за руку, и лицо ее посерьезнело. — Приходи сюда, когда захочешь. Даже если тебе просто не с кем поговорить. Я жду тебя, Сэм. И как бы дико это ни звучало... но я тебя люблю.

— Пожалуйста... не надо... я не могу... спасибо тебе.

Они обменялись нежным поцелуем. Помахав ему рукой, Дафна скрылась в подъезде. Сэм поймал себя на том, что запомнил ее адрес, хотя не должен был этого делать.

Домой он приехал в четверть восьмого. Нельзя было сказать, что Алекс встретила его с радостью. Но она **ничего** не сказала. Уже поняв, что Сэм избегает ее, она не стала обострять отношений; к счастью, она не знала, чем именно занимался ее супруг. Сэм испугался, что Алекс почувствует запах духов Дафны, и отправился мыть руки и менять свитер.

— Наверное, у тебя было много работы, — осторожно сказала она, уложив Аннабел. Кармен закончила мыть посуду и скрылась в комнате для гостей.

— Да.

— С таким режимом у тебя дела пойдут в гору. Раньше ты никогда не работал по субботам.

— Саймон привел массу новых клиентов. Он просто молодчина.

— Ты следишь за тем, как он работает? Его стиль может отличаться от твоего или от стиля Тома и Ларри. Ты же не хочешь, чтобы он тебя ослепил, а потом навредил твоему делу.

— Этого не произойдет. В Лондоне он заработал солидную репутацию инвестора и сделал большие деньги.

— Чистые деньги?

— Абсолютно. — Сэм снова почувствовал раздражение. Алекс всегда хотелось все знать. Ее подозрительность была достойна истинного адвоката. Сначала и он недоверчиво относился к Саймону, но теперь он убедился в том, что деятельность нового партнера способна принести им огромные прибыли. И потом, он ввел в его жизнь Дафну... Чего ему теперь еще было желать? Обедая с Алекс, Сэм поймал себя на том, что думает о Дафне.

— И что же ты делал? — спросила Алекс. Ей явно было очень интересно, на что он потратил целый день в офисе. Сэм чуть не поперхнулся салатом, когда услышал этот вопрос.

— Да ничего особенного... то да се... кабинет в порядок привел.

— С каких это пор ты этим занимаешься? — удивилась она. Ее голос звучал скептически, но не подозрительно. Ей уже стало ясно, что он готов под любым предлогом сбежать из дома, чтобы не видеть ее. Так оно и было. К счастью, Алекс не знала, что сегодня произошло между ним и Дафной.

Их совместный обед никак нельзя было назвать теплым или интересным. Казалось, им стоило огромного труда найти тему для обсуждения, которая занимала бы обоих. Раньше такого не бывало; но по крайней мере они были вместе, и Алекс вернулась домой. Самое худшее — или почти самое худшее — уже произошло, и теперь ей оставалось только одно — держаться и пережить курс лечения. После этого их отношения вернутся в привычную колею. Алекс была в этом уверена. Сейчас им было трудно только потому, что обоим нужно было привыкнуть к новой ситуации.

Но в эту ночь Сэм держался так же напряженно, как и в прошлую. Он был внимателен и вежлив, однако ни разу не попытался хотя бы придвинуться к ней поближе. Когда он уснул, Алекс не смогла сдержать слез. Простой поцелуй или объятие могли изменить все к лучшему, даже если он боялся заглянуть к ней под ночную рубашку.

Напряжение между ними было так велико, что окончание уик-энда стало для обоих огромным облегчением. В понедельник Сэм ушел на работу в восемь утра. В первый раз после операции Алекс сама повела Аннабел в садик. В девять часов ее ждал доктор Герман. Он должен был проверить швы и повязку. Алекс отчаянно боялась увидеть свое изуродованное тело. Но если бы она видела, кто ждал Сэма на работе, то испугалась бы еще больше. Дафна надела

темно-синий костюм в стиле «Шанель» с короткой
юбкой, открывавшей ее длинные сексуальные ноги.
Она подтвердила, что произошедшее в субботу не
было ошибкой и она ни о чем не жалеет. Она хотела Сэма больше, чем кого-либо из встреченных ею
в жизни мужчин, и она не преминула ему об этом
сообщить.

— Я просто хочу, чтобы ты знал, — прошептала
Дафна, прикрывая за собой дверь его роскошного кабинета, — что я в тебя влюблена. Тебе не надо ничего
делать. Тебе даже не надо меня хотеть. Но я готова
принять тебя всегда, в любое время и так, как тебе захочется. Я понимаю, кто ты и какими обязанностями свя-
зан. Но я люблю тебя, Сэм. И я буду твоей, как только
ты меня захочешь.

Сэм поцеловал ее долгим поцелуем, вложив в него
всю боль и желание, которые испытывал, и Дафна
вернула ему поцелуй. Наградив его прощальной улыбкой, она исчезла из его кабинета.

Глава 10

Прождав полчаса в коридоре, Алекс оказалась в кабинете доктора Германа, который первым делом спросил у нее, как дела. Она сказала, что по-прежнему чувствует сильную усталость после операции, но болей почти нет. Доктор снял повязку и остался доволен тем, что увидел: рубец был чистым, и швы быстро заживали. Дела шли лучше, чем он предполагал. Кроме того, доктор Герман получил окончательные результаты анализов, которые, как ожидалось, показали, что затронуты четыре лимфатических узла, опухоль не поддавалась гормональному лечению и единственным выходом была химия. Меньше чем через две недели, как только Алекс немного окрепнет, он планировал начать курс химиотерапии.

Ничего хорошего во всем этом не было, но Алекс была готова к чему-то подобному. Герману уже приходилось объяснять ей суть процесса. К счастью, лимфоузлы были затронуты не слишком сильно, что при второй стадии рака встречалось довольно редко.

— Рубец очень аккуратный, — сказал доктор. — Если со временем вы решите сделать себе пластическую операцию, хирург будет более чем доволен.

Доктор чуть ли не сиял от того, что все идет так хорошо, и Алекс очень бы хотелось разделить с ним эту радость, но ей мешало то, что она осталась без груди и что у нее был рак. Повода для праздника в этом не было. И потом, ей предстояла химиотерапия.

А затем он проявил любопытство и спросил о ее душевном состоянии. Алекс выглядела мрачнее обычного, но этого вполне можно было ожидать.

— Вы еще не видели рубец? — спросил он. Алекс испуганно покачала головой.

— По-моему, вам следует это сделать. Вы должны подготовиться. А ваш муж?

— Он тоже этого не видел. — Алекс подозревала, что Сэм бы ужаснулся, но осуждать его за это не могла — сама она тоже совершенно не хотела этого видеть.

— Я настаиваю на том, чтобы вы на это взглянули. Скоро вам можно будет принимать ванну, и вы себя так или иначе увидите, но все же до этого я советую вам как следует осмотреть себя с помощью зеркала. Избегать этого нельзя.

Его слова не смягчили того впечатления, которое произвел на нее взгляд в зеркало по возвращении домой, когда она решила принять душ. Сняв платье и бюстгальтер, Алекс медленно размотала бинт и с обреченным взглядом подняла глаза. Она пыталась смотреть на отражение своего лица, но потом взгляд ее скользнул вниз, она вскрикнула и отступила от предательского стекла. Смотреть на это было невозможно. Она и представить себе не могла, как уродливо это выглядит. Там, где раньше красовалась одна из ее изящных грудей, теперь была плоскость розового цвета, которая когда-нибудь приобретет цвет нормальной кожи. Алый рубец пересекал это место там, где врачи сделали надрез, чтобы удалить грудь — вместе с кожей и соском, — а потом наложили шов. Ничего отвратительнее она в жизни не видела, и даже тот факт, что она таким образом сохранила себе жизнь, ее нисколько не утешил. Алекс почувствовала подступающую к горлу тошноту, медленно опустилась на ковер в ванной и заплакала, обняв руками колени. Прошел час, и ее рыдания услышала Кармен. Когда она вошла в ванную, Алекс так и сидела на том же месте, всхлипывая и вытирая слезы.

— О, миссис Паркер... Что случилось? Вам больно? Может быть, позвонить врачу?

Остановиться Алекс не могла. Она лишь покачала головой и крепче прижала колени к своей одинокой груди.

— Уходите... уходите, — говорила она, напомнив Кармен Аннабел. Старая няня опустилась на пол рядом с ней, утешая ее, как больного ребенка.

— Не плачьте... не плачьте... мы вас все так любим, — сказала она, обнимая Алекс, которая лишь покачала головой в новом приступе рыданий.

— Он меня ненавидит... Я так уродлива... Он ненавидит меня...

— Я позвоню ему, — успокаивающе произнесла Кармен, но Алекс застонала и уронила голову на колени, умоляя ее не звонить Сэму.

— Оставьте меня, — повторяла она. Кармен пыталась утешить свою хозяйку, но Алекс не подпускала ее к себе, и та в конце концов вернулась в кухню. Из ванной еще долго раздавались приглушенные рыдания, и Кармен сама едва сдерживала слезы. Наконец Алекс прекратила плакать и совершенно безжизненным голосом крикнула:

— Пожалуйста, сходите за Аннабел.

— А может, лучше вы, миссис Паркер? Она так обрадуется.

— Я не могу, — ответила Алекс таким голосом, которым говорили бы мертвые, если бы могли говорить. Ей казалось, что ее убили.

— Нет, вы можете. Если хотите, я пойду с вами. Давайте пойдем вместе.

Доведя Алекс до платяного шкафа, она протянула ей свободное вязаное платье.

— Наденьте это. Аннабел наверняка понравится.

— Я не могу, Кармен. Я просто не могу. — Алекс снова начала всхлипывать, но на этот раз Кармен крепко обхватила ее за плечи, желая утешить и поддержать.

— Можете. Я помогу вам. — Теперь они плакали обе.

— Зачем? — Алекс хотелось только одного — умереть, но Кармен была исполнена решимости не позволить ей этого.

— Потому что мы вас любим. Мы поможем вам оправиться. Очень скоро вы придете в норму, — убежденно проговорила она, пытаясь взбодрить свою хозяйку. Но Алекс покачала головой.

— Я не приду в норму, — сказала она, надевая платье. — Мне будут делать химиотерапию.

— Да что вы! — с ужасом протянула Кармен, но взяла себя в руки. — Ничего... прорвемся.

Она явно решила не оставлять Алекс. Прекрасная женщина и прекрасная хозяйка, конечно, она этого не заслуживала. У нее были любящий муж и маленькая дочь. Алекс нужно было жить — ради них, и Кармен собиралась помочь ей.

— Мы зайдем за Аннабел, а потом перекусим. А потом вы приляжете, а мы с Аннабел пойдем в парк.

Кармен разговаривала с ней очень ласково, так, как говорят с детьми, но это не уменьшало ту чудовищную душевную боль, которую испытывала Алекс. Ей никогда не приходилось видеть ничего более безобразного, чем последствия этой операции.

Но она все же нашла в себе силы вместе с Кармен зайти за Аннабел, после чего они медленно вернулись домой. Алекс все время молчала, но Аннабел, похоже, этого не заметила. Кармен подала на ленч приготовленный ею суп с помидорами и по сандвичу с индейкой.

Уложив Алекс, она сказала Аннабел, что маме нужно отдохнуть. Девочка, впрочем, решила, что это игра. Она подоткнула одеяло, словно одной из своих кукол, и безмятежно отправилась в парк.

Вечером она рассказала об этом папе, и тот решил, что Алекс снова разыгрывает из себя инвалида, как он это называл.

— Что это за дела? — спросил он самым обыденным тоном, после того как Аннабел легла спать. — Ты опять целый день спишь?

Его голос выдавал почти откровенное недовольство. Мальчиком он был свидетелем того, как медленно увядала его мать, и воспоминание об этом приводило его в ярость до сих пор. Он не хотел, чтобы теперь это повторялось на глазах у Аннабел. Даже теперь, когда он стал взрослым, у него не прошел этот почти маниакальный страх перед болезнью.

— Я просто прилегла отдохнуть. Я очень устала — я ведь ходила к доктору Герману.

Голос Алекс по-прежнему оставался безжизненным, а глаза ее ничего не выражали.

— А результаты патологических анализов пришли?

— Да. Затронуты четыре лимфоузла. Нужно делать химию, — мертвым голосом сказала она. — Он снял повязку.

— Замечательно. По крайней мере это шаг вперед. Наверное, это тебя обрадовало.

Сэм был воодушевлен, пытаясь заразить своим оптимизмом и ее, словно бы ей не предстояла химиотерапия. Алекс посмотрела на него так, как будто он был с другой планеты.

— Отнюдь не обрадовало.

— Почему? Что, какие-то осложнения?

— Да нет. Только одно... Моя грудь как будто полетела в мусорную корзину вместе с бинтами...

— Тогда в чем же дело? Почему ты так устала?

— Да что ты от меня хочешь? — огрызнулась она. — Чтобы я прыгала от радости? Ради Бога, Сэм, пойми же наконец, что я осталась без груди. Это действительно нелегко, по крайней мере для меня, и я не верю, что ты на самом деле воспринимаешь это все с таким оптимизмом. После того как я вернулась домой, ты обращаешься со мной так, как будто я прокаженная, и стараешься не подходить ко мне ближе, чем на два метра. Я все поняла. Наивно полагать, что ты теперь будешь считать меня привлекательной.

— Да я ничего и не говорю. Просто ты не должна делать из этого такую трагедию.

— Может быть. Но уверяю тебя, это выглядит не самым приятным образом. — Алекс посмотрела на него со злобой, вспоминая тот ужас, который испытала при взгляде в зеркало.

— Перестань. Он же сказал тебе, что со временем ты сможешь ее восстановить.

— Спасибо. Это означает еще одну болезненную операцию, швы, татуировку и силиконовый имплантант. Это только ты думаешь, что сделать пластическую операцию — все равно что чашку чаю выпить.

— Ты права. Но ты ведешь себя как настоящая плакса. Потерять грудь — это еще не самое худшее, что может случиться.

— А что же самое худшее?

— Умереть, — прямо ответил Сэм.

— Дай мне время, и я, может быть, умру. В последнее время, по-моему, ты просто исчез из моей жизни вместе с куском моего тела. Неужели ты этого не замечаешь? А я вот замечаю. Я устала от того, что ты так и норовишь смыться куда-нибудь подальше, что ты ведешь себя так, как будто меня не существует. А все дело в том, что ты не можешь справиться со случившимся.

— Это неправда, — сказал он с неожиданной яростью, потому что это было правдой, и он это знал.

— Правда, черт побери! С тех пор как я узнала про свою болезнь, ты даже не сделал попытки меня поддержать. А после операции ты ведешь себя со мной так, как будто я твоя незамужняя тетушка, а не жена. Как долго это будет продолжаться, Сэм? Как долго ты будешь меня наказывать за то, что мне удалили грудь? Пока я не сделаю себе пластическую операцию и мое обнаженное тело не будет пугать тебя до смерти? Я хотела бы быть уверенной в том, что тебя не стошнит, если я при тебе приму душ.

— Меня тошнит от всех твоих теоретических выкладок и обвинений. Даже если бы они обе груди тебе отрезали, я не думаю, что мне стало бы противно.

— Правда? Хочешь, посмотри на меня. Ты не представляешь себе, насколько это уродливо. Это гораздо хуже, чем ты думаешь.

— Это плохо ровно настолько, насколько ты себе это представляешь. Это ты агонизируешь, а не я. Это ты не можешь справиться с тем, что произошло.

— Ты уверен? — Алекс внезапно поняла, что больше не в состоянии себя контролировать, и начала расстегивать ночную рубашку. У Сэма упало сердце, но остановить ее он уже не успел; кроме того, он сознавал, что сам ее на это спровоцировал. Алекс обнажила сначала одно плечо, потом другое, и в конце концов рубашка беззвучно упала на пол. Сэм ахнул. Алекс не стала бинтоваться заново, и глазам Сэма открылось все то, что сама Алекс видела утром. Зловещий рубец, плоскость на месте груди, ярко-розовая кожа. Алекс знала, что это выглядит ужасно, и тот шок, который испытывал Сэм, ясно отразился на его лице. Он почувствовал, что больше никогда не сможет к ней прикоснуться.

— Не правда ли красиво, Сэм? — сказала Алекс и заплакала, хватая губами воздух. Сэм не пошевелился.

— Прости меня, Алекс. — Сделав над собой усилие, Сэм пересек комнату и протянул Алекс ее рубашку. — Прости меня, — ласково повторил он, обнимая свою жену. У него тоже начали литься слезы — то, что он увидел, было слишком ужасно.

— Я не могу с этим жить, Сэм, — говорила Алекс сквозь рыдания. Ей хотелось, чтобы у нее была нормальная грудь, чтобы ее жизнь вновь стала такой, какой она была несколько недель назад. Было совершенно невозможно понять, почему все это происходит.

— Ничего... ты к этому привыкнешь. Мы все привыкнем, — тихо ответил Сэм, от всей души желая, чтобы так оно и было.

— Ты думаешь? — печально спросила она. — Как ты считаешь, мне надо делать пластическую операцию?

— Пока в любом случае рано об этом говорить. Давай подождем.

— Я ненавижу это и ненавижу саму себя, — призналась Алекс, снова надевая рубашку.

Сэм помог ей как можно скорее прикрыть так сильно изменившееся тело, чтобы больше этого не видеть.

— Прости, что я так злюсь на тебя все время, — продолжала она. — Я просто не знаю, как себя вести.

— Я тоже, — признался Сэм. — Наверное, должно пройти некоторое время.

— Да, — вздохнула она, не в состоянии поверить в то, что он когда-нибудь ее захочет. — Может быть.

— Когда ты вернешься на работу на следующей неделе, тебе станет легче, — оптимистично произнес Сэм, включая телевизор, чтобы им не пришлось больше говорить друг с другом.

— Может быть, — неуверенно произнесла Алекс. Она бы предпочла вернуть своего мужа, а не работу.

Сэм смотрел в экран, но перед глазами у него было то, что он только что увидел. Он не был уверен в том, что когда-либо сможет прикоснуться к своей жене. И это делало его влечение к Дафне еще более невыносимым. Вспоминая, как выглядели ее изысканные грудки, когда он высвободил их из-под рубашки, Сэм чувствовал себя страшно виноватым перед Алекс. Дафна была молодой, влекущей и жизнерадостной, и тело ее было просто совершенным.

— Я больше не ощущаю себя женщиной, — грустно сказала Алекс, выключая в полночь свет.

— Не глупи, Алекс. Грудь не делает тебя тем, что ты есть. Ее утрата ничего не меняет. Ты такая же женщина, какой была раньше, — ответил Сэм.

Он не стал подтверждать свои слова какими бы то ни было действиями. И, лежа в темноте, он, как и в прошлые ночи, видел перед собой Дафну.

Глава 11

Оказалось, что сблизить Алекс и Сэма может только одно — маскарад Аннабел в выходные. Она была принцессой, как и хотела, и в своем розовом бархатном платье со стразами и блестками выглядела просто очаровательно. На голове у нее была маленькая серебряная корона, в руках девочка несла жезл. Маскарад удался на славу. Обычно Алекс тоже наряжалась, но в этом году она не приготовила себе костюма и в последнюю минуту оделась ведьмой Круэллой де Вил — в черно-белом парике и старом меховом пальто. Аннабел очень понравилось. Сэм, как и обычно, надел костюм Дракулы, а Алекс загримировала его.

— Тебе очень идут черно-белые волосы, — поддразнил ее Сэм.

Под обтягивающее красное трикотажное платье Алекс надела протез, вкладывавшийся в бюстгальтер — тяжелый, но выглядевший довольно реалистично. Сэм не мог не восхититься ее фигурой. Оставшись без груди, Алекс по-прежнему выглядела как фотомодель с длинными сексуальными ногами. В последнее время Сэм вообще стал заглядываться на женщин, особенно на Дафну.

Они с Дафной вели себя примерно, хотя это удавалось им с трудом. Только однажды, когда они на минуту остались в кабинете вдвоем, он осмелился поцеловать ее. Но в остальное время они не делали ничего предосудительного, несмотря на большое количество встреч и деловых завтраков с клиентами. Дафна оказалась весьма полезной помощницей при заключении некоторых сделок; кроме того, она была асом в том, что касалось международных финансов. Сам того не замечая, Сэм никогда не говорил о ней с Алекс. Инстинкт подсказывал ему, что этого делать не нужно. Алекс обязательно заподозрила бы, что здесь что-то нечисто. Его партнеры, конечно, почувствовали их взаимное притяжение, но не осмеливались задавать ему вопросы. Только Саймон продолжал делать свои начавшие потихоньку раздражать Сэма замечания по поводу красоты английских девушек, особенно его кузины. Сэм всегда соглашался с ним, но никто, кроме самой Дафны, не знал, как они увлечены друг другом, как сильно она его возбуждает.

— Тебе очень идет, — сказала Алекс, накладывая последний штрих маскарадного грима. Это был первый раз после операции, когда они провели так много времени в непосредственной близости друг от друга. У Сэма была прекрасная возможность сказать ей что-нибудь, обнять ее или даже поцеловать, но он просто не мог заставить себя сделать это. Он был слишком напуган тем, что может произойти после этого, чего она может ждать от него. Сэм не в состоянии был исполнять свой супружеский долг. Теперь его ничего в ней не возбуждало. Алекс была слишком больна. Ее тело да и душа слишком сильно изменились, и Сэм просто-напросто боялся ее. Страшные воспоминания на корню пресекали все его попытки приблизиться к ней.

Алекс протянула ему зубы Дракулы, что заставило Аннабел издать вопль восхищения.

— Папочка, я тебя люблю! — завопила она. Сэм рассмеялся, а Алекс улыбнулась. Впервые за этот месяц она чувствовала себя счастливой, и остаток вечера был таким же приятным. После карнавала они зашли к своим друзьям, выпили по бокалу вина, угостили детей карамелью, и к тому времени, когда они пришли домой, Аннабел была уже совершенно сонной, а ее родители пребывали в превосходном настроении.

— Как все было здорово, — счастливо улыбаясь, сказала Алекс. Так оно и было в действительности. Хэллоуин стал для них одним из самых приятных праздников со времени появления на свет Аннабел. До этого момента это был день как день. Подумав об этом, Алекс снова опечалилась. Она понимала, что вряд ли когда-либо сможет иметь детей. Статистика бесплодия после химиотерапии и нежелательность беременности в течение ближайших пяти лет не оставляли никаких надежд. Через пять лет ей будет сорок семь. Какие дети могут быть в этом возрасте?

Кроме того, после курса химиотерапии, проведенного в сорок два года, вполне могла наступить менопауза. Ей было по-прежнему трудно воспринимать все эти слова, осознавать их значение, применять их к себе. Мастэктомия, злокачественная опухоль, химиотерапия, лимфоузлы, метастазы. Невозможно было поверить в то, что ее словарь так изменился всего за месяц, а вместе с ним — ее жизнь и брак. Слишком ясно было, что ее болезнь сделала с ними обоими и с их отношениями. Сэм совершенно отошел от нее, хотя, конечно же, не признавался в этом. Он продолжал делать вид, как будто ничего не произошло, что только больше удручало Алекс. Как можно починить то, что как будто бы и не ломалось?

— Ты что, уже спать ложишься? — удивленно спросила она, увидев, что Сэм преспокойно раздевается. Было только десять часов, и никто из них не казался усталым, когда они пришли домой полчаса назад.

— А что еще делать? — откликнулся Сэм. — Я хочу лечь пораньше.

В прежние времена это мог быть романтический вечер, но сейчас Алекс знала, что он уснет или сделает вид, что уснул, как только она вернется из ванной. Сэм просто не мог смотреть на нее и справляться со своими супружескими обязанностями. Алекс поняла, что ей теперь тоже этого не хочется. Если Сэм не испытывает к ней никакого влечения, она обойдется и без этого — до конца своих дней, если надо.

Она допоздна читала, и это несколько привело ее в чувство. В понедельник Алекс должна была вернуться на работу, что тоже подстегивало ее. Дел — организационных и всяких прочих — накопилось достаточно, чтобы ей было чем заняться. До начала курса химии у нее оставалось две недели — две недели хорошего самочувствия и способности делать все, что потребуется, две недели на то, чтобы привести в порядок свои дела перед тем, как ее жизнь снова покатится вниз. Ей многое надо было успеть за это время.

В понедельник, отведя Аннабел в садик, она отчасти вновь почувствовала себя прежней — за исключением того, что Сэм почти не разговаривал с ней за завтраком. Он даже не оторвался от «Уолл-стрит джорнэл» для того, чтобы поцеловать ее на прощание, но Алекс уже привыкла к этому. Теперь у нее были работа и коллеги, с которыми можно было поговорить. Она никогда не чувствовала себя более одинокой, чем в последние две недели, и ничего хуже, чем то, что случилось, она представить себе не могла.

— Папа все еще на тебя сердится? — спросила Аннабел по пути в садик. Алекс посмотрела на нее с интересом — удивительно, как эта малышка все замечала.

— Я не знаю. Мне кажется, нет, с чего ты взяла?

— Он стал другим. Он мало говорит с тобой, и никогда не целует, и приходит с работы очень сердитым.

— Может быть, он просто устал.

— Взрослые, когда сердятся, всегда говорят, что они устали. Прямо как папа. Я думаю, что так оно и есть. Спроси его.

— Хорошо, принцесса. Я спрошу. На карнавале ты выглядела просто превосходно. Лучшая принцесса во всем городе.

— Спасибо, мамочка. — Аннабел обхватила ее за шею, и сердце Алекс дрогнуло. Девочка побежала к садику вместе с другими детьми, и Алекс, проследив за ней взглядом, проголосовала правой рукой, села в такси и поехала в центр. Левая сторона иногда побаливала, но она чувствовала себя человеком впервые за последние две недели. Да, после операции прошло ровно две недели, почти час в час, а она уже чувствовала себя вполне пристойно. По сравнению с тем состоянием, в котором она была в день операции, Алекс стала просто другим человеком. Но что будет, когда начнется химиотерапия?

— О, смотрите, кто пришел! — воскликнула Лиз Хэзкомб, как только увидела Алекс. Обойдя стол, она крепко обняла свою начальницу.

Войдя в кабинет, Алекс первым делом обнаружила на своем столе цветы от Лиз, а также аккуратные стопки папок с делами, которые обработал и закончил Брок.

— Ого! Похоже, вы тут без меня неплохо справились.

— Даже и не думайте, — усмехнулась Лиз. На столе лежал огромный список сообщений для Алекс. Большинство из них касались уже прошедших процессов, некоторые были адресованы Мэтту или другим партнерам. Брок явно работал очень тщательно, ничего не забывая. Несколько человек предпочли подождать возвращения Алекс, чтобы обратиться за помощью именно к ней, и Алекс села читать этот список, пока Лиз варила ей кофе.

Когда Лиз вернулась, Алекс подняла глаза и улыбнулась ей. Как хорошо она чувствовала себя в своем рабочем кресле, среди друзей! Как здорово было снова ощущать себя нужной. Правда, она уже утром немного устала, но это было ничто по сравнению с тем, что она опять может заниматься своей работой.

— Как вы себя чувствуете? — тихо спросила Лиз, ставя перед ней кофе.

— Хорошо. На самом деле просто замечательно. Я даже удивлена. Правда, я быстро устаю.

— Со временем этой пройдет. Не торопите события. — Лиз вернулась за свой стол, а Алекс некоторое время просто сидела и осматривалась, наслаждаясь воздухом своего кабинета. Ей было приятно просто находиться здесь. Усевшись в кресло, она сделала глоток горячего кофе. И не успела она распробовать его вкуса, как в дверь просунулась голова Брока.

— С возвращением, — сказал он.

— Спасибо, — с теплой улыбкой ответила Алекс. Ее коллега, как никогда раньше, был похож на большого светловолосого ребенка. В очках, с ниспадавшей на лоб прядью волос, он осматривал Алекс озорным взглядом.

— Похоже, пока меня не было, ты переделал всю мою работу. Может быть, мне вообще на пенсию уйти?

— Только попробуй. Самое трудное я приберег для тебя. Между прочим, Джек Шульц звонил раз двести, чтобы просто поблагодарить тебя.

— Я рада, что мы выиграли, — улыбнулась она. — Он этого заслуживал.

— И ты тоже. — Брок не видел, чтобы кто-нибудь работал так самоотверженно, как она, когда готовила этот процесс. Теперь он знал, как ей было нелегко. Брок был сообразительным человеком и догадался, что Алекс серьезно заболела. Он знал, что она перенесла операцию, но не имел понятия о том, что же произошло. Лиз отвечала на его расспросы очень лаконично, но в глазах ее было нечто, заставлявшее Брока предположить, что это не простуда и не аппендицит.

— Чем ты сегодня займешься? — спросил Брок. На его взгляд, Алекс похудела и выглядела немного усталой, но не менее красивой.

— Залезу в свои папки, посмотрю, что ты сделал, попытаюсь спланировать свою дальнейшую работу.

— Я не могу сказать, что какое-то дело горит. У нас два новых клиента, против которых возбудили иск прежние подчиненные. Пришли четыре новых дела, в том числе весьма скользкий иск о клевете, поданный некой актрисой. Спроси у Мэтта — он лучше знает.

— Да, повезло ему, ничего не скажешь. Может быть, он сам им займется?

Алекс выглядела более расслабленной, чем обычно. Она еще не вошла в привычную рабочую колею и просто наслаждалась моментом.

— Как ты себя чувствуешь, Алекс? — осторожно спросил Брок. — Я знаю, что ты болела, и надеюсь, что это не слишком серьезно.

По крайней мере на ее внешний вид это никак не повлияло. Алекс вдруг захотелось сказать ему, что она в полном порядке, но все же решила не врать. В ближайшие месяцы ей понадобится его помощь, так что скрывать от него правду бессмысленно. Когда-то надо было начать этот нелегкий разговор.

— Сейчас я чувствую себя хорошо. Но мне предстоит очень тяжелый период.

Алекс поколебалась, смотря в чашку с кофе и подыскивая нужные слова. Она не привыкла смиряться и просить о помощи. Подняв голову, она посмотрела Броку в глаза и была поражена той добротой, которую в них увидела. Он был таким мягким и заботливым, что она знала, что может доверять ему.

— Через две недели начнется курс химиотерапии, — со вздохом продолжила она. Ей показалось, что она услышала, как при этих словах у Брока перехватило дыхание. Он впился в нее глазами, желая задать ей тысячу вопросов.

— Мне страшно это слышать.

— Мне тоже. Я бы хотела продолжать работу, если я смогу, но я плохо себе представляю, что это такое. Врачи говорят, что если делать все правильно, можно вести активный образ жизни, только уставать я буду больше. В любом случае я пойму, как мой организм на это реагирует, только после того, как курс начнется.

Брок понимающе кивнул:

— Я готов помогать тебе во всем.

— Я знаю, Брок, — ответила Алекс дрожащим голосом, чувствуя себя глубоко растроганной. Приятно было сознавать, что у нее есть друзья, что те люди, с которыми она всего лишь работала вместе, рады поддержать ее в трудный период. — Спасибо тебе за все, что ты уже сделал. Без тебя бы я не справилась. Тот процесс был очень тяжелым, особенно если учитывать, что на носу у меня была операция. По крайней мере хоть это теперь позади.

Брок посмотрел на нее, но не решился спросить, где обнаружили рак. Алекс надела глухой костюм из черно-белого твида, под которым ничего не было видно.

— Мне очень жаль, что тебе пришлось все это пережить. Но ты обязательно поправишься, — уверенно сказал он, как будто пытаясь ее убедить.

— Я тоже на это надеюсь. Я словно вернулась с другой планеты. — Алекс поставила чашку на стол и задумчиво посмотрела на Брока. Это был человек, с которым было приятно поговорить. — Знаешь, это так странно — я ведь держу под контролем большую часть того, с чем мне приходится сталкиваться в жизни. Поэтому мне очень трудно мучиться от того, что мне не подвластно. Сама я ничего не могу с этим поделать — только следовать указаниям врачей и надеяться на то, что все идет по правильному пути. Но никаких гарантий тут быть не может. Шансы на выздоровление велики — врачи довольно рано это обнаружили, по крайней мере я на это надеюсь. Но кто знает...

Голос ее дрогнул, и Брок сжал ее руку через стол. Алекс вздрогнула от его прикосновения, и их глаза встретились.

— Ты должна захотеть сделать это. Ты прямо сейчас должна спланировать свои дальнейшие действия, что бы ни случилось, как бы плохо, больно, гадко или страшно тебе ни было. Это как состязание или, если хочешь, процесс. Что бы ни бросала тебе в лицо противная сторона, ты должна отразить удар. Не роняй мяч ни на секунду!

Он произнес эти слова с такой горячностью, что Алекс посмотрела на него с интересом. Неужели и он имеет к этому какое-то отношение? Может быть, кто-нибудь из членов его семьи болел, а может быть, в Броке было нечто большее, чем можно было предположить по его всегда беспечному виду.

— Никогда об этом не забывай, — продолжил он, убирая руку. — Если я могу помочь тебе прямо сейчас, скажи.

Брок встал и посмотрел на нее с улыбкой.

— Я рад, что ты вернулась. Я к тебе попозже зайду.

— Спасибо тебе, Брок. За все. — Проводив его глазами, Алекс вернулась к своим делам, но слова Брока и возникшее между ними тепло произвели на нее большое впечатление.

На ленч она отправилась с Мэттом Биллингсом. Он рассказал ей о новых делах, которые появились за время ее отсутствия, в том числе и о деле актрисы. Мэтт передал его другому партнеру. Алекс на его месте сделала бы то же самое. Несмотря на то, что иногда она бралась за дела о клевете, этот иск был слишком скандальным. Женщина заявляла, что один из самых респектабельных местных журналов оклеветал ее. Учитывая влиятельность журнала, а также то, какими ограниченными правами пользовались знаменитости, когда речь шла о средствах массовой информации, доказать правоту актрисы было весьма трудно. Журналисты наверняка начнут во весь голос кричать о правах, оговоренных в Первой поправке. Алекс была почти счастлива, что не ей придется есть эту горячую картофелину. Кроме того, Мэтт сказал ей, что истица далеко не подарок.

— Бедный Харви, — сказала Алекс, имея в виду их партнера, взявшего дело.

— Да уж. Тебе повезло, что ты это пропустила.— Потом он рассказал ей о большом промышленном иске, который только что поступил, и о других мелочах, связанных с деятельностью адвокатской фирмы. Введя Алекс в курс дел до самых мельчайших подробностей, он осторожно спросил ее о том, как ее здоровье.

— Мне кажется, лучше, — так же осторожно
ответила она, — потому что нельзя сказать, что мне
было плохо. У меня была так называемая «серая область», образование в груди, которое обнаружилось
на маммограмме месяц назад, как раз тогда, когда я
готовилась к делу Шульца. Я все же решила не отказываться от процесса, — о чем Мэтту было прекрасно известно, — а потом занялась своими делами.
Но дела такого рода нельзя просто закрыть и отложить на полку.

Мэтт слушал, подняв бровь. Он всегда любил Алекс,
и ему было неприятно услышать, что у нее такие проблемы со здоровьем. Перед своим исчезновением на две недели она сказала ему, что ей предстоит «несерьезная»
операция. Теперь он понял, что она вовсе не была такой
«несерьезной».

— А что сейчас? — обеспокоенно спросил он.
Алекс перевела дыхание. Она знала, что рано или
поздно ей придется об этом сообщить, и сейчас, возможно, настало время сделать это. Мэтт был ее надежным другом и старым сотрудником.

— Мне сделали операцию, — с трудом выговорила
она, заставив Мэтта ужаснуться. — Через две недели
мне начнут делать химиотерапию. Я хочу продолжать
работать в этот период, но не представляю себе, в каком
состоянии я буду. После этого, по словам врачей, я должна чувствовать себя прекрасно. Мой хирург считает, что
ему удалось уничтожить очаг, а химиотерапия нужна просто для подстраховки. Это будет продолжаться полгода,
но я все равно не собираюсь оставлять работу.

Алекс предпочла бы обойтись без такого рода подстраховки, как химиотерапия, но при затронутых лим-
фоузлах и опухоли второй стадии у нее не было выбора,
она это понимала.

Мэтт просто остолбенел, слушая ее. Он не мог в это поверить. Красивая и молодая, Алекс прекрасно выглядела. Мэтт даже и не подозревал о том, насколько серьезно ее недомогание. Он надеялся, что это какая-то ерунда. Но операция? И химиотерапия? Переварить все это было трудно.

— Может быть, ты просто возьмешь отпуск на полгода? — заботливо спросил он, одновременно подумав о том, что они без нее не справятся.

— Даже и не предлагай, — резко ответила Алекс, боясь того, что он заставит ее сделать это. Ей не хотелось сидеть дома и бесконечно жалеть себя. В словах Сэма об этом была какая-то правда. Алекс рвалась работать, потому что работа, пусть даже и не такая напряженная, как обычно, позволит ей отвлечься. — Я хочу работать и буду — в том режиме, в каком смогу. Если мне будет совсем плохо, я тебе скажу. В моем кабинете, в конце концов, есть кушетка. Я могу в любой момент запереться и прилечь на полчаса. Кроме того, я могу отдыхать во время перерыва на ленч. Но дома я оставаться не хочу. Пойми меня, Мэтт, это меня убьет.

Мэтту не понравилось это последнее слово, и на него произвело большое впечатление то, что она решила продолжать работать.

— Ты уверена в этом?

— Да. Если после начала курса я почувствую, что мне трудно, я тебе сама скажу. Но сейчас я хочу быть в строю. В конце концов это всего лишь полгода. Некоторые женщины очень плохо себя чувствуют во время беременности. К счастью, со мной этого в свое время не произошло. Но те, у кого бывает токсикоз, как правило, продолжают работать. Никто не гонит их домой. И я не хочу сидеть дома.

— Но это же разные вещи, и ты это прекрасно знаешь. Что говорит твой врач?

— Он считает, что я справлюсь.

Правда, Герман велел ей свести до минимума стресс и утомление. Он сказал, что ей не стоит проводить процессы во время химиотерапии, но выполнять всю остальную работу она сможет вполне.

— Я просто не буду участвовать непосредственно в процессах, Мэтт. У меня очень хороший помощник, а процессы могут вести другие партнеры. А я буду заниматься всем остальным — подготовкой, организацией, документами. Я могу инструктировать тех, кто будет выступать в зале суда, и готовить все ходатайства. Мне просто нужен человек, который будет вести сам процесс, чтобы вся ответственность не ложилась на мои плечи в последний момент. Иначе это будет несправедливо по отношению к клиентам.

— Я боюсь, что это будет несправедливо по отношению к тебе, — сказал Мэтт. Услышанное потрясло его до глубины души. Но он видел, что она настроена преодолеть все возникшие перед ней препятствия. — И все-таки, ты уверена в том, что действительно хочешь продолжать работать?

— На все сто, — улыбнулась Алекс.

Да, она была потрясающая женщина. Мэтт чувствовал к ней сильнейшее уважение. Выходя из ресторана, он обнял свою верную сотрудницу за плечи.

Все были с ней так добры, что глаза у Алекс постоянно были на мокром месте. Каждый хотел помочь ей, кроме Сэма, который просто не был на это способен. Алекс поражало, как странно складывается ее жизнь. Человек, в котором она больше всего нуждалась, никак не мог ее поддержать. Но зато вокруг нее были все остальные.

— Что я могу для тебя сделать? — спросил Мэтт, когда они вернулись в офис. Было холодно, и Алекс продрогла от осеннего ветра, несмотря на пальто и твидовый костюм.

— Ты уже мне очень помог. Я буду держать тебя в курсе своего самочувствия. И знаешь что, Мэтт, — она посмотрела на него умоляюще, — пожалуйста, не говори об этом тем, кому не надо этого знать. Я не хочу быть предметом любопытства или жалости. Если речь идет о человеке, который будет мне помогать в конкретном деле или работать на моем процессе, — это другой вопрос, но давай не будем трезвонить об этом направо и налево.

— Я понимаю. — Мэтт, очевидно, думал, что он не был особенно болтлив. Но в течение недели все сотрудники фирмы, казалось, узнали о ее проблеме. Эта новость распространилась среди секретарей, партнеров, помощников и даже некоторых клиентов, подобно лесному пожару. К удивлению Алекс, это ей очень помогало, хотя и немного смущало. Коллеги посылали ей записки, приветливо здоровались с ней, предлагали ей помощь во всяких мелочах. Сначала ее это чрезвычайно раздражало, но постепенно она поняла, что эти люди любят ее, хотят облегчить ее ношу и готовы ради этого на все. Уважение к ней сотрудников как к профессионалу теперь переросло в заботу о ней как о человеке.

В течение всей недели в ее кабинет постоянно приносили цветы, записки, письма и домашнюю выпечку — печенье, кексы и пахлаву.

— Лиз, я вас умоляю, — притворно сердилась Алекс на свою секретаршу, которая принесла немецкий шоколадный пирог. Алекс проводила брифинг с Броком Стивенсом. — Когда это все кончится, я буду весить двести фунтов.

Но все окружающие были удивительно милы с ней. Алекс не успевала писать записки со словами благодарности. Часть гостинцев она тайком отдавала Лиз и Броку, поскольку Сэм, Аннабел и Кармен были уже обеспечены сладостями.

— Хочешь есть? — спросила она Брока, когда они сделали перерыв на кофе. — У меня такое ощущение, что я содержу ресторан.

— Это же хорошо. Это значит, что все тебя любят. — Брок снова и снова слышал страшные новости. Отрезали грудь... операция... химиотерапия... Алекс Паркер... может быть, она умирает... Он знал теперь гораздо больше, чем она ему сказала. Мэтт Биллингс так расстроился, когда услышал все эти новости, что сразу же после своего ленча с Алекс рассказал обо всем своей секретарше и четырем остальным партнерам. Они, в свою очередь, рассказали своим секретарям и помощникам, а те — другим партнерам, а те... Это было бесконечно. Но так же бесконечны были и их симпатии к Алекс.

— Наверное, мои слова сейчас прозвучат странно, но я очень счастлива.

— Конечно, так оно и есть. И так оно и будет, — твердо ответил Брок. Он теперь очень определенно высказывался по поводу ее будущего, и Алекс спрашивала себя, верующий ли он.

Дома же у нее ничего не изменилось. Сэм уезжал в Гонконг на три дня, чтобы наладить деловые отношения с кем-то из людей Саймона, а также заключил потрясающую сделку, о которой писали на первой странице «Уолл-стрит джорнэл». Профессиональная жизнь Сэма всегда напоминала голливудский фильм, будучи связанная с финансовыми звездами и невероятными суммами денег, но с приездом Саймона этого блеска стало еще больше. Казалось, теперь ни одна их сделка не может провалиться, и Сэм был более занят, чем когда-либо. Три дня разлуки еще больше увеличили дистанцию между ними. Сэм ничего не рассказал жене о сделке, так что она узнала о ней только из газеты. Когда в этот вечер он пришел домой, она не преминула сказать ему, что она по этому поводу думает.

— Почему ты мне ничего не сказал? — спросила Алекс, задетая тем, что он не счел нужным упомянуть в разговоре с ней о таком важном деле.

— Я просто забыл. И потом, ты тоже не вылезала из своего офиса всю неделю. Я тебя почти и не видел.

Но Алекс понимала, что такого рода сделка не заключается за два дня. Сэм готовил ее в течение месяца или даже больше. Он просто перекрыл все каналы связи между ними. После своего возвращения из Гонконга он стал ложиться спать сразу же после обеда, говоря, что не может адаптироваться к перемене часовых поясов.

— Чего ты боишься, Сэм? — спросила она, когда он пошел переодеваться ко сну сразу же после обеда. Теперь он делал вид, что спит, когда Алекс еще и не думала ложиться. Она работала без устали, просматривая дела, которые накопились за время ее отсутствия, и стараясь максимально облегчить себе период начала химиотерапии. — Я не собираюсь набрасываться на тебя сразу же после восьми часов. Ты же можешь некоторое время не ложиться. По телевизору показывают массу интересных вещей, кроме «Улицы Сезам» и шестичасовых новостей, не говоря уже о том, что мы можем просто поговорить.

— Я тебе говорю, у меня была чертовски трудная неделя. Я не могу привыкнуть к перемене времени.

— Расскажи это судье, — иронически ответила Алекс, и Сэм немедленно вскинулся:

— Что ты имеешь в виду?

— Да ничего, успокойся. Я шучу. Я же юрист, а не кто-нибудь. Ради Бога, Сэм, что с тобой происходит?

Казалось, он напрочь утратил чувство юмора. Они перестали разговаривать и смеяться, они больше не могли расслабиться в обществе друг друга и никогда друг к другу не прикасались. Они держались, как едва знакомые, враждебно настроенные люди — и все из-за этой операции. Сэм вел себя так, как будто она его предала.

— Мне кажется, что это весьма неуклюжая шутка, — сказал Сэм с оскорбленным видом. — И совсем не смешная.

— О Господи! Что же тебе теперь кажется смешным? Уж по крайней мере не я. С тех пор как я вернулась из больницы, а скорее всего, как мне сделали маммограмму, ты мне и пяти слов не сказал.

Этот кошмар начался ровно шесть недель назад, и Алекс стало казаться, что он будет продолжаться до скончания века.

— Что же будет во время химиотерапии, Сэм? — продолжала она.

— Откуда я знаю?

— Ну, давай посмотрим, — продолжала Алекс, делая вид, что производит серьезные расчеты, — если ты был недоволен мной из-за маммограммы и биопсии, а потом окончательно разозлился на меня после операции и почти не разговариваешь со мной после моего возвращения из больницы, что же ты будешь делать, когда начнется химиотерапия? Может, вообще уйдешь от меня? Или будешь меня полностью игнорировать? Скажи мне, чего точно я должна ожидать и когда все это кончится? Неужели я должна плюнуть на все и признать, что наш брак пошел коту под хвост? Помоги мне угадать.

— Ну хорошо, хорошо, — сказал Сэм, медленно подходя к раковине, возле которой Алекс мыла посуду. Аннабел спала уже целый час, и они знали, что она не может услышать их разговор. — Да, это были очень тяжелые шесть недель. Но это вовсе не означает, что все кончено. Я по-прежнему люблю тебя.

Сэм выглядел робким, неуклюжим и несчастным. Он прекрасно знал, как все плохо, и просто понятия не имел, что делать. Любя свою жену, он не мог справиться со своим влечением к Дафне. Сблизиться с Алекс означало потерять молодую и красивую сестру Саймона. А завести с ней роман было бы предательством по отношению к жене. В настоящий момент он не знал, куда ему податься, и боялся что-то решать. Но он понимал, что его колебания разрушали их с Алекс некогда столь идиллические отношения. Ему следовало как-то ее поддержать, но он был просто не в силах этого сделать. Сэм даже не мог заставить себя смотреть на ее тело. Его влекло только к роскошному телу Дафны. Воистину, ситуация была пугающей.

— Мне нужно время, Ал. Прости меня. — Сэм стоял около нее, желая и не желая сделать первый шаг. Ему действительно нужно было время, но его медлительность только причиняла Алекс боль. Ему не хотелось ранить ее, но и отказаться от Дафны он тоже не мог. Сэм просто не мог поддержать Алекс в ее болезни.

— Мне кажется, тебе тяжело перенести эту перемену в жизни, Сэм. Когда начнется химиотерапия, мне потребуется твоя помощь. Позволь мне быть честной, — она всегда была очень честной, — до сих пор я никакой помощи от тебя не дождалась. Это не внушает мне особых надежд на будущее. — Алекс явно успокоилась и уже не так сердилась на него.

— Я постараюсь. Я просто не знаю, как себя вести во время твоей болезни.

— Я заметила, — с грустной улыбкой отозвалась Алекс. — Но я должна тебе об этом сказать. Мне страшно, — сказала она более мягким голосом. — Я не знаю, что это такое будет.

— Я уверен, что это не так плохо, как говорят. Вспомни, сколько ужасных историй про роды ты в свое время наслушалась. И большинство из них оказались враками.

— Будем надеяться. — Алекс слышала несколько довольно угнетающих рассказов, когда вместе с Лиз ходила на занятия в группу поддержки. Она делала это только для того, чтобы доставить Лиз удовольствие, но в результате у нее немного поднялось настроение. Некоторые женщины во время химиотерапии чувствовали себя вполне пристойно. Но большинство переносили лечение очень плохо — хуже, чем можно вообразить. — Ты знаешь, я рада, что у тебя так хорошо идут дела. Похоже, твой Саймон — действительно ценное приобретение. Выходит, мы оба ошибались.

— Без сомнения. Ты не поверишь, но те люди из Гонконга, с которыми он меня связал, фантастически богаты. Это китайцы, которые занимаются бизнесом, связанным с морским флотом. По сравнению с ними арабы просто нищие.

— И сколько денег они вкладывают? — спросила Алекс, расставляя тарелки на сушке. Ее всегда очень интересовали его профессиональные дела, так что сейчас она хваталась за эту тему, как за соломинку.

Сэм загадочно улыбнулся, явно гордясь собой.

— Шестьдесят миллионов.

Алекс была уязвлена тем, что он не сказал ей об этом раньше, и ей пришлось вытягивать из него информацию.

— Неплохая сделка для парня из Нью-Йорка, — похвалила она мужа.

— Здорово, правда? — усмехнулся Сэм, снова напомнив ей того мужчину, в которого она когда-то влюбилась.

— Очень. Я горжусь тобой. — Смешно было говорить это человеку, который боялся подойти к ней и постоянно причинял ей боль. Но Алекс хотела отдать ему должное. Шестидесятимиллионная сделка в Гонконге — это действительно было здорово.

— Это должно было поднять тебе настроение, — продолжила она.

Так оно и было. Тем более что с ним ездила Дафна. Но, к его удивлению, они продолжали держаться друг от друга в стороне даже в Гонконге. Это обоим давалось нелегко, но Сэм не желал обманывать Алекс, каким бы сильным ни было искушение. Но и спать с Алекс он не хотел и не мог. Он хотел только Дафну, но не позволял себе сблизиться с ней.

После этого разговора он вернулся в спальню и стал смотреть телевизор. Когда Алекс через полчаса тоже пришла туда, она обнаружила Сэма спящим, как и всегда, и только покачала головой. Он был безнадежен. Он так боялся с ней сближаться, что был готов на любые меры, только бы держаться подальше от собственной жены.

«Может быть, он нарколептик», — сказала она самой себе, возвращаясь со своим рабочим кейсом в студию. Он явно просто не мог справиться с тем, что на них навалилось, и Алекс решила потерпеть. Одна из женщин в группе поддержки прошла через нечто подобное и даже на год разошлась с мужем. Ее супруг не мог ей никак помочь и очень боялся, что она умрет, поэтому он перестал с ней общаться, и она ушла. Но теперь они снова были вместе. И уже шесть лет она больше не болела. Подобные истории обнадеживали Алекс. Но от этого ей не становилось легче общаться с Сэмом. На следующий же день, после того как Аннабел легла спать, разразилась очередная буря.

Перед обедом Алекс объяснила Аннабел, что на следующий день она пойдет к врачу, который даст ей одно лекарство. И она будет очень плохо себя чувствовать. Может быть, у нее даже выпадут волосы. Конечно, все это не слишком приятно, но необходимо — как прививка, говорила Алекс. Она немножко поболеет, но потом опять станет сильной и не будет болеть страшными болезнями. Поэтому Аннабел нужно бережно обращаться с мамой, которая иногда будет чувствовать себя хорошо, иногда — не очень и будет часто уставать. Ничего более вразумительного Алекс сказать не могла, и Аннабел, выслушав все это, очень обеспокоилась:

— А мы будем ходить в балетный класс?

— Иногда. Если я смогу. Если я буду уставать, тебя возьмет Кармен.

— Но я хочу, чтобы ты ходила со мной, — заныла Аннабел. В большинстве случаев она спокойно относилась к маминым приступам усталости, но иногда ее это пугало.

— Я тоже очень хочу туда ходить, но мы посмотрим, как я буду себя чувствовать. Я еще не знаю.

— А если у тебя выпадут волосы, ты будешь носить парик? — заинтересовалась Аннабел, и Алекс улыбнулась:

— Может быть. Посмотрим.

— Это будет ужасно. А потом волосы вырастут?

— Да.

— Но они уже не будут такими длинными, правда?

— Угу. Они будут короткими, как у тебя. Все будут думать, что мы близнецы.

Аннабел посмотрела на нее с внезапным ужасом:

— А мои волосы тоже выпадут?

— Конечно, нет, — поспешила Алекс заверить свою дочь, обнимая ее.

Но после того как девочка легла спать, разъяренный Сэм высказал Алекс все, что думает об ее предупреждениях.

— Ничего более мерзкого я в жизни своей не слышал. Ты испугала ее до смерти.

Глаза Сэма сверкали от гнева, и Алекс в который раз была поражена полным отсутствием сочувствия к ней.

— Я ее не пугала. Она ложилась спать в отличном настроении. Я даже дала ей специальную книжку «Мама выздоравливает».

— Гадость какая. Ты видела ее лицо, когда говорила ей про волосы?

— Черт побери, ее же надо подготовить. Во время химиотерапии я не смогу с ней возиться, и она должна это знать.

— Почему ты не можешь страдать в тишине? Почему ты все время превращаешь свою болезнь в ее и мою проблему? Господи, должна же ты иметь хоть немного достоинства!

— Ах ты сукин сын! — Алекс так сильно схватила его за рубашку, что та порвалась. Это удивило обоих. Она никогда ничего подобного не делала, но сейчас он довел ее. Алекс потеряла все: мужа, грудь, сексуальную жизнь, ощущение собственной женственности, благополучия и здоровья, способность иметь детей. В последние шесть недель она только и делала, что теряла самое ценное, что у нее было, одно за другим, а Сэм постоянно ругал ее за это. — Черт тебя возьми! Я всего лишь борюсь с тем, что со мной произошло, и пытаюсь справиться с этим, не усложняя твою жизнь, не причиняя боли моей дочери и не перегружая своих коллег. А ты только и делаешь, что добиваешь меня своей безжалостностью, и обращаешься со мной так, как будто я пария. Так что иди ты куда подальше, Сэм Паркер. Если ты не можешь этого выдержать, иди ко всем чертям!

Все то недовольство, которое скопилось в ее душе за последние шесть недель, выплеснулось из нее, как из вулкана. Но Сэм относился ко всему этому так болезненно, что даже слушать ее не хотел.

— Прекрати хвалить себя за благородство и долготерпение. Ты только и делаешь, что ноешь о своей чертовой груди, что далеко не самое важное. Никто даже не заметил, что тебе ее отрезали. А ты озабочена только тем, чтобы «подготовить» нас к своей проклятой химиотерапии. Переживи это сама, пожалуйста, и не добивай нас своим тоскливым состоянием. Аннабел всего три с половиной года, почему она должна участвовать в этом вместе с тобой?

— Потому что я ее мать, она беспокоится обо мне и моя болезнь не может не отразиться на ее настроении.

— Меня уже тошнит от твоих рассуждений! Вот они-то и отражаются на моем настроении. Я не могу так жить, с твоими ежедневными онкологическими бюллетенями от Слоан-Кеттеринга. Почему бы тебе не завести для них специальную доску?

— Ах ты дрянь! Ты даже не удосужился посмотреть заключения патолога, когда я получила их на руки.

Это произошло в тот день, когда он впервые увидел рубец у нее на груди, и его ужас затмил его интерес.

— Какое это имеет значение? Ты все равно осталась без груди.

— Это имеет значение! Я могу выжить или умереть, если это для тебя по-прежнему важно. У меня такое впечатление, что ты считаешь это таким же пустяком, как удаление груди. Может быть, если я исчезну, ты этого даже не заметишь. Я не понимаю, как ты можешь так себя вести. Ты даже не удосужился поговорить со мной, не говоря уже о том, чтобы ко мне прикоснуться.

— О чем с тобой говорить, Алекс? О химиотерапии? О лимфатических узлах? О патологических заключениях? Я больше не могу этого выдерживать.

— Может быть, ты вообще уйдешь и оставишь меня одну? От тебя все равно никакого толку.

— Я не оставлю свою дочь. И никуда не уйду, — прорычал он и вопреки этому утверждению пулей вылетел из квартиры. Оказавшись на улице, он едва справился с искушением поймать такси и доехать до 53-й улицы, где жила Дафна, но вместо этого он позвонил ей из автомата и разрыдался. Он сказал, что начинает ненавидеть свою жену и самого себя. На следующий день должен был начаться курс химиотерапии, и Сэм просто не мог этого вынести. Дафна отнеслась к этому очень сочувственно и спросила, не хочет ли он к ней приехать, но Сэм ответил, что не должен этого делать.

Сэм сознавал, что в его нынешнем состоянии, когда его душа была подобна открытой ране, он нуждался именно в Дафне. Но он не считал себя вправе допустить, чтобы его семья развалилась именно из-за нее. Надо было подождать и все обдумать. Надо было что-то делать, только он не знал что. Не понимая почему, он действительно внезапно возненавидел Алекс. Бедная женщина была серьезно больна, а он отталкивал ее за то, что она сделала с его жизнью, внеся в нее элемент болезни и страха. Она собиралась отказаться от него, она разрушала все. Сама того не сознавая, Алекс мешала ему быть с Дафной.

Он дошел до самой реки и вернулся обратно. Алекс все это время пролежала на кровати, бездумно глядя в потолок. Она была слишком зла, чтобы плакать, слишком оскорблена, чтобы его простить. Сэм предал ее. Он бросил ее на произвол судьбы. За шесть недель исчезло все, что между ними было общего, испарились все чувства, которые они питали друг к другу, разрушилось все построенное за семнадцать лет. И обет быть вместе «и в хорошие, и в плохие времена, в здоровье и в болезни» был совершенно забыт.

Когда Сэм через два часа вернулся домой, Алекс все еще лежала в той же позе. Но он даже не зашел к ней и не сказал ей ни слова. Алекс не могла сомкнуть глаз всю ночь, а Сэм спал на кушетке в студии.

Глава 12

Офис онколога, к которому Алекс направил доктор Герман, находился на 57-й улице. Это была женщина. Первая процедура должна была занять полтора часа, а следующие — от сорока пяти минут до тех же полутора часов. Посещать врача придется два раза в месяц, если только не возникнет никаких проблем.

Визит был назначен в полдень, и Алекс собиралась вернуться на работу в половине второго.

И Брок, и Лиз знали, что в этот день начинается курс химиотерапии. Сэм тоже, разумеется, это знал. После их крупной ссоры накануне он уехал на работу, не позавтракав. Он даже не позвонил ей в офис, чтобы извиниться или пожелать удачи, не говоря уже о том, чтобы поехать с ней. Алекс уже поняла, что ей не следует рассчитывать на Сэма в ее состоянии.

Это было современное здание недалеко от Третьей авеню. Комната ожидания была красиво обставлена, и посетитель чувствовал себя свободно и легко. С потолка лился теплый свет, стены были оклеены желтоватыми обоями, и вообще обстановка была очень приветливой. Алекс поймала себя на мысли, что полутемное помещение с каменными стенами было бы более подходящим. Увидев, что врач ее ровесница, она почему-то почувствовала облегчение. Ее звали Джин Уэббер, и она производила впечатление спокойного и знающего человека. Осмотревшись, Алекс увидела на стене диплом и с удовольствием отметила, что Джин окончила Гарвардский медицинский колледж.

Сначала они немного поговорили, и Джин обсудила с Алекс содержание ее патологических заключений. Алекс невольно ожила: эта женщина обращалась с ней как с умным, интеллигентным человеком. Она объяснила, что цитотоксичные препараты, которые будут вводиться в ее организм, не являются вопреки распространенному мнению «ядовитыми». Принцип их действия заключается в том, что они разрушают злокачественные клетки, щадя доброкачественные. У Алекс опухоль была второй стадии, что было, прямо скажем, не слишком хорошо, но с другой стороны, пострадало только четыре лимфатических узла, и рак не пошел дальше. Прогноз, по мнению доктора Уэббер, был весьма приличным. И, подобно всем прочим врачам, принимавшим участие в судьбе Алекс, она была абсолютно уверена, что химиотерапия необходима для полнейшего излечения. Рисковать, оставляя хотя бы часть клетки, которая могла бы впоследствии вызвать рецидив, было нельзя. Только стопроцентное исцеление могло гарантировать, что Алекс никогда больше не узнает о том, что такое рак. Облучение после мастэктомии не делали, а гормональная терапия не годилась в ее конкретном случае. Окончательные результаты анализов показали, что гормоны не помогут. Врачи провели также тест на хромосомы, чтобы выяснить, поражена ли ДНК клеток и не нарушено ли количество хромосом. Оказалось, что клетки Алекс были двойными, как и полагается, то есть каждая хромосома дублировалась. Исход мог быть только благоприятным, и Алекс выслушала слова доктора с облегчением, если не считать того, что хорошие новости сочетались с плохими — ведь у нее все равно был рак, и ей предстояло полгода химиотерапии. Это угнетало Алекс.

Доктор, казалось, все понимала. Это была женщина небольшого роста, с длинными темно-каштановыми волосами, тронутыми сединой, аккуратно причесанными. Никакой косметики на ее лице не было.

У нее были очень милое лицо и небольшие, ухоженные руки безупречной формы, которыми она энергично жестикулировала при разговоре.

Она попыталась убедить Алекс в том, что, несмотря на неприятные побочные эффекты химиотерапии, это не такая страшная процедура, как обычно думают. При правильном лечении их можно контролировать. Кроме того, она сказала, что ни один из этих побочных эффектов не вызывает необратимых последствий. Джин попросила Алекс сообщать ей о любых осложнениях. Это могло быть выпадение волос, тошнота, боли, утомляемость и прибавление веса. Кроме того, у Алекс могли начаться ангина, простуда и трудности с пищеварением. Менструации могли неожиданно прекратиться, но вполне возможно, что после окончания курса цикл восстановится. Вероятность того, что она будет бесплодна, составляла пятьдесят процентов, но шанс зачать ребенка у нее все же оставался — если от нее не уйдет муж, подумала Алекс, заставляя себя внимательно прислушиваться к словам врача. Доктор Уэббер уверила ее, что никаких данных о том, что у переживших химиотерапию бывают осложнения при родах, не существует.

Оставались еще возможные, хотя и маловероятные последствия, связанные с костным мозгом и уровнем гемоглобина, но это было не страшно. Часто встречались нарушения функции мочевого пузыря. Слова о прибавке веса удивили Алекс — она считала, что тошнота и рвота могут привести только к его потере, но врач объяснила, что это неизбежно так же, как облысение. Потом она предложила Алекс сразу же выбрать парик или даже несколько париков. После тех препаратов, которые ей будут вводить, она скорее всего потеряет свои роскошные рыжие волосы — все или частично. Но впоследствии, утешила ее Джин, они обязательно вырастут.

Она изо всех сил старалась дать своей пациентке максимум информации и успокоить ее, в то время как Алекс пыталась убедить себя в том, что она разговаривает с новым клиентом и должна выслушать все показания перед тем, как выступить самой. Этот вполне удачный подход некоторое время срабатывал, но постепенно она поняла, что услышанное все равно угнетает ее сверх всякой меры. «Тошнота», «рвота», «облысение» — все эти безжалостные слова заставляли ее задыхаться.

Доктор сказала, что во время каждого визита Алекс будет проходить врачебный осмотр, сдавать анализ крови и делать рентгеновские снимки и ультразвук. Все это можно было сделать в ее офисе, где было самое современное оборудование. Кроме того, в течение первых двух недель каждого месяца ей нужно было принимать цитоксан, а на первый и восьмой день ей будут внутривенно вводить метотрексат и флюороурацил. После введения лекарств она сможет вернуться в свой офис. Она попросила Алекс быть осторожной и как можно больше отдыхать в течение первого дня, пока врачи не будут уверены в том, что последствия минимальны, а уровень гемоглобина не упал.

— Я знаю, что на первых порах все это кажется ужасным, но со временем вы к этому привыкнете, — улыбнулась Джин. Когда она наконец повела Алекс в соседнюю комнату для осмотра, та с удивлением обнаружила, что они разговаривают уже почти час.

Алекс осторожно, так, как будто каждый ее жест и каждый момент имели значение, разделась, сложив вещи на стуле. Она почувствовала, что ее всю трясет. Руки дрожали, как осенние листья. Доктор осмотрела следы операции и одобрительно кивнула.

— Вы уже выбрали себе хирурга для пластической операции? — спросила она, но Алекс только покачала головой. Она еще не приняла этого решения и даже не знала, хочет ли она делать себе подобную операцию. При том положении вещей, которое складывалось у нее в семье, она не была уверена в том, что ей это нужно. Мысль об этом вызвала у нее прилив грусти, так, что на глазах даже выступили слезы. Джин в это время брала у нее кровь из пальца. У Алекс перехватило в горле, и, оказавшись под капельницей, она вдруг поняла, что всхлипывает и извиняется за это.

— Все в порядке, — тихо сказала доктор, — не бойтесь плакать. Я знаю, насколько это страшно. Потом вам уже не будет так жутко, как сейчас. Мы очень-очень осторожно обращаемся с этими лекарствами.

Алекс знала, что правильный выбор онколога — первоклассного и работающего на хорошем оборудовании — в данном случае жизненно важен. Ей приходилось слышать ужасные истории о людях, чьи жизни были загублены в результате неправильной дозировки химических препаратов. И сейчас она не могла избавиться от этих мыслей. Что будет, если ее организм отреагирует самым худшим образом? Что, если она умрет? И никогда больше не увидит Аннабел? И Сэма... даже после их последней ссоры? Думать об этом было невозможно.

Доктор Уэббер начала с инъекции декстрозы и воды, а потом добавила лекарства, но вена сократилась после самого начала, не пропуская состава. Алекс было больно, и Джин немедленно вытащила катетер и внимательно осмотрела другую руку Алекс и ее ладони, все еще сильно дрожавшие.

— Обычно я начинаю с декстрозы и воды, но ваши вены вряд ли позволят мне сделать это, по крайней мере сегодня. Придется сделать «прямой удар», а в следующий раз мы попробуем снова. Я введу неразбавленный препарат непосредственно в вену. Вам может быть немного больно, но зато это быстро, и я думаю, что сегодня вы мечтаете уйти отсюда как можно скорее.

Алекс не могла с ней не согласиться, но слова «прямой удар» звучали крайне пугающе.

Маленькие аккуратные руки врача обхватили ладонь Алекс, и Джин тщательно исследовала вену в самом ее начале, а потом быстро ввела в нее лекарство. Сразу после этого она попросила Алекс прижать место укола на пять минут, выписала рецепт на цитоксан и дала ей одну таблетку и стакан воды. Протянув его Алекс, она проследила за тем, чтобы та выпила лекарство:

— Отлично, — удовлетворенно сказала она. — Итак, вы получили вашу первую дозу химиотерапии. Я бы хотела снова встретиться с вами ровно через неделю. Звоните мне, если что-то будет не так. Не стесняйтесь, не бойтесь меня обременить. Если что-то вызовет у вас сомнения или вы просто будете чувствовать себя паршиво, позвоните мне. Я придумаю, как вам помочь.

С этими словами она дала Алекс листок с напечатанным перечнем возможных и менее вероятных побочных эффектов.

— Я готова отвечать на ваши звонки двадцать четыре часа в сутки, — продолжала она, — и я всегда рада поговорить с моими пациентками.

Джин тепло улыбнулась и встала. Она была намного ниже Алекс и гораздо динамичнее. Счастливая, подумала Алекс, глядя на нее, она занимается любимым делом. Она всегда ставила себя в положение людей, которые к ней приходили, с их юридическими проблемами и неприятными исками. Алекс была в силах помочь им наилучшим образом, но это были их проблемы, а не ее. Внезапно она поймала себя на том, что завидует доктору.

Уходя, Алекс поразилась тому, что провела у онколога два часа. Был третий час, и ее рука все еще болела, когда она ловила такси. На место укола врач наклеила пластырь. Алекс начинала постепенно разбираться в онкологической терминологии. Это были знания, которые она предпочла бы вовсе не получать, и по дороге в офис она почувствовала невероятное облегчение. Она не ощущала никаких недомоганий, она не умерла, и ничего ужасного с ней пока не случилось. По крайней мере доктор Уэббер знала, что делает. Проезжая Лексингтон-авеню, она вспомнила о том, что надо купить парик. Сейчас об этом думать было трудно, но доктор была, возможно, права. Лучше уж иметь его под рукой, как только он понадобится, чем бродить по магазинам, прикрыв облысевшую голову платком. Все эти мысли были весьма угнетающими.

Расплатившись с таксистом, она поднялась в свой кабинет. Лиз на месте не было. Алекс сама отвечала на звонки, постепенно приходя в себя. В конце концов небо на землю не упало. Так или иначе первый удар она пережила. Может быть, потом все будет лучше. Не успела она подумать об этом, как пришел Брок, в нарукавниках и со стопкой бумаг. Было четыре часа; она напряженно работала с момента своего возвращения от врача.

— Как дела? — озабоченно спросил он. В его манере задавать вопросы было что-то неуловимо приятное. Он не был ни слащавым, ни навязчивым, но всем своим поведением давал понять, что ему не все равно, и это трогало Алекс. За последние несколько дней Брок стал для нее своего рода младшим братом.

— Пока все хорошо. Правда, мне было очень страшно. — Она не решилась сказать ему, что плакала, что побывала в аду и вернулась обратно, желая, чтобы этот укол убил ее.

— Ты молодец, — улыбнулся он. — Хочешь кофе?

— С удовольствием.

Он вернулся через пять минут с чашкой, и они работали целый час. Алекс уехала точно в пять часов, чтобы пообщаться с Аннабел. День получился хороший, если не считать того, что она очень устала.

— Спасибо тебе, ты мне очень помогаешь, — сказала она Броку перед уходом. Они начали работать над небольшим делом мелкого предпринимателя, которого ложно обвиняли в дискриминации. Одна из его бывших подчиненных заявила, что ей было отказано в продвижении по службе на основании того, что она больна раком. Ее работодатель сделал все возможное для того, чтобы помочь ей. Он даже выделил ей отдельную комнату, чтобы она могла там спокойно отдохнуть. Три дня в неделю во время курса химиотерапии она вообще не выходила на работу, а ее дела вели другие. Но женщина тем не менее возбудила иск. Ей явно хотелось содрать с него круглую сумму, чтобы спокойно сидеть дома и платить за лечение. Рак у нее вылечили, но возвращаться к полноценной работе ей все равно не хотелось, несмотря на то, что надо было расплатиться с долгами за медицинскую помощь. Алекс к этому моменту уже успела обнаружить на собственном опыте, что по медицинской страховке оплачивалась только малая часть онкологической помощи. Если человек не мог себе позволить очень дорогостоящее лечение для спасения жизни, он оказывался в тупике. Та страховая компания, услугами которой пользовалась сама Алекс, покрывала очень незначительную часть ее расходов. Но в этом случае истица не имела морального права предъявлять какие бы то ни было претензии своему работодателю. Он предлагал ей помощь, что, к сожалению, невозможно было доказать, а она упорно отрицала этот факт. Как обычно, Алекс прониклась глубочайшей симпатией к своему подзащитному. Она терпеть не могла людей, которые заводили такого рода дела только потому, что у них не было денег, а у кого-то были. Кроме того, именно она могла лучше всего справиться с этим случаем, потому что теперь она располагала очень ценной информацией о том, что касалось рака.

— До завтра, Брок, — сказала она.

— Береги себя и держись. И обещай мне как следует пообедать.

— Хорошо, мамочка, — засмеялась Алекс. То же самое говорила ей и Лиз. Ей нужно было держать свое тело в тепле и постоянно набираться сил. Но толстеть ей не хотелось, и слова доктора Уэббер о том, что она наберет вес, сильно озадачили ее. Сама она никогда не была тучной и знала, что Сэм на дух не переносит толстых женщин.

Еще раз поблагодарив Брока, она ушла домой, думая о том, как трогательно ее сотрудники пытались облегчить ей жизнь и как хорошо, что первый сеанс химиотерапии закончился. Он оказался более болезненным, чем она ожидала, и Алекс довольно сильно устала, но в целом все прошло нормально. Ей не очень хотелось через неделю возвращаться в кабинет доктора Уэббер, однако она надеялась, что в следующий раз ей будет легче. А потом будет трехнедельный перерыв до следующего сеанса. Лиз купила ей необходимые лекарства, которые Алекс несла домой в сумке. Это напомнило Алекс, как она в течение многих лет пила противозачаточные таблетки.

Как хорошо было, когда она вообще забыла, что это такое!

Когда она пришла домой, Аннабел была в ванной и весело распевала вместе с Кармен песенку из «Улицы Сезам». Бросив кейс в комнате, Алекс тоже прошла в ванную.

— Как прошел день? — спросила Алекс, наклоняясь поцеловать свою дочь.

— Хорошо. А где ты ручку поранила?

— Я не... А, это, — сказала Алекс, глядя на свой пластырь. — На работе.

— Тебе было больно?

— Нет.

— А мне в садике налепили пластырь со Снупи, — похвасталась Аннабел. Кармен сказала, что звонил Сэм и предупредил, что к обеду не вернется. Алекс не разговаривала с ним целый день. Он явно все еще злился на нее после вчерашней ссоры. И теперь она даже не могла сказать ему, что первый сеанс химии прошел удачно. Алекс подумала было позвонить ему на работу, но после тех резких слов, которыми они обменялись накануне вечером, им лучше было поговорить при встрече. Она уже заметила, что в последнее время он стал гораздо чаще, чем прежде, задерживаться вечерами с клиентами. Может быть, это был еще один способ — явно весьма эффективный — избежать общения с ней. Ей казалось, что после постановки диагноза она вообще перестала видеть своего мужа.

Пообедав с Аннабел, Алекс решила попробовать дождаться его. Но потом ее свалила усталость, и в девять часов она уснула в своей постели, даже не выключив света. Это был самый тяжелый день в ее жизни. Даже во время операции ей не было так тяжело, и она чувствовала себя совершенно измученной.

Алекс спала, а Сэм тем временем сидел в небольшом уютном ресторанчике на 60-й авеню и обедал с Дафной.

Он был чернее тучи, и Дафна обращалась с ним с сочувствием. Она ничего не требовала, совершенно на него не давила и не упрекала его за то, что он ей чего-то не дает.

— Я не знаю, что со мной происходит, — говорил Сэм, сидя над тарелкой с остывающим куском мяса. Дафна держала его за руку и внимательно слушала. — Мне так ее жаль, я прекрасно знаю, что именно ей от меня нужно, но кроме злобы я ничего к ней не испытываю. Это ярость из-за того, что наша с ней жизнь мгновенно развалилась. У меня такое ощущение, что это она во всем виновата, хотя я и знаю, что это не так. Но и я-то тут совсем ни при чем. Нам просто не повезло. Сейчас у нее начинается курс химиотерапии, и я просто не в состоянии жить с этим. Я больше не могу на нее смотреть, я не хочу видеть, что с ней происходит. Это так ужасно, и я совершенно не умею справляться с подобными вещами. Бог мой, —проговорил он почти сквозь слезы, — я чувствую себя каким-то чудовищем.

— Ты не чудовище, — ласково сказала Дафна, не выпуская его руки. — Ты просто человек. Такие вещи всегда выбивают из колеи. Ты же не сиделка в конце концов. Конечно, она вправе ожидать, что ты будешь о ней заботиться... или сможешь переварить... — Дафна тщательно подыскивала слова, — ...все, на что ты вынужден смотреть. Как же все это ужасно.

— Да, — подтвердил Сэм. — Это чудовищно. Взяли нож и отрезали, как кусок ветчины. Когда я впервые увидел ее грудь, я расплакался.

— Как мне жаль тебя, Сэм, — сказала Дафна, думая только о нем, но не об Алекс. — Как ты считаешь, она понимает, что происходит? Она же умная женщина и не должна думать, что это на тебя никак не повлияет.

— Она хочет, чтобы я был с ней рядом, держал ее за руку, ходил с ней на процедуры и обсуждал все это с нашей дочкой. Я не могу этого выдержать. Я хочу жить.

— И ты имеешь на это право, — успокаивающе сказала Дафна. Воистину, она была самой чуткой и нетребовательной женщиной из всех, кого ему приходилось встречать. Ей хотелось просто общаться с ним при любых обстоятельствах, невзирая на те преграды, которые он наложил на их отношения. Поняв, что спать с ней он не может, Сэм в конце концов все же согласился пообедать с ней наедине. Изменить Алекс он не имел права. Он всегда был ей верен, и сейчас вопреки огромному искушению, вопреки тому, что все его коллеги были уверены в том, что у него роман с Дафной, ему не хотелось обманывать свою жену. А Дафна ясно дала ему понять, что любит его и готова общаться с ним так, как ему захочется. У нее было только одно условие — видеться с ним.

— Я тебя очень люблю, — тихо сказала она. Сэм смотрел на нее, обуреваемый противоречивыми чувствами.

— Я тоже тебя люблю... Господи, какое это все безумие... Я люблю тебя, но и ее я тоже люблю. Я люблю вас обеих. Я тебя хочу, но не могу поступиться своими обязанностями перед ней. Кроме долга, нас ничего не связывает.

— Это не жизнь, Сэм, — печально произнесла Дафна.

— Я знаю. Может быть, это все как-нибудь само собой рассосется. Постепенно она начнет меня ненавидеть. Я думаю, что она уже сейчас меня с трудом переносит.

— Тогда она просто дурочка. Ты самый добрый человек, которого я когда-либо видела, — твердо сказала Дафна, но Сэм-то знал, что это не так, как и Алекс, впрочем.

— Нет, это я дурак, — ответил он, улыбаясь. — Мне нужно похитить тебя и увезти, пока ты не опомнилась и не нашла себе ровесника, не отягощенного такими проблемами, как я.

Он не влюблялся так с подросткового возраста. Даже Алекс не вызывала у него такой нежности.

— И куда ты со мной убежишь? — невинно спросила она, когда они наконец приступили к обеду. Оказываясь вместе, они способны были разговаривать часами и забывали обо всем на свете.

— Может быть, в Бразилию... или на безлюдный остров рядом с Таити... в какое-нибудь солнечное и пробуждающее чувства место, где ты будешь принадлежать только мне, окруженная тропическими цветами и ароматами. — При этих словах Сэм почувствовал, как ее рука касается его под столом. — Да вы, оказывается, невоспитанная девочка, мисс Дафна Белроуз.

— Может быть, в ближайшее время ты в этом убедишься. Я начинаю чувствовать себя девственницей, — поддразнила она, заставив Сэма покраснеть.

— Прости меня, — вздохнул Сэм. Он понимал, что только усложняет жизнь всем окружающим, но чувства вины преодолеть не мог.

— Не надо извиняться, — серьезно сказала Дафна. — Тем ценнее для меня будет тот момент, когда ты в конце концов окажешься в моих объятиях.

Она проговорила эти слова очень уверенно, считая, что это вопрос времени. Но эта удивительная девушка готова была ждать. Сэм — один из самых лакомых кусочков, которые мог предложить ей блестящий и загадочный Нью-Йорк, один из самых удачливых его жителей — стоил того, чтобы подождать. Даже здесь, в этом захолустном ресторанчике, его все узнавали, все с ним здоровались, а метрдотель, увидев их, решил, что это звездный час его заведения. Сэм Паркер был самой богатой добычей среди всех обитателей Уолл-стрит.

— Откуда у тебя столько терпения? — спросил он, когда они заказали десерт, а Сэм взял в придачу к нему единственную в ресторане бутылку «Шато д'Икем» за двести пятьдесят долларов.

— Я же говорю тебе, — объяснила она, заговорщически понизив голос, — потому что я тебя люблю.

— Ты с ума сошла, — сказал Сэм, нагибаясь и целуя ее. — За маленькую кузину Саймона, — невинным тоном добавил он, поднимая бокал с изысканным вином. Ему хотелось бы сказать совсем другое: «За любовь всей моей жизни», но он не стал этого делать. Это было бы слишком нечестно по отношению к Алекс. Как же это могло с ним случиться? Как могла Алекс заболеть раком, а он в это же время влюбиться в кого-то другого? Он совершенно не мог понять, что эти два события связаны между собой.

— Когда-нибудь я как следует отблагодарю Саймона.

Теперь уже Сэм говорил голосом заговорщика, и Дафна рассмеялась:

— Или как следует отругаешь. В этом недостаток всей нашей прелюдии. Ты слишком многого от меня ожидаешь. Откуда ты знаешь — вдруг я потом тебя разочарую?

— Вряд ли, — уверенно произнес он, мечтая заняться с ней любовью прямо здесь. Каждая секунда, которую они проводили вместе, заставляла все его тело ныть от желания.

Он проводил ее до дома пешком, как всегда, отказавшись подняться к ней. Они никак не могли расстаться, целуясь на пороге. Дафна нежно обняла его, а руки Сэма блуждали по всему ее телу.

— Ты не забыл, что можно подняться наверх? — прошептала она, подкрепляя свои слова соблазнительными движениями рук и губ. Сэм чувствовал, что вот-вот взорвется от желания. — Я думаю, что соседи почувствуют огромное облегчение.

— Для меня это точно будет большое облегчение, я тебя уверяю. Я не знаю, как долго я буду в состоянии все это выдерживать, — откликнулся Сэм, награждая ее еще одним страстным поцелуем отчаяния.

— Надеюсь, что недолго, мой милый Сэм, — прошептала Дафна прямо ему в ухо, обхватив руками его ягодицы и прижав его к себе. Сэм почувствовал, что она вся дрожит, и весь зашелся от желания, обнаружив, что, несмотря на холодную ноябрьскую погоду, на ней не было никакого белья. Чтобы противостоять этому невыносимому искушению, ему пришлось призвать на помощь все свои силы.

— Ты меня убиваешь, — произнес он, с трудом справившись с приступом истерического смеха. — И потом, ты заболеешь пневмонией.

— Тогда согрей меня, Сэм.

— Господи, как же я тебя хочу, — повторял Сэм, закрыв глаза и прижимая ее к себе.

В конце концов он сумел оторваться от нее, хотя и с огромным трудом. Чтобы прийти в себя, он прошел пешком двадцать пять кварталов до дома. Было около полуночи, и Алекс спала мертвым сном под включенной лампой. Сэм долго стоял рядом с постелью и смотрел на нее, мысленно прося прощения у своей несчастной жены, но сердце его стремилось

не к Алекс, а к Дафне. Он тихо выключил свет и
лег. Однако в шесть часов утра его разбудил стран-
ный резкий звук, скрежещущий и механически пов-
торявшийся. Сэм попытался не обращать на него
внимания и уснуть снова, но это ему не удавалось.
Сначала он подумал, что это какая-то машина или
будильник. Может быть, лифт сломался? Но что бы
это ни было, звук не прекращался. В конце концов
ему пришлось окончательно проснуться, и он понял,
что это Алекс неудержимо рвало в ванной.

Некоторое время он лежал не шевелясь, раздумывая,
стоит ли ему встревать в это дело, но потом все-таки
встал и дошел до двери в ванную.

— У тебя все в порядке? — спросил он.

— Все отлично, спасибо, — ответила Алекс после
долгого молчания. Своего чувства юмора она не утратила,
но остановить позывы к рвоте не могла.

— Ты съела что-нибудь не то? — Даже теперь Сэм
не признавал, что все дело в ее болезни.

— Я думаю, что это химия.

— Позвони врачу.

Алекс кивнула и снова наклонилась над унитазом. Сэм пошел принять душ в комнате для гостей.
Вернувшись через полчаса, он застал Алекс лежащей на полу в ванной с закрытыми глазами и мокрым полотенцем на голове. Рвота прекратилась, но
она была в совершенно изможденном состоянии.

— Ты случайно не беременна?

Не открывая глаз, Алекс покачала головой. У нее
даже не было сил огрызнуться на него. Менструация у нее была перед операцией. «Голубой» день уже
прошел, но Сэм даже не разговаривал с ней, не говоря уже о том, чтобы делать детей. Как он может
думать, что она беременна? И потом, ей делают хи-

миотерапию. Нет, он просто дурак. Он был неглупым человеком, но когда дело дошло до рака, вся его сообразительность куда-то исчезла.

Алекс собралась с силами и на четвереньках доползла до телефона. Доктор Уэббер сказала ей, что такая реакция на первый сеанс бывает довольно часто, хотя ей и жаль, что с Алекс это произошло. Она предложила ей осторожно поесть, чтобы небольшое количество пищи укрепило ее желудок, и обязательно принять таблетку, невзирая на рвоту. Пропускать прием было нельзя. Врач предложила ей еще одно лекарство от рвоты, но Алекс боялась перегружать свой и без того измученный организм химикатами, поскольку у дополнительных препаратов тоже могли оказаться побочные эффекты.

— Спасибо, — выдохнула Алекс, чувствуя, как подкатывает очередной приступ рвоты. На этот раз он продолжался всего несколько минут. Теперь из нее выходила только желчь. У нее было такое ощущение, как будто ее вывернули наизнанку. Одевание заняло у нее целую вечность, и на кухню, где Сэм и Аннабел мирно завтракали, она пришла совершенно зеленая. Сэм сам одел дочку и не подпускал ее к матери.

— Мамочка, ты болеешь? — обеспокоенно спросила Аннабел.

— Да, немного. Помнишь, я тебе рассказывала про лекарство? Вчера я приняла его, и теперь мне немножко плохо.

— Наверное, это очень плохое лекарство, — дипломатично заметила Аннабел.

— Оно мне поможет выздороветь, — твердо ответила Алекс и заставила себя съесть кусочек тоста, несмотря на то, что организм ее явно этому противился. Сэм смотрел на нее из-за газеты с явным раздражением.

Мало того, что она разбудила его своей рвотой, так теперь она опять взялась за свои объяснения.

— Извини, пожалуйста, — со значением произнесла Алекс довольно неприятным голосом. Сэм продолжал читать свою газету.

Сэм отправился на работу, взяв с собой Аннабел, а Алекс вернулась в спальню, где ее опять прихватило, да так, что она даже решила было не ехать на работу. Опустившись на край кровати, она заплакала и собралась позвонить Лиз, но потом что-то заставило ее остановиться. Нельзя позволять себе таких вещей. Даже если она умрет, ей надо выйти на работу.

Умывшись и почистив зубы, Алекс снова положила на лоб мокрую тряпку, а затем с решительным видом надела плащ и взяла свой кейс. В холле ей пришлось присесть от очередного спазма в желудке, но она заставила себя дойти до лифта. На улице от холодного воздуха ей немного полегчало, но поездка в такси снова выбила несчастную из колеи. Войдя в здание, Алекс еле доплелась до туалета и снова склонилась над унитазом. Когда она наконец добралась до своего кабинета, она выглядела ужасно. Брок и Лиз, увидев зеленое лицо своей начальницы, пришли в ужас. Оба смотрели на нее с явным беспокойством. Измученная Алекс опустилась в свое рабочее кресло.

— Как вы себя чувствуете? — спросила Лиз. Брок смотрел на нее, хмуря брови.

— Паршиво. Утро было нелегким. — Закрыв глаза, Алекс почувствовала, как к ней снова подкатывает волна тошноты, но на этот раз ей удалось с ней справиться. Когда она открыла глаза, Лиз в комнате уже не было.

— Она ушла заварить чай, — объяснил встревоженный Брок. — Хочешь прилечь?

— Я боюсь, что я тогда вообще не встану, — честно ответила Алекс и храбро предложила ему поработать.

— А ты в состоянии работать?

— Не задавай лишних вопросов, — угрюмо ответила она.

Брок покачал головой и отправился за своими бумагами. Он, как всегда, работал в нарукавниках, с роговыми очками на лбу. Когда он вернулся, в кармане у него лежали карандаши, в зубах была ручка, а в руках — стопка бумаг толщиной сантиметров в десять и пачка соленых крекеров для Алекс.

— На, попробуй, — сказал он, кладя печенье ей на стол, и уселся рядом. Пока они работали над совместными делами, Брок внимательно за ней наблюдал. Алекс выглядела ужасно, но работа явно шла ей на пользу, отвлекая ее от убожества ее положения. Лиз постоянно поила ее чаем, а Брок следил, чтобы она ела крекеры.

— Попробуй все-так прилечь на время ленча, — предложил Брок, но Алекс только покачала головой. Ей не хотелось прерывать ту важную работу, которую они сейчас делали, занимаясь мелкими деталями вновь поступивших случаев. На ленч они решили заказать куриные сандвичи — Алекс чувствовала, что этого ей будет вполне достаточно.

Но через час ее желудок взбунтовался, и Алекс с ужасом поняла, что съеденная пища поднимается вверх по пищеводу. Не сказав ни слова Броку, она еле добежала до маленькой уборной, примыкавшей к кабинету, где ее страшно вырвало. Приступ продолжался еще полчаса, и Брок все слышал. Происходившее так удручало его, что через некоторое время он вышел и вернулся с холодной влажной тряпкой, льдом и подушкой. Даже не постучав, он вошел в уборную, дверь которой она, к счастью, не закрыла, своими сильными руками поднял склонившуюся над унитазом Алекс и прислонил ее к стене. В какой-то момент ему показалось, что она сейчас упадет в обморок, но этого не произошло.

— Обопрись на меня, Алекс, — тихо сказал он, — не бойся.

Алекс не могла возразить, не могла сказать ни единого слова, настолько ей было плохо. Но взгляд ее выражал немую благодарность. Не выпуская Алекс из объятий, Брок опустился рядом с ней на пол. Уборная была такой маленькой, что два человека, да еще и таких длинноногих, как они, помещались в ней с трудом. Брок положил кубик льда Алекс на затылок, а мокрую тряпку — на лоб. Внезапно Алекс открыла глаза и взглянула на него, но не сказала ни слова, потому что не могла.

Брок спустил воду в унитазе, закрыл крышку, а через некоторое время уложил ее на подушку, прикрыв простыней. Алекс молчала, а он — тоже молча — сидел рядом с ней, глядя на нее и держа ее за руку.

Прошел почти час, прежде чем она смогла заговорить — тихим, измученным голосом, с большим усилием.

— Я думаю, что я могу встать, — сказала она.

— Полежи немного, — попытался настаивать Брок, но потом ему пришла в голову другая мысль: — Я тебя перенесу, Алекс. Постарайся не шевелиться.

Рвота прекратилась уже довольно давно, и бояться повторения было нечего. Брок поднял ее, удивившись, насколько мало она весит при таком росте, и уложил на серой кожаной кушетке в кабинете. Алекс наконец-то стало хорошо. Брок подложил ей под голову подушку и снова укрыл. Несмотря на некоторый стыд перед свидетелем ее слабости, ей по большому счету было не до этого. Она не знала, как выразить ему свою благодарность.

— Запри дверь, — прошептала она стоящему у кушетки Броку, который напоминал мать у постели больного ребенка.

— Зачем?

— Чтобы никто не вошел и не увидел меня. — Алекс сказала всем, что будет работать во время химиотерапии, однако начало было явно не слишком благоприятным. Брок сделал то, о чем она просила, а потом сел на стул рядом с ней. Ему не хотелось оставлять Алекс, понемногу начавшую приходить в себя, в одиночестве.

— Хочешь, я отвезу тебя домой? — осторожно спросил он, но Алекс покачала головой:

— Я останусь.

— Хочешь поспать немного?

— Нет, я просто полежу. Работай. Я встану через несколько минут.

— Ты серьезно? — спросил пораженный Брок. Никогда она не восхищала его так, как в этот момент. Алекс не желала сходить с дистанции и проигрывать. Она была настоящим бойцом.

— Да, — ответила она. — Работай, Брок... Спасибо тебе.

Оба они теперь говорили шепотом.

— Не за что. Для чего же еще существуют друзья?

Алекс печально подумала, что Сэм на это не способен. Брок потушил часть ламп, и Алекс немного полежала с закрытыми глазами. Через полчаса она встала и присоединилась к своему коллеге. Она выглядела немного помятой, волосы растрепались, а голос был хриплым, но в течение всего оставшегося дня она работала не покладая рук, и ни Брок, ни она не вспоминали о том, что произошло.

Брок не забыл отпереть дверь, и через некоторое время вошла Лиз с чаем, кофе и кое-какой едой, что было очень кстати. В пять часов Брок проводил Алекс до лифта, неся ее кейс.

— Я посажу тебя в такси и вернусь, — спокойно сказал он.

— Тебе что, делать больше нечего, кроме как переводить пожилых дам через улицы? — попыталась пошутить Алекс, понимая, что сегодня они стали друзьями. Того, что произошло этим ноябрьским днем, она не забудет никогда. Чем она заслужила такое бережное отношение к себе, она не знала, но это произвело на нее неизгладимое впечатление.

— Наверное, ты был бойскаутом.

— Было дело, ты угадала. В Иллинойсе все равно было больше нечего делать. Кроме того, я всегда умел произвести впечатление на пожилых дам.

— Это точно, — подтвердила она. Ей казалось, что она прожила уже не меньше тысячи лет, но Брок считал ее просто восхитительной.

Через несколько минут он поймал такси, заставив Алекс, вопреки ее сопротивлению, ждать в вестибюле. Спорить с ним было бесполезно — он был очень тверд в своих намерениях. Он даже заплатил за такси, чтобы никто не перехватил машину до того, как он приведет Алекс.

— Ну все, — сказал он, закрывая дверцу.

Алекс ехала домой, все еще пораженная до глубины души всем, что он для нее сделал. Она ума не могла приложить, как его отблагодарить. Когда она наконец приехала домой, она чувствовала себя грязной, как половая тряпка. С каким бы удовольствием она приняла ванну вместе с Аннабел! Но девочка еще не видела ее рубца, и Алекс не собиралась ей его показывать. Заперевшись в ванной, она быстро помылась и села за стол вместе с Аннабел, но есть не стала, сказав, что пообедает позже, вместе с папой.

Сэм пришел домой в семь часов, прямо перед тем, как Аннабел надо было ложиться спать, и прочитал ей сказку. А потом они с Алекс сели за стол. Кармен оставила им обед. Но Алекс только поклевала свою пищу. Несмотря на все усилия, она просто не могла есть.

— Ну что, тебе сегодня лучше? — спросил он как можно более ласковым голосом, хотя у Алекс немедленно возникло ощущение, что он не хочет обсуждать этот вопрос.

— Да, все хорошо, — ответила она, не упоминая о том, что она провела целый час в уборной при своем кабинете и еще полчаса — на кушетке, держа Брока Стивенса за руку. — У меня масса новых дел.

Именно это Сэм и хотел услышать, хот это была только часть истории.

— У нас тоже, — улыбнулся Сэм, пытаясь забыть их недавнюю ссору и все те злые слова, которые они друг другу сказали. — Благодаря Саймону у нас появилось множество новых клиентов.

— Слушай, Сэм, а ты не боишься, что они могут оказаться мошенниками? — с подозрением спросила она. Большое количество новых клиентов такого размаха слегка беспокоило ее.

— Перестань искать во всем дурную сторону. Будь адвокатом только на работе, — не слишком мягко упрекнул Сэм свою жену.

— Работа, связанная с риском, — слабо улыбнулась она, чувствуя прилив тошноты от одного запаха его обеда.

Когда Алекс помыла посуду, ее снова настиг приступ рвоты — того количества еды, которое она съела, вполне хватило. Когда содержимое желудка снова оказалось в унитазе, она поняла, что теперь рядом нет никакого Брока Стивенса, чтобы помочь ей.

— Что же все-таки с тобой происходит? — спросил ее Сэм, возникший в дверях. — Может быть, это не просто химиотерапия, а аппендицит или еще что-нибудь в этом духе.

Он не в состоянии был поверить, что химия может иметь такие результаты.

— Нет, это химия, — сказала она загробным голосом, после чего ее немедленно вырвало снова. Сэм вышел — он не мог на это смотреть.

Алекс с трудом добралась до их постели и свалилась на нее в полном изнеможении. Сэм смотрел на нее с видимым раздражением.

— Я знаю, что с моей стороны не слишком красиво задавать тебе подобные вопросы, но почему, если ты весь день спокойно работала, тебя начинает тошнить, как только ты меня видишь? Ты что, ищешь моего сострадания или мое присутствие так на тебя действует? — спросил он, не зная, как прошел ее день. Алекс не хотела говорить ему, что она скрыла от него произошедшее в офисе.

— Очень смешно, Сэм.

— Может быть, это эмоциональная реакция или что-то типа аллергии?

Все ясно — он просто не мог ни поверить, ни понять. Ему никогда не приходилось видеть, чтобы кого-нибудь так рвало в течение всего дня.

— Поверь мне, это химия, — повторила она. — У меня есть список того, что может произойти. Хочешь почитать?

— Да нет, — признался он. — Я тебе поверю. Когда ты была беременна, ничего подобного с тобой не происходило, — добавил он затем, словно пытаясь объяснить происходящее.

— Тогда у меня не было рака, и мне не делали химию, — сухо отозвалась Алекс, все еще не оправившаяся после рвоты. — Может быть, все дело в этом.

— Я думаю, что это что-то нервное. Позвони-ка своему врачу.

— Я звонила. Она сказала, что это вполне нормальная реакция.

— Мне она не кажется нормальной. — Сэм не хотел понимать. Для него легче было все отрицать. В конце концов они улеглись спать. На следующее утро ее опять тошнило, но уже не рвало. Они оба отправились на работу, а Алекс отвела Аннабел в садик, что подняло ее настроение. Каждый маленький шажок к нормальному состоянию казался ей победой, и она сумела прожить целое утро без тошноты и не отвлекаясь от работы.

Только днем, работая вместе с Броком после ленча, она снова вынуждена была пойти в уборную. На ленч она съела сандвич с индейкой, и теперь, когда он вышел обратно, ей казалось, что она умирает. На этот раз Брок уже не колебался ни минуты. Пока ее рвало, он держал ее голову и плечи, и Алекс вдруг с ужасом поняла, что совершенно не стесняется его. Она была не одна, и ей было не страшно. Когда наконец все кончилось, она взглянула на своего спасителя с некоторым недоумением.

— Тебе надо было быть врачом, — сказала она с несколько глуповатой улыбкой. Воистину, лучшего способа начать дружбу не было.

— Я не могу видеть крови, — признался Брок.

— А рвоту? Что это с тобой? Неужели тебе нравятся женщины, которых рвет?

— Я их люблю, — рассмеялся Брок. — Когда
я учился в школе и колледже, мои свидания очень
часто заканчивались именно так. Так что у меня есть
некоторые навыки.

— Безумный ты человек. — Алекс была не в
состоянии пошевелиться. Они снова сидели на полу
уборной, и она прислонилась к его плечу.

— Ты мне начинаешь нравиться, — объявила она.
Это было похоже на супружество. Никакого смуще-
ния — только ее слабость и его желание помочь ей.
Наверное, это Бог послал ей в этот момент такого
верного друга.

Когда Брок снова заговорил с ней, его голос был
гораздо более серьезным.

— Через это прошла моя сестра, — сказал он
печально.

— Ей делали химиотерапию? — спросила Алекс
с таким удивлением, как будто до нее никто не проходил через этот ад.

— Да. У нее тоже был рак груди. Несколько
раз она даже собиралась отказываться от лечения.
Я был на первом курсе колледжа и вернулся домой, чтобы ухаживать за ней. Она была на десять
лет старше меня.

— Была? — нервно спросила Алекс, и Брок улыбнулся:

— Есть. Она это пережила. И ты переживешь.
Но тебе нужно закончить курс, как бы плохо тебе
ни было. Ты должна справиться.

— Я знаю, хотя это меня очень пугает. Полгода — это же целая вечность.

— Нет, — с неожиданной мудростью сказал
Брок. — Смерть — это вечность.

— Я поняла. Честно.

— Нельзя отказываться, Алекс. Ты должна пить таблетки и ходить на процедуры, как бы это на тебя ни действовало. Если хочешь, я поеду с тобой. Со своей сестрой я туда ходил. Она терпеть не могла эти дни и страшно боялась шприца.

— Я тоже не могу сказать, что я от них в восторге. И вообще все не так плохо, до тех пор пока меня не начинает выворачивать наизнанку. Но опять-таки это способ встретить настоящего друга.

Алекс улыбнулась. Брок не надел очки и развязал галстук. Вопреки своему юному виду, он выглядел умудренным опытом человеком. В тридцать два года он видел гораздо больше, чем она предполагала. У него были добрая душа и хорошее сердце, и Алекс ему определенно нравилась.

— Ну что, пойдем работать? — спросила она через некоторое время. Лиз вошла в кабинет с почтой и с удивлением воззрилась на Алекс и Брока, выходящих из ванной.

— Мы проводим встречу, — сказала Алекс как ни в чем не бывало.

Лиз рассмеялась. Она понятия не имела, что они там делали, но это показалось ей забавным.

— Все подумают, что мы там колемся или нюхаем кокаин, — рассмеялась Алекс, — или занимаемся сексом.

— Я могу себе представить более грязные слухи, — откликнулся Брок со смехом, усаживаясь напротив Алекс. Она выглядела значительно лучше.

— Да. Я тоже. — С Сэмом она не занималась любовью уже почти два месяца, и судя по тому, как развивались их отношения, до этого еще было далеко. Но секс отступил для нее на второй план — гораздо важнее было выжить. Это было единственное, что ее сейчас занимало. Они с Броком плодотворно работали весь день, а после работы он посадил ее в такси, хотя она и уверяла его, что прекрасно себя чувствует. В пятницу Алекс даже нашла в себе силы сходить с Аннабел на балет. Итак, она делала все, что от нее требовалось. Нельзя было назвать ее самочувствие безупречным, но в целом все было вполне нормально. И Алекс начала думать, что, может быть — всего лишь может быть, — она это выдержит, чего нельзя было с уверенностью сказать о ее супружеской жизни.

Глава 13

Встретившись с Алекс в понедельник, доктор Уэббер осталась очень довольна тем, как у нее идут дела. «Все прекрасно», — удовлетворенно сказала она. Анализ крови был хорошим, и на этот раз можно было сделать внутривенное вливание, предварительно введя декстрозу и воду. Для Алекс это была хорошая новость, поскольку она уже знала, чего ожидать от процедуры.

И на этот раз последствия не заставили себя ждать, но для Алекс это уже не было сюрпризом. Брок не переставал за ней ухаживать, а Лиз следила за ней, как ангел-хранитель.

— Я начинаю испытывать чувство вины, — сказала она Броку, когда они снова сидели на полу уборной после ее второй процедуры.

— Почему? — удивленно спросил он.

— Потому что это не тебе делают химиотерапию, а мне. Почему ты должен вместе со мной все это переживать? Ты же мне не муж. Это мой кошмар, а не твой. Ты не должен этого делать.

Алекс не могла понять, почему он к ней так добр. С чего вдруг его потянуло ей помогать? Впрочем, это было как нельзя кстати. Брок был единственным человеком, который был в это время рядом с ней.

— А почему нам не разделить этот груз? — просто сказал он. — Почему бы не позволить мне помочь тебе? Это может случиться с каждым. Удар молнии может поразить любого и в любой момент. Никто ни от чего не застрахован. И если сейчас я рядом, то это означает, что однажды кто-то будет рядом со мной, если мне будет нужна помощь.

— Я буду, — ласково сказала Алекс. — Я буду с тобой, Брок. Я никогда этого не забуду.

И они оба знали, что она говорит чистейшую правду.

— А ты подумала о том, что я могу делать все это ради карьеры? — со смехом спросил он, помогая ей подняться. Они просидели в уборной целый час — утро выдалось на редкость тяжелым.

— Я уже давно догадываюсь о том, что у тебя какой-то тайный замысел, — ухмыльнулась Алекс. На этой неделе она уставала гораздо больше. А через два дня был День благодарения. Одна мысль о том, что придется готовить индейку, приводила ее в ужас.

— А почему бы тебе не взять мою работу? — в шутку спросила она, когда они снова уселись за стол. — Ты прекрасно справишься.

— Лучше уж я поработаю у тебя в подчинении. — Брок поднял глаза, и Алекс на мгновение показалось, что между ними что-то изменилось. Она не знала, что это такое и нужно ли ей это. Но она смущенно отвела взгляд. В последнее время она обращалась с ним слишком открыто и свободно. Может быть, не стоило так себя вести? Наверное, нельзя слишком сильно с ним сближаться — она же замужняя женщина. А он совсем мальчик, на десять лет младше ее.

— Мне тоже нравится работать с тобой, Брок, — теплым голосом сказала Алекс, ловя себя на том, что снова обращается с ним как с младшим сотрудником, — пока меня не начинает рвать тебе на колени.

Последние слова были произнесены с искренним смехом, который Брок так в ней любил.

— Я всегда стараюсь встать позади тебя, — ответил он таким тоном, который возможен только между людьми, вместе пережившими нечто страшное.

— Ах ты мерзавец!

Позже у них зашел разговор о Дне благодарения. Брок собирался отправиться к друзьям в Коннектикут, а Алекс оставалась дома с Аннабел и Сэмом. Она призналась Броку, что ей не слишком хочется готовить к праздничному столу.

— Пусть твой муж приготовит. Он умеет?

— Да, но День благодарения — это мой конек. Знаешь, у меня такое чувство, словно я должна ему что-то доказать. Сэм очень злится на меня за все это. Иногда мне кажется, что он меня ненавидит. И поэтому я должна показать ему, что я по-прежнему могу делать все, что делала раньше, что ничего не изменилось.

Алекс никому еще об этом не говорила. Слова ее звучали немного патетически, но он прекрасно понял, что она хотела сказать. По крайней мере лучше, чем Сэм.

— Но это же изменилось ненадолго. Неужели он этого не понимает? Ведь совсем скоро ты восстановишься и сможешь делать все, что делала раньше.

— Он слишком сердит, чтобы заглянуть в будущее.

— Тебе, наверное, трудно?

— И не говори.

— А как твоя малышка?

— Прекрасно. Конечно, ее беспокоит, когда мне плохо, и я стараюсь в такие минуты держаться от нее подальше. Что говорить, все это нелегко.

— Тебе сейчас как никогда нужны друзья, — ласково сказал Брок.

— К счастью, у меня есть ты, — улыбнулась Алекс.

Накануне Дня благодарения она тепло обняла его и сказала, что в этом году она ему особенно благодарна. Вниз они спустились вместе, и Алекс вдруг стало грустно с ним расставаться. Она могла быть с ним такой честной и открытой. Во время этих совместных сидений в уборной она поняла, что может положиться на Брока и откровенно рассказать ему о своих чувствах. В те четыре дня, которые она проведет без него, она будет чувствовать себя очень одиноко.

Придя домой и увидев в холодильнике индейку, она подумала обо всем том, что ей придется завтра делать: о начинке, тушеных овощах и картофельном пюре. Сэм любил, чтобы на столе были и тыквенный, и мясной пирог, а Аннабел любила яблочный. И еще она обещала им сделать пюре из каштанов и клюквенный соус. Алекс становилось плохо, когда она просто думала обо всем этом, но в этом году — так, как никогда, — она обязана была постараться. Ей казалось даже, что ее отношения с Сэмом зависят от того, сможет ли она доказать ему, что справилась со своими обязанностями хозяйки.

Сэму тоже пришлось пережить трогательное расставание. Дафна уезжала в Вашингтон к друзьям, и, посадив ее на поезд, Сэм почувствовал накатившую на него тоску одиночества. Он все сильнее привязывался к ней и все более скучал без нее. Мысль о том, что ему придется четыре дня быть наедине с Алекс, угнетала его. Возможно, впрочем, это им поможет. Но, придя вечером домой, Сэм понял, что делать вид, будто все идет по-прежнему, будет нелегко.

Алекс лежала на кровати, приложив ко лбу лед, и, как сказала Аннабел, ее только что вырвало.

— Мама болеет, — тихо сообщила девочка, — значит, мы не будем есть индейку?

— Будем, конечно, — заверил ее Сэм. Уложив дочку спать, он вернулся к жене, в изнеможении вытянувшейся на постели. — Может быть, плюнем на все и пойдем завтра в ресторан? — спросил он несколько обвиняющим тоном.

— Да ты что! — сказала Алекс, желая, чтобы они могли все забыть. — Завтра я буду чувствовать себя лучше.

— Сейчас в это трудно поверить, — вздохнул Сэм. Он постоянно разрывался между жалостью к своей жене и мыслью о том, что у нее преувеличенная психологическая реакция на него. Он не мог понять, как же ему все-таки к этому относиться. — Дать тебе что-нибудь? Имбирного эля? Коки? Что-то может смягчить твой желудок?

Алекс ничего не помогало.

Через некоторое время она встала и отправилась на кухню, чтобы сделать хотя бы самое необходимое. Но каждый шаг давался ей с огромным трудом. К концу вечера она была в полном изнеможении. Все ее тело болело, и Алекс гадала, что это такое — начинающийся грипп или очередные побочные эффекты химиотерапии. Кроме всего прочего, ее беспокоил и мочевой пузырь, и когда она наконец добралась до постели, на которой уже мирно сопел Сэм, она выглядела смертельно усталой и больной. Правда, Сэм обещал ей помочь.

Алекс поставила будильник на четверть седьмого, чтобы вовремя засунуть индейку в духовку. Птица была крупная и готовиться должна была долго. Обычно в День благодарения они садились обедать днем. Но когда этим утром Алекс проснулась, она поняла, что не может даже пошевелиться. Следующий час был безнадежно потерян — ее безудержно, хотя она старалась вести себя как можно тише, рвало в ванной.

Но когда проснулась Аннабел, Алекс уже ставила индейку в духовку. Через некоторое время встал и Сэм. Аннабел хотела пойти на парад, и у Алекс не хватило духу попросить его не ходить с ней, а помочь с обедом.

Они ушли в девять, когда Алекс удалось сделать уже довольно много. Она приготовила начинку, потушила овощи и начала возиться с пюре. К счастью, пироги она купила заранее, но за подливки и каштаны она даже еще не принималась.

Но как только за мужем и дочерью захлопнулась дверь, Алекс так стошнило, что она с трудом восстановила дыхание. Она так перепугалась, что чуть было не позвонила в «Скорую». Внезапно ей захотелось, чтобы рядом оказался Брок — такой добрый, такой внимательный. Повязав голову холодной мокрой тряпкой, она встала под душ, думая, что это может помочь. Все это время ее продолжало выворачивать наизнанку. Когда в половине двенадцатого Сэм и Аннабел вернулись, Алекс все еще была в ночной рубашке, и лицо у нее было совершенно серое.

— Ты даже не оделась? — пораженно спросил Сэм. Алекс была не причесана, из чего он заключил, что ей наплевать на всех окружающих. Но в кухне приятно пахло индейкой, а все остальное тоже было либо в духовке, либо на плите. — Когда мы будем есть? — добавил он, включая телевизор, чтобы посмотреть футбол. Аннабел уже убежала в свою комнату поиграть.

— Не раньше часа. Я немного позже поставила индейку. — Она сама не понимала, каким образом это ей удалось, учитывая ее утреннюю слабость.

— Тебе помочь? — как ни в чем не бывало спросил Сэм, блаженно вытягивая ноги. Помогать было уже поздно, и Алекс не стала отвечать. Она справилась со всем без посторонней помощи, что никого так не удивило, как ее саму. Сэм даже представить себе не мог, как трудно ей было.

Алекс пошла переодеться и причесаться. Она надела белое платье, но сил на то, чтобы накраситься, у нее не было совсем. Когда они в конце концов сели за стол, ее лицо было такого же цвета, как платье. Разрезая индейку, Сэм заметил, что его жена даже и не подумала накраситься, и почувствовал прилив легкого раздражения. Она что, специально хочет выглядеть больной, чтобы ее все жалели? Могла бы и подрумяниться.

Но Алекс понятия не имела, как она выглядит, хотя чувствовала себя очень плохо. Ей казалось, что все ее тело налито свинцом, и, накрывая на стол, она еле шевелилась.

Сэм произнес ту же молитву, что и всегда, а Аннабел принялась рассказывать о параде. Но через пять минут после того как они начали есть, Алекс резко отвернулась от стола. Готовка, жаркий воздух в кухне и запахи довели ее. Она не смогла сдержать рвоту, хотя прилагала к этому все усилия.

— Ради всего святого, — шепотом заворчал на нее Сэм, еле сдерживая себя в присутствии Аннабел, — неужели ты не можешь высидеть за столом?

— Не могу, — выдохнула она между приступами рвоты, обливаясь слезами. — Я не могу остановиться.

— Но заставь же себя. Наша дочь в День благодарения заслуживает лучшего, чем смотреть на этот кошмар. Я уже не говорю о себе.

— Прекрати! — закричала Алекс, уже не сдерживая рыданий, так громко, зная, что Аннабел их слышит. — Прекрати так со мной обращаться, скотина! Я не могу этого остановить!

— Да ты ничего не можешь, черт тебя возьми! Ты целый день слоняешься в ночной рубашке, с белым, как у привидения, лицом! Ты только пугаешь всех! А мы для тебя не существуем — ты считаешь, что в нашем присутствии ты можешь блевать, когда тебе заблагорассудится.

— Отвяжись, дрянь, — простонала Алекс, снова склоняясь к полу. Может быть, Сэм прав, и это действительно эмоциональная реакция. Наверное, она его просто не выносит. Но что бы это ни было, остановиться она не могла. Алекс вернулась к столу только к десерту, и бедная притихшая Аннабел была очень печальна.

— Тебе лучше, мама? — еле слышно спросила она, глядя на нее огромными несчастными глазами. — Мне очень жаль, что тебе плохо.

Может быть, Сэм и прав. Что случилось с ее чувством ответственности? Наверное, она всем им мешает. Лучше умереть. Алекс не знала, что думать, не знала, что случилось с ее Сэмом. Он стал совершенно посторонним человеком, и все то, что она в течение многих лет чувствовала, с любовью произнося его имя, вся их взаимная доброта и нежность в мгновение ока куда-то исчезли.

— Все в порядке, киска. Мне лучше, — сказала она Аннабел, не обращая никакого внимания на Сэма.

После обеда они с Аннабел вместе лежали на кушетке, и Алекс рассказывала ей сказки. Мытье посуды и уборку она предоставила Сэму, и он выглядел совершенно разъяренным, когда закончил. Когда он вернулся в комнату, Аннабел как раз убежала к себе смотреть видео.

— Спасибо тебе за замечательный День благодарения, — саркастически сказал он. — На следующий год я с радостью пойду в другое место.

— На здоровье. — Он даже не поблагодарил ее за все, что она сделала, за все ее усилия!

— Ты специально все испортила, чтобы испугать Аннабел? Ты даже часа не могла высидеть спокойно, чтобы она не видела, как тебе плохо.

— Слушай, Сэм, я не могу понять, когда это ты превратился в такую сволочь? — спросила Алекс, поднимая на него глаза. — Ты знаешь, раньше мне не приходилось замечать, какой ты жалкий человек. Наверное, я была слишком занята.

— Мы оба были слишком заняты, — пробормотал он и отправился в студию смотреть футбол. Когда умирала его мать, в их семье тоже перестали толком праздновать День благодарения. Мама так плохо себя чувствовала, что не могла даже выйти из комнаты, не говоря уже о том, чтобы приготовить индейку. Отец обычно напивался, а Сэм проводил праздник в школе. Он любил этот день и всегда был благодарен Алекс за то, что она так хорошо справлялась с обязанностями хозяйки. Но теперь она вела себя совершенно как его мать, и он чувствовал, что начинает ее ненавидеть.

Когда матч закончился, он отправился гулять один. Долгая прогулка в парке помогла ему прийти в себя. Когда он вернулся, они съели остатки обеда. Алекс чувствовала себя немного лучше. После того как она испортила обед, у нее повысилось настроение. По крайней мере Сэму все это виделось именно в таком свете.

Аннабел все еще была подавлена. Она спросила маму, почему они с папой так кричали друг на друга. Алекс сказала, что это пустяки, что взрослые иногда ссорятся. Но Аннабел не успокоилась.

Сэм уложил Аннабел, не преминув сказать Алекс, что она слишком плохо себя чувствует, чтобы сделать это самой. Алекс не стала ему отвечать.

Поцеловав Аннабел на ночь, Алекс вернулась в спальню и легла, думая о том, какой жалкой и горькой стала ее жизнь. Трудно было поверить в то, что все когда-нибудь выправится.

И когда Сэм пришел из детской, она, подняв на него полные смирения глаза, сказала ему нечто, поразившее его:

— Тебе не обязательно быть рядом со мной, ты же знаешь. Я не хочу держать тебя в заложниках.

Алекс окончательно осознала, что прошлого не вернуть и что их семейная жизнь кончена.

— Что ты хочешь сказать? — удивленно сказал Сэм, и Алекс спросила себя, ждал ли он этого. Может быть, ему просто не хватало смелости сказать, что он хочет от нее уйти, и он желал, чтобы она сделала первый шаг.

— Я хочу сказать, что в последнее время ты выглядишь очень несчастным, как будто тебе здесь плохо. Ты в любой момент можешь уйти, Сэм, я тебя не держу.

Ей было невероятно трудно произнести эти слова, но она знала, что они должны быть сказаны. Весь тот ужас, который ей пришлось пережить за последние два месяца, не шел ни в какое сравнение с тем, как тяжело ей было сейчас. Алекс боролась за свою жизнь. И за свою семью.

— Ты меня выгоняешь? — спросил он, как ей показалось, с надеждой.

— Нет. Я тебя люблю и хочу оставаться твоей женой, но если ты ко мне ничего не испытываешь и не хочешь больше со мной жить, ты можешь уйти в любой момент.

— Почему ты мне все это говоришь? — с подозрением спросил Сэм. Что ей известно? Неужели ей кто-то сказал? Или она мысли читает? Или она услышала сплетни про Дафну?

— Потому что мне кажется, что ты меня ненавидишь.

— Это неправда, — печально отозвался Сэм. Он чувствовал, что ему нужно осторожно подбирать слова, чтобы не сказать слишком многого, но при этом быть честным. — Я просто не знаю, что чувствую. Знаешь, меня раздражает то, что между нами произошло, как будто два месяца назад нас ударила молния и теперь старые добрые времена уже никогда не вернутся.

Неделю назад те же самые слова сказал Брок о своей сестре. Удар молнии.

— Я злюсь, я напуган, мне грустно, — продолжал Сэм. — Мне кажется, что ты очень изменилась. И я тоже. И мне очень трудно постоянно говорить о твоей болезни и лечении.

Они мало об этом говорили, но Сэм видел, в каком состоянии его жена, и этого ему было вполне достаточно.

— Мне кажется, что я тебе напоминаю твою мать, — честно сказала Алекс, — и это тебе трудно пережить. Может быть, ты боишься, что я умру и оставлю тебя так же, как в свое время оставила она.

Она произнесла эти слова со слезами на глазах, но Сэма это нисколько не растрогало.

— Я тоже боюсь умереть, — закончила Алекс. — Но я делаю все для того, чтобы этого не произошло.

— Может быть, ты и права. Наверное, это сложнее, чем кажется. Но на самом деле я думаю, что мы оба изменились и между нами что-то сломалось.

— И что теперь?

— Этого я еще не знаю.

— Сообщи мне, когда будешь знать. Может быть, сходим к психотерапевту? Многие люди, с которыми случается то же самое, что выпало нам, так и делают. Уверяю тебя, наш брак — не первый, который находится под угрозой развала только от того, что у одного из супругов рак.

— Господи, да почему же ты во всем обвиняешь свою болезнь?! — нервно воскликнул Сэм. Одно название этой болезни выводило его из себя. — При чем здесь это?

— С этого все началось, Сэм. До того как мне поставили диагноз, все было в порядке.

— Откуда ты знаешь? Может быть, это просто послужило катализатором. Мне иногда кажется, что нас довели до этого три года секса по расписанию и гормоны.

Раньше ему это в голову не приходило, но на самом деле все было возможно.

— Хочешь проконсультироваться у психотерапевта? — повторила Алекс, но Сэм только покачал головой:

— Нет, не хочу. Я хочу справиться с этим сам. — Ему хотелось только одного — Дафну. Это было его лекарство, его спасение, его свобода.

— Я не уверена, что ты сможешь, Сэм. Так же, как и я. Ты уйдешь? — спросила она, явно нервничая. Другого ответа, кроме положительного, она ожидать не могла.

— По-моему, не стоит делать этого из-за Аннабел, особенно перед Рождеством и ее днем рождения.

Алекс хотелось закричать: «А я?» — но она сдержалась.

— Я хочу некоторой свободы, — продолжал между тем Сэм. — Я считаю, что мы должны жить своей жизнью, не раздражая друг друга никакими объяснениями. Давай вернемся к этому разговору месяца через два, после дня рождения Аннабел.

— А что мы ей скажем? — поинтересовалась Алекс, пытаясь скрыть свое отчаяние.

— Придумай. Пока мы живем вместе, я уверен, что она ничего не заметит.

— Не рассчитывай на это. Сегодня она меня спросила, почему мы все время друг на друга кричим. Она все понимает, Сэм. Она же не дурочка.

— Тогда мы должны сдерживаться в ее присутствии, — произнес Сэм упрекающим тоном, вызвав у Алекс желание ударить его. Он перестал быть тем человеком,

которого она любила и привыкла называть своим мужем.
Но ради Аннабел она теперь должна была делать вид,
что все в порядке.

— По-моему, это будет труднее, чем ты думаешь, —
честно сказала Алекс, посмотрев на мужа. После почти
семнадцати лет брака ей казалось невозможным делить
одну комнату, как соседям.

— Все будет зависеть от нас. Кроме того, в ближайшие несколько месяцев мне предстоит множество командировок.

— По-моему, твой бизнес претерпел драматические
изменения, — заметила Алекс, стараясь не думать
об их разбившейся вдребезги семейной жизни. — Что
там у тебя происходит?

— Саймон просто открыл для нас новые горизонты.

— Я все-таки считаю, что ты должен относиться к нему настороженно, Сэм. Может быть, вначале
твое чутье тебя не подводило.

— А я считаю, что у тебя паранойя, и я не намерен
обсуждать с тобой мои дела.

— Я вижу. И что мы теперь будем делать? Просто
здороваться и прощаться в коридоре? А как насчет
совместных обедов?

— А почему бы и нет, если мы к этому моменту
будем оба приходить с работы? Я не думаю, что надо так
резко все менять, особенно если дело касается Аннабел.
Но я перееду в комнату для гостей.

— И как ты намерен ей это объяснить? — с
интересом спросила Алекс. Казалось, он все уже про-
считал раньше. Теперь она не намерена была ему
доверять, так же, как и его новому партнеру, Саймону. Готовя документы Саймона, когда он должен
был стать партнером Сэма, она поняла, что он ей
не нравится, как не нравятся и его требования.

— Поскольку ты так плохо себя чувствуешь, —
с издевкой, как будто она симулировала свои приступы рвоты, сказал Сэм, — она, я уверен, поймет,
что я просто не хочу тебе мешать.

— Очень мило с твоей стороны, — холодно сказала Алекс, мужественно скрывая всю ту боль и разочарование, что она чувствовала. — Наверное, нам
предстоит интересная жизнь.

— Мне это кажется единственно возможным решением. По крайней мере это хороший компромисс.

— Между чем и чем? Между тем, чтобы уйти от
меня из-за того, что мне отрезали грудь, и тем, чтобы
бросить меня в беде, потому что тебе страшно? Что это
за компромисс, Сэм? Разве ты сделал хоть одну попытку
помочь мне, когда все это произошло?

Все то, что она сегодня услышала, рассердило и больно ранило ее. Он был прав. Действительно, это было все
равно, что попасть под удар молнии, и Алекс знала, что
рубец от этого удара не заживет никогда.

— Мне жаль, что ты видишь все это именно в таком
свете. Но мы должны стараться сохранить наши отношения ради Аннабел.

— А по-моему мы стараемся обмануть и ее, и
самих себя. Кого ты хочешь надуть, Сэм? Наша семья
распалась.

— Я не готов к тому, чтобы развестись с тобой, — объявил Сэм, и Алекс опять захотелось встать
с постели и ударить его.

— Очень благородно. А почему бы, собственно, и
нет? Ты боишься, что это будет выглядеть некрасиво?
Бедной Алекс отрезали грудь, но ты не можешь уйти от
нее сразу же? Ну конечно, лучше подождать несколько
месяцев. На самом деле ты действительно можешь подождать полгода, пока не кончится курс химии, а потом все

подумают, что ты просто не хотел бросать меня в трудный период. Господи, Сэм, до чего же ты отвратительно себя ведешь. Ты самый большой мошенник во всем городе, и мне плевать, что ты пытаешься от кого-то это скрыть. Я-то все равно знаю. И ты знаешь. И этого вполне достаточно. Иди ко всем чертям, Сэм. Разговор окончен.

— Почему ты так во всем уверена? Я даже тебе завидую, — признался Сэм. Он хотел освободиться от нее, но не был готов уйти. Больше всего его устраивал вариант полной свободы при отсутствии ответственности. Ему хотелось всего — и Дафны, и возможности вернуться к Алекс, может быть, через год. Расставаться со своей женой навсегда он не стремился.

— Ты меня сам во всем убедил, — сказала она, отвечая на его вопрос. — С того времени как мне сделали операцию, ты ведешь себя, как последнее дерьмо. Я могу объяснить это только тем, что тебе трудно справиться с навалившимся кошмаром, но знаешь ли что, Сэм? Это уже старо. Мне надоело находить оправдания твоим поступкам: «Он устал... это слишком неожиданно... и слишком тяжело... это напоминает ему его мать... он не может с этим справиться... ему слишком страшно...» Все это жалкие извинения, Сэм.

Слезы навернулись у нее на глаза, пока она говорила все это, да и Сэм чуть не плакал.

— Прости меня, Алекс. — Он отвернулся от жены, а она заплакала — очень тихо, так, что он не слышал. Как все ужасно складывалось с того самого дня, когда у нее обнаружили затемнение на маммограмме! Все это было на редкость несправедливо, но все равно с этим надо было жить.

— Прости меня, — повторил он, посмотрев на нее, но даже не пошевелившись, чтобы утешить ее.

Затем он вышел из комнаты, и Алекс слышала, как он ходил по кабинету, а через полчаса хлопнула входная дверь. Сэм не сказал ей больше ни слова — он просто ушел и в течение нескольких часов гулял. Дойдя до реки, он постепенно стал сворачивать к югу, пока не оказался на 53-й улице. Он знал, чего ему хочется, и спросил себя, не для того ли он разрушил свою семейную жизнь, чтобы получить это. Но думать об этом сейчас было уже поздно. Он сделал то, что должен был сделать — или хотел. Сейчас было не время склеивать разбитое — Сэму было только очень жаль, что он причинил боль Алекс. Но ведь и она сделала ему больно, пусть даже и не по своей вине. Как ни странно, Сэму казалось, что она его предала.

Сэм зашел в телефонную будку на 2-й авеню, хотя знал, что звонить бессмысленно. Ведь она же уехала на праздник в Вашингтон. Но Сэму хотелось услышать ее голос — хотя бы на автоответчике — и сказать, что он любит ее.

Но она подняла трубку на втором гудке, заставив Сэма потерять дар речи от изумления.

— Дафна?

— Да, — ответила она сонным и чувственным голосом. Было уже далеко за полночь, и он ее явно разбудил. — Кто это?

— Это я. Что ты делаешь дома? Я был уверен, что ты в Вашингтоне на Дне благодарения.

Дафна рассмеялась, и Сэм легко представил себе, как она лениво потягивается. Стоя в телефонной будке, он уже успел замерзнуть.

— Я уже приехала. Мы там устроили потрясающий ленч, где я в прямом смысле слова объелась, а потом ходили на каток. Сегодня вечером я прилетела домой. Все мои приятели завтра разъезжаются.

Мы и не планировали провести вместе уик-энд. А ты где находишься?

Сэм не звонил ей с того дня, когда Алекс начали делать химиотерапию, а Дафна только несколько раз разговаривала с ним на работе. В конце концов он был женатый человек, и Дафна вела себя очень осторожно. Она была слишком умна, чтобы вести себя иначе, и уважала его обстоятельства.

Он ответил на ее вопрос озорным хихиканьем:

— Я уже всю задницу себе отморозил. Я в телефонной будке на углу 53-й улицы и 2-й авеню. Я очень долго гулял и вот решил позвонить тебе.

— Что ты там делаешь, скажи на милость? Приходи, я напою тебя чаем. Честное слово, я тебя не покусаю.

— Ловлю тебя на слове, — сказал Сэм, а потом очень несчастным и разбитым голосом добавил: — Я очень по тебе соскучился.

— Я тоже по тебе соскучилась, — тихо и более сексуальным тоном, чем когда-либо, ответила Дафна. — Как твой День благодарения?

— Довольно мерзко, даже говорить не хочется. Ей было плохо. И всем нам было тяжело, Аннабел прежде всего... Знаешь, мы долго разговаривали сегодня вечером... Я тебе расскажу.

Слушая его, Дафна поняла, что что-то изменилось. Внезапно Сэм стал вести себя более свободно и явно более открыто. Его голос был усталым и печальным, но при этом в нем появилась какая-то оптимистическая нотка.

— Поднимайся, пока совсем не замерз.

— Хорошо.

Ее дом был всего в квартале от телефона, и весь путь до ее дверей Сэм пробежал бегом. Внезапно он понял, что это единственное место, где ему действительно хочется быть.

Так было с самого первого момента, когда он ее увидел. Дафна была воплощением юности, здоровья, красоты и совершенства.

Сэм нажал на кнопку домофона, и она впустила его.
Он взбежал вверх по лестнице, как подросток, но то, что
он увидел, когда Дафна открыла ему дверь, заставило его
застыть на месте. Ее роскошные черные волосы были
рассыпаны по плечам, закрывая одну грудь. На ней была
тонкая ночная рубашка из хлопчатобумажного кружевно-
го шитья, через которую было прекрасно видно ее вели-
колепное тело. Не говоря ни слова, Сэм рванулся к ней,
еле успев прикрыть за собой дверь.

В квартире было уютно и тепло. Не теряя времени,
Сэм снял с Дафны рубашку и откинул ее волосы за спину. И тогда его восхищенному взору открылись изящные
груди, тонкая талия, длинные, безупречной формы ноги и
восхитительное место их соединения.

— О Господи, — только и мог выговорить он.

В спальне горел только ночник, и Сэм уложил ее на
пуховую постель, которую она привезла с собой из Англии. Такая красота ему и не снилась; ее чувственность
превосходила все его ожидания, а в опытности она могла
соперничать с самой искушенной гетерой. Доводя его до
вершин экстаза и искусно возвращая обратно, Дафна заставила его взорваться внутри нее не менее пяти раз, пока
за окном не забрезжил рассвет. Это была самая чудесная
ночь в его жизни. Сэм зажег огонь в камине и занимался
с ней любовью на ковре перед ним. Потом он снова перенес ее на кровать, а потом — в ванную. Они любили
друг друга до утра, а потом еще и еще раз, а когда в
полдень они проснулись, Сэм не мог поверить, что он все
еще хочет свою великолепную подругу и способен войти в
нее. Но мягкие, шелковые губы Дафны проделали путь
от живота к бедрам Сэма, пока не нашли то, что искали,

и он, застонав от удовольствия, вошел в ее рот с яростным трепетом.

— О Господи... Дафна... Ты смерти моей хочешь, — бормотал он счастливым голосом, — но зато какая это смерть...

Потом он крепко обнял ее, не веря своему счастью. Они ждали этого момента почти два месяца, но Сэм не хотел приходить к ней, пока не почувствует себя свободным от Алекс. Но сейчас он освободился, и в мире не было другой женщины, которую он желал так, как Дафну.

— Я люблю тебя, — прошептал он, прежде чем снова провалиться в сон в ее объятиях. Дафна лежала к нему спиной, крепко прижав к его бедрам свои очаровательные круглые ягодицы, но на этот раз он был пресыщен.

— Я тоже тебя люблю, — ответила она с улыбкой.

Он стоил того, чтобы его подождать. Она всегда это знала. Обхватив ладонями ее прелестные грудки, Сэм подумал о том, как ему повезло, а потом мирно уснул, стараясь не вспоминать об Алекс.

Глава 14

Из одной только вежливости Сэм позвонил Алекс вечером в пятницу и сказал, что не придет домой до понедельника. Он не объяснил, где находится, а Алекс не стала задавать никаких вопросов. Пообещав периодически звонить, он поговорил с Аннабел и сказал, что скучает. Сэм спрашивал себя, догадывается ли Алекс о том, где и с кем он, но не позволял себе об этом думать. Потом они с Дафной отправились в «Блумингдейл» и накупили кучу одежды: полдюжины рубашек, джинсы, вельветовые брюки, пиджак, носки, нижнее белье и свитер. Кроме того, он купил бритву и все прочие туалетные принадлежности. Возвращаться домой и видеть все то, что там происходило, ему не хотелось. Он хотел только одного — быть наедине с Дафной.

Этим вечером он сам приготовил им обед. Дафна говорила, что якобы помогает, но на самом деле фланировала по кухне в чем мать родила. В итоге Сэм чуть не сжег все, что приготовил. Большая часть обеда так и осталась в микроволновой печи, а влюбленные отправились в спальню. В полночь она сделала ему омлет. Но в основном они занимались тем, что узнавали друг друга все больше и больше. Они говорили всю ночь, ели сделанный Сэмом попкорн и смотрели старые фильмы, прерываясь в самых патетических местах на то, чтобы заняться любовью.

Утром в субботу, после еще одной восхитительной ночи в объятиях Дафны, Сэму казалось, что они всегда были любовниками. Он знал, что хочет быть с ней до конца своей жизни. И теперь ему оставалось только одно — разобраться с Алекс.

— Что ты хочешь сегодня делать? — спросил Сэм, потягиваясь. Конечно, неплохо было бы продолжить их постоянный любовный экстаз, но на самом деле Сэму хотелось как-то отвлечься.

— А ты умеешь кататься на коньках? — Сидя в постели напротив него, Дафна напоминала маленькую девочку — надо сказать, довольно одаренную.

— В Гарварде я играл в хоккейной команде, — гордо ответил Сэм.

— Тогда пойдем?

Сэму казалось, что его жизнь началась заново. Юная и живая, она не обременяла его никакими обязанностями. Они отправились в Центральный парк, и, танцуя, прыгая и выделывая весьма замысловатые па в паре с ней, Сэм обнаружил, что Дафна прекрасно катается. Потом они пошли в «Зеленую таверну» на ленч и к двум часам вновь оказались в постели, чувствуя, что не занимались любовью уже целую вечность.

— А что мы будем делать с работой? — спросил он, лежа рядом с ней после очередной любовной схватки. — Я не уверен, что у меня хватит моральных сил расстаться с тобой на целый рабочий день.

Не говоря уже о том, что он обещал Алекс жить дома в течение двух ближайших месяцев и объясниться вновь после дня рождения Аннабел. Это все было сказано до того, как он переспал с Дафной. Теперь все опять изменилось, но Сэм все-таки считал, что должен выполнить свое обещание.

Накануне он уже объяснил все это Дафне, и она сказала, что это очень разумное решение.

— Твоей дочке будет очень тяжело, если ты вдруг совсем исчезнешь, особенно перед Рождеством, — сочувственно сказала Дафна. Сэм был рад, что она воспринимала все это именно так — это здорово облегчало его положение. Дафна всегда вела себя с ним очень терпеливо — с самого начала.

— Я очень хочу тебя с ней познакомить, — сказал Сэм.

— Помедленнее, мой милый, помедленнее, — отозвалась Дафна, проводя по его телу своими нежными руками. Через несколько секунд все помыслы об их семьях исчезли. Но потом Дафна призналась ему, что на Рождество отправляется вместе со своим сыном в Швейцарию кататься на лыжах. Это значительно облегчало выбор Сэма, и он решил побыть на Рождество с семьей, а потом присоединиться к Дафне в Европе и отправиться с ней в Париж, после того как ее мальчик поедет к своему отцу. Они вовсю строили планы, попутно становясь друг другу самыми близкими людьми. Сэму казалось, что он влюблен в нее так сильно, как ни в кого другого. Он изо всех старался забыть про Алекс.

И она тоже пыталась забыть своего непутевого мужа. Алекс провела тихие выходные вдвоем с Аннабел, пытаясь восстановить свои силы. Ей по-прежнему было плохо, но по крайней мере не слишком часто рвало. Лиз позвонила ей, чтобы узнать, как у нее дела; была и пара звонков от друзей, слышавших сплетни. Но ей не хотелось никого видеть, и она не переставала спрашивать себя, где сейчас Сэм и один ли он. Аннабел же с готовностью приняла версию, что он отправился в командировку, несмотря на то, что был выходной после Дня благодарения.

В воскресенье вечером Сэм так и не пришел домой, хотя Алекс думала, что это произойдет. Однако она не беспокоилась — ей было грустно, но она чувствовала, что ее это уже не касается. Он пару раз звонил Аннабел, но Алекс с ним не разговаривала, а сразу протягивала трубку дочери, стараясь не думать о своем муже.

Когда наконец пришел понедельник и Алекс смогла окунуться в водоворот дел и забыть про свои семейные проблемы, это было огромным облегчением.

Отведя Аннабел в садик и оказавшись в офисе, она сразу же почувствовала себя лучше. После долгого перерыва все ее сотрудники выглядели счастливыми и отдохнувшими. Даже Алекс, хотя у нее оказались не самые лучшие выходные.

— Ну, как прошли праздники? — спросил ее Брок, сидя у нее в кабинете. Он замечательно провел время в Коннектикуте со своими друзьями, хотя и получил кучу синяков, играя в футбол.

— Честно? — с осторожной улыбкой сказала Алекс, отвечая на его вопрос. — Отвратительно. По-моему, мы с Сэмом окончательно выяснили, что будущего у нашей семьи нет. Концерт окончен. В День благодарения мне было невероятно плохо, а он страшно рассердился. Мне кажется, это напоминает ему то, как его мать, умирая, утащила за собой в могилу его отца. Правда, он в этом не признается. Он просто приходит в ярость и ведет себя как последнее дерьмо. Так или иначе мы решили, что отныне каждый из нас живет своей жизнью, находясь под одной крышей. Конечно, это будет нелегко. У меня нет сил спорить на эту тему. Через семь недель, после дня рождения Аннабел, мы собираемся вновь вернуться к этому разговору.

— Звучит это все вполне пристойно.

— Да уж, — вздохнула она. — На самом деле это звучит патетически. Удивительно, как резко могут меняться отношения людей. Я была уверена, что с нами никогда ничего подобного не произойдет, но жизнь, оказывается, полна сюрпризов.

Алекс казалась самой себе усталой и старой женщиной, которая не в силах противостоять своему мужу. Тем не менее в ближайшие две недели она чувствовала себя гораздо лучше, чем прежде. В соответствии с планом своего лечения она сделала перерыв в приеме таблеток, а за две недели до Рождества ей предстояло еще одно внутривенное вливание.

Но после этой процедуры ее состояние опять резко ухудшилось. Болезнь настолько поглотила ее, что она даже не сделала покупок к празднику, поняв, что просто не в состоянии отправиться по магазинам. На ее рабочем столе лежал каталог «Шварца» с ее пометками, но сил на то, чтобы покупать одежду и маленькие подарки для Аннабел, Сэма, ее друзей и сотрудников, у нее не было.

— Как я себя погано чувствую, — призналась она Броку, лежа на кушетке в своем кабинете. Брок уже привык видеть ее в таком положении. Иногда она даже не прерывала своей работы, комментируя и впитывая информацию, которую он ей сообщал.

— Что я могу для тебя сделать? — сочувственно спросил Брок. — Может быть, я пройдусь по магазинам?

— Разве у тебя есть на это время?

Они оба были погребены под лавиной новых дел. Несмотря на то, что некоторые из них она передала Мэтту, им с Броком все равно досталось немало трудных случаев.

— Вечером. Магазины открыты допоздна. Дай-ка мне твой список подарков.

Но Алекс не смогла ему ответить. Она рванулась в ванную, сдерживая приступы рвоты. Только через полчаса она оказалась в состоянии продолжить разговор.

На следующей неделе ей провели очередную процедуру, которая только ухудшила ее самочувствие. До Рождества оставалась всего неделя, а она все еще не купила ни одного подарка. Но к этому моменту Лиз и Брок взяли дело в свои руки. Алекс было настолько плохо, что однажды ей даже пришлось просидеть целый день дома и не ходить на работу. Лиз пришла к ней домой, чтобы забрать список покупок, и очень огорчилась, когда увидела, в каком состоянии Алекс. Несчастная женщина плакала, стоя перед зеркалом в ванной и собирая выпадавшие целыми клочьями волосы. Она встретила Лиз, держа в руках целые рыжие пряди.

— Посмотрите, что со мной происходит, — всхлипывала она. Алекс так пока и не нашла времени, чтобы по совету доктора Уэббер приобрести парик. Целое утро ее рвало, а потом она вдруг обнаружила, что у нее выпадают волосы. — Я не могу этого выдержать, — повторяла Алекс, рыдая в объятиях пытавшейся ее утешить Лиз. — Почему это все со мной случилось? Это несправедливо.

Она плакала, как ребенок, и Лиз была рада тому, что к ней домой пришла она, а не Брок, чье сердце разорвалось бы при виде бедной Алекс.

После того как Алекс выбросила выпавшие пряди в мусорное ведро, Лиз отвела ее в гостиную. Алекс выглядела ужасно. Лицо стало бледным и одутловатым, глаза покраснели, и вообще в ней что-то изменилось. Все еще оставаясь красивой, она казалась очень больной и чрезвычайно несчастной.

— Вам надо быть сильной, — твердым голосом напомнила ей Лиз, не желая, чтобы Алекс провалилась в пучину жалости к себе.

— Я уже была сильной, — голосом, срывавшимся на крик, ответила она. — И что я в результате получила? Сэм, можно сказать, меня бросил, я его совсем не вижу. Он приходит домой не раньше полуночи или вообще не приходит, он спит в комнате для гостей, как посто-

ронний человек, и я общаюсь с ним только тогда, когда
он играет с Аннабел. Мне все время плохо, это ее пугает,
а теперь еще эти волосы. Бедный ребенок — ей еще нет
четырех лет, а у нее вместо матери какое-то чудовище.

— Прекратите! — к удивлению Алекс, оборва-
ла ее Лиз. — Вы должны быть за многое благо-
дарны, и этот кошмар не будет продолжаться вечно.
Еще пять месяцев, и, если вам повезет, все будет
позади. И если Сэм так себя повел, значит, к черту
Сэма. Вы должны думать о себе и своей дочери. И
больше ни о ком. Вы меня поняли?

Алекс кивнула и вытерла нос, удивляясь неожиданной
жесткости своей мудрой подруги. Но она прекрасно понимала, о чем говорит Лиз. Она через это прошла. Муж
Лиз, не в пример Сэму, поддерживал ее, но все равно это
была ее битва, и ничья иная, в чем она и пыталась убедить Алекс.

— Химиотерапия — на редкость неприятная вещь,
а удаление груди — вообще ужасно, но вы не должны
плевать на себя. Ваши волосы снова вырастут, а рвота
рано или поздно прекратится. Попробуйте заглянуть вперед. Подумайте о том, что вы должны сделать за ближайшие пять месяцев. Сосредоточьтесь на этом, а не на
своей болезни, и поставьте перед собой какую-нибудь
реальную цель, — сказала Лиз.

— Для начала — чтобы рвота меня больше не
мучила.

— Постепенно вы к этому привыкнете. Как бы ужасно
это ни звучало, но это так. Даже это вы можете держать
под контролем.

— Я знаю. Меня уже перестало удивлять, что я так часто
оказываюсь на полу в ванной. Но не волосы. Я знаю, что
должна была этого ожидать, но все же надеялась, что все
обойдется, — в новом приступе отчаяния добавила она.

— Вы уже купили парик?

— У меня не было времени, — сказала Алекс, чувствуя себя идиоткой.

— Я вам куплю. Такой же рыжий, как ваши волосы, — сказала Лиз, касаясь ее плеча. — Ну, где ваш рождественский список? Я попробую сегодня купить что смогу, а потом мы вместе с Броком разделим между собой оставшееся и посмотрим, все ли мы сможем найти. К выходным все будет готово.

Кармен уже пообещала ей как-нибудь остаться на вечер и помочь упаковать подарки. Они все потрясающе к ней относились. Кто три месяца назад мог предположить, что тремя самыми важными людьми в ее жизни станут ее домработница, секретарша и адвокат-помощник. Все они были посланы ей самим Богом. И без них она бы не справилась.

Кроме того, она совершенно не ожидала, что Сэм так поведет себя с ней. Он практически не приходил домой и всячески сторонился ее, как будто был не в состоянии выдерживать ее состояние. Когда бы она его ни встречала, он всегда куда-то спешил, был хорошо одет и выглядел очень красивым.

Брок и Лиз пришли к ней поздно вечером, нагруженные покупками. Алекс позвонила Броку на работу и попросила его купить для Лиз красивую сумочку. Он отыскал где-то очень красивую черную сумку из кожи ящерицы, и они оба решили, что она ей понравится. То, что они накупили, было очень красиво, а после того как Лиз ушла, Брок остался выпить чашечку чаю.

— Спасибо тебе за все. Я чувствую себя обузой для всех вас, — сказала Алекс. Но она сознавала, что выбора у нее не было, и с благодарностью принимала помощь.

— Это не так-то уж и сложно, — тихо ответил Брок. — Купить подарки на Рождество для близкого человека — это не на Килиманджаро взобраться, хотя ради тебя я сделал бы и это.

Алекс благодарно улыбнулась. Брок стал ей настоящим другом, и это очень много для нее значило. Сидение дома тоже пошло ей на пользу — она чувствовала себя немного окрепшей. Но волосы не давали ей покоя. Алекс встретила гостей в платке, хотя Лиз предупредила Брока о том, что происходит. Она собиралась купить Алекс парик, но не нашла ничего подходящего. Алекс сказала, что сама купит его завтра утром.

— Ты теперь одна? — спросил Брок, имея в виду Сэма, и Алекс пожала плечами.

— В основном да.

Последние три недели Сэм много ездил и довольно редко появлялся дома. Алекс его почти не видела.

— Я уже к этому привыкла, — продолжала она. — Я боялась, что Аннабел расстроится, хотя она общается с ним чаще, чем я.

Брок понял, что у нее будет довольно унылое Рождество. Разваливающийся брак, хрупкое здоровье, падающие волосы и одна грудь — это было слишком. Ему было жаль Алекс, и он искренне желал ей помочь. Между Рождеством и Новым годом он собирался поехать кататься на коньках в Вермонт, но теперь ему хотелось составить ей компанию на праздники, хотя он не думал, что она согласится. Но потом ему в голову пришла идея получше.

— Наверное, это прозвучит странно, но ты не хотела бы поехать вместе со мной в Вермонт между Рождеством и Новым годом?

Зная расписание ее лечения не хуже, чем она сама, Брок легко вычислил, что как раз в это время Алекс будет в наилучшей фазе, когда ей не надо будет принимать таблетки и делать внутривенные вливания.

— Ты можешь взять с собой Аннабел. Я буду жить в доме моих друзей в Шугарбуше. Он немного деревенского вида, но очень удобный. Ты можешь целыми днями сидеть у камина, а я научу Аннабел кататься на лыжах.

— Скорее всего Сэм уедет с ней в Диснейленд перед своим путешествием в Европу.

При всей симпатии, которую Алекс испытывала к Броку, она не могла себе представить поездку в Вермонт вдвоем с ним. Брок видел, что она колеблется.

— Подумай об этом. Тебе же будет здесь одиноко.

— Хорошо, — согласилась она из простой вежливости.

Он пробыл у нее еще некоторое время и ушел, а Алекс легла спать, думая о том, как ей повезло с друзьями. На следующий день она чувствовала себя гораздо лучше — до первого взгляда в зеркало, когда она увидела, что за ночь волос выпало еще больше. На платке было три пряди, которые Алекс вдруг безумно захотелось сохранить. Вглядевшись в себя повнимательнее, она обнаружила на голове явные проплешины и снова заплакала. Она потеряла все, превратившись из полноценной женщины в нечто страшное, в тело, разваливающееся на куски. Опасаясь, что Аннабел увидит это, она быстро накинула на голову платок и отправилась на кухню, где, к ее удивлению, ее дочь ела корнфлексы на завтрак в компании Сэма.

— Ты хорошо выглядишь, мама, — сказала Аннабел, с восхищением глядя на темно-зеленый костюм Алекс и подходящий по цвету шелковый шарф, который она нашла в гардеробе. Во всем этом она действительно смотрелась шикарно и по-европейски.

— Что это ты так оделась? — с улыбкой спросил Сэм. На работе она всегда старалась выглядеть скромнее. — Ты куда-то идешь?

Сэм вел себя очень непринужденно. Он пытался поддерживать с ней светские беседы, и Алекс это знала. Она не стала говорить ему, почему вынуждена носить шарф или платок, а Сэм ни о чем не догадывался — он не был настолько догадливым.

— У меня сегодня встреча. — Встреча в магазине париков на 60-й улице, который ей порекомендовала доктор Уэббер, сказав, что там огромный ассортимент фасонов и оттенков, а продавцы не раз сталкивались именно с такого рода проблемами.

— Что у тебя с Рождеством? — спросила Алекс, отвлекая его от чтения газеты. — Насколько я понимаю, Аннабел будет здесь со мной, пока ты не уедешь вместе с ней. Когда это будет? Двадцать шестого? На неделю?

— Мы будем в Диснейленде до первого числа, а потом я прилечу с ней сюда и уеду в Швейцарию. А к твоему дню рождения я вернусь, — добавил он с улыбкой, обращаясь уже к Аннабел.

— Весьма насыщенное расписание, — кислым голосом сказала Алекс, спрашивая себя, куда это он едет. — А на Рождество ты будешь дома или у тебя другие планы? — добавила она холодно, и Аннабел изменилась в лице.

— Папа, ты будешь справлять Рождество где-то еще?

— Конечно же, нет, — успокоил девочку Сэм, пронзая злобным взглядом Алекс. — На Рождество мы все будем вместе.

Аннабел снова заулыбалась, а Алекс откинулась на стуле и закрыла глаза, чувствуя прилив тошноты. Ее совершенно изматывало общение с Сэмом, а иногда и общение с дочерью. Они вытягивали из нее слишком много сил. Давать им все, в чем они нуждались, и одновременно бороться с мужем за выживание и собственное достоинство — это было слишком. Алекс казалось, что ей просто не хватает дыхания.

Сэм с Аннабел отправились в садик, а Алекс — в центр, в магазин париков. Она сомневалась в том, что ей удастся что-то подобрать, но разнообразие выбора ее ошеломило. Доктор Уэббер была права, и совсем скоро Алекс выбрала два очень дорогих парика, выглядевших совершенно как ее натуральные волосы, — короткий парик с прической пажа и совсем короткий, кудрявый, как волосы Аннабел. Все они были натурального цвета меди. Расплатившись, Алекс с некоторой опаской надела один из них. Искусственные волосы были гораздо длиннее и пышнее, чем ее собственные. Они были очень хорошо уложены и в сочетании с ее зеленым костюмом выглядели шикарно. Повязав шарф вокруг шеи, Алекс снова почувствовала себя человеком. Все-таки внешний вид играл огромную роль. Она ругала себя за то, что не купила парика раньше.

— Бог ты мой, какая красота! — воскликнул Брок, когда она пришла на работу. Лиз улыбнулась широкой — от уха до уха — улыбкой. Зная, куда пошла Алекс, она с удовольствием отметила, что парик ей очень идет и она выглядит гораздо лучше, чем вчера, несмотря на прежнюю бледность.

— Ты ходила к парикмахеру? — спросил Брок и тут же прикусил язык, проклиная себя за глупость — ведь Лиз говорила о том, что происходит с Алекс.

— В некотором роде.

— Мне очень нравится, — произнес он, глядя на нее восхищенным взглядом, и Алекс почувствовала внезапное смущение. За последние два месяца они очень сблизились, но по-прежнему оставались всего лишь друзьями. Пару раз она, правда, заметила, что Брок как-то по-особенному на нее смотрит — как на женщину, а не как на приятельницу, и это удивило ее.

После этого разговора они приступили к работе и очень плодотворно провели утро. Во время перерыва на ленч Алекс прилегла на кушетку. Другие сотрудники отправились на рождественские ленчи и вечера, но у Алекс сил хватало только на работу и общение с дочерью.

Остаток дня она провела за своим рабочим столом в полном одиночестве и перед самым уходом встретилась с двумя своими партнерами. Брок снова отправился по магазинам, и, придя домой, Алекс застала Кармен упаковывающей ее подарки. Она сразу же почувствовала себя ненужной и беспомощной, но даже не предложила ей свою помощь — настолько она была измучена.

Сэм пришел домой с рождественской елкой, тщательно украсил ее и ушел, испортив Алекс настроение. Она вспомнила Рождество, предшествовавшее рождению Аннабел, и многочисленные другие праздники. Теперь ей казалось, что все это было очень давно, в каком-то другом мире. Как все сильно изменилось! Вечером она сидела в постели и читала свою почту, пытаясь не вспоминать о Сэме. На столе она нашла приглашение на рождественскую вечеринку — друзья звали их к себе в гости — и с сожалением отложила его в сторону. У нее не было сил идти куда бы то ни было, особенно на вечеринки.

Чтобы составить компанию Аннабел, желавшей посмотреть на Санта-Клауса в одном из универмагов, Алекс пришлось буквально заставить себя. Дома у нее снова начался приступ рвоты. Она чувствовала себя совершенно изможденной. Кармен не было, и через некоторое время Аннабел нашла маму лежащей на полу в ванной, без парика и с закрытыми глазами. За последние несколько дней у нее выпали почти все волосы. Остатки она состригла сама, и теперь на голове оставались лишь несколько одиноких кустиков, которые редели с каждым днем.

— Мама! У тебя упали все волосы! — воскликнула Аннабел, увидев парик. Алекс подскочила — она не хотела, чтобы ее дочь видела все это. Аннабел плакала и в ужасе хватала ручонками собственные волосы. Успокоить ее было невозможно.

— Это просто парик, моя девочка. Ничего страшного, — говорила она. Аннабел посмотрела на нее, как на призрака из страшного сна. И действительно, Алекс выглядела как очень больной человек — с редкими прядками волос и почти совсем обнажившимся черепом. Приятного в этом зрелище ничего не было. Алекс даже подумывала о том, чтобы побрить голову.

— Я же тебе говорила, что у меня могут выпасть волосы. Ничего страшного, они потом опять вырастут, — сказала Алекс, вставая на колени, чтобы успокоить ее, но девочка заплакала еще сильнее. — Я тебя очень люблю, не плачь, пожалуйста...

Алекс ненавидела свой парик и то, что она была вынуждена его носить. Внезапно все в ее жизни стало не так, как надо. У нее не раз возникало искушение обвинить в этом Сэма, но она знала, что не имеет на это права.

Чтобы привести в норму Аннабел, потребовалось очень много времени, и когда во второй половине дня пришла Кармен, девочка все еще была в очень подавленном состоянии.

— Ничего, она к этому привыкнет, — сказала Кармен, касаясь руки Алекс, которая уже надела парик — тот, что был покороче.

Во время дневного сна Аннабел Алекс решила подышать свежим воздухом. До Рождества оставалось два дня, но у нее было совершенно не праздничное настрое-

ние. Лиз и Брок купили все подарки, кроме изысканного
несессера для Сэма, который она выписала по каталогу
«Тиффани». Она не пошла ни на одну вечеринку и не
видела никого из друзей. Кроме Санта-Клауса и елки в
доме, ничто не напоминало ей о Рождестве.

— Вы не устанете, миссис Паркер? — заботливо
спросила ее Кармен.

— Нет. Я немного пройдусь по Мэдисон.

— Сейчас очень холодно, наденьте шапку! — крикнула она вслед, заставив Алекс улыбнуться. На ней
был парик.

— Мне не нужно! — В лифте она вспомнила
слова Сэма о том, что на Рождество он будет с
ними, но она едва видела его на этой неделе, из
чего можно было заключить, что он ходит на обычные
вечеринки, даже не приглашая ее присоединиться
к нему. Он понимал, что она все равно не в состоянии, и вместе они никуда не пойдут. Она даже
отклонила приглашение их ближайших друзей в Грин-
вич-Виллидж.

Алекс шла медленно, останавливаясь у витрин магази-
нов. Особенно красивая витрина была в «Ральф Лорен».
Разглядывая ее, Алекс вдруг заметила выходящую из магазина яркую и привлекательную девушку, которая смеялась и разговаривала с английским акцентом. На ней были
короткое черное полупальто и черные замшевые ботинки,
подчеркивавшие потрясающие ноги. Воротник пальто был
из соболя и придавал ее облику оттенок романтизма. Девушка повернулась к своему спутнику, и Алекс улыбнулась, увидев, как он целует ее. Это напомнило ей об их с
Сэмом прошлом. Мужчина в хорошо скроенном темно-
синем пальто даже немного напоминал ее мужа. В руках у
обоих были покупки, завернутые в алую бумагу с золоты-
ми бантами. Пара выглядела такой молодой и влюблен-
ной, что у Алекс защемило сердце. Они снова

поцеловались, и тут Алекс, вглядевшись в наклонившегося к девушке мужчину, поняла, кто это. Ее рот сам собой открылся, и она не могла оторвать взгляда от Сэма, постепенно осознавая, что же произошло. Он завел роман с другой, и можно было только гадать, как долго это продолжается и когда началось — до того, как она заболела, или после. Может быть, все дело было именно в этом? А что, если он использовал ее болезнь только как предлог для того, чтобы оставить ее?

Ей хотелось отвернуться от них, но она не могла заставить себя сделать этого. Сэм взял свою спутницу за руку, и они оба направились к другому магазину. Ее присутствия они не заметили.

Слезы бежали по щекам Алекс. Теперь она окончательно поняла, что между ними все кончено. С такой девушкой она соперничать не могла. Подруге Сэма на вид было не больше двадцати пяти, да и Сэм рядом с ней помолодел. Пока она его не узнала, ей показалось, что ему не больше тридцати лет. И Алекс повернула домой и почти побежала по Мэдисон, не слыша ни гимнов, ни колокольчиков Санта-Клауса, не видя ни празднично одетых людей, ни рождественских елок за окнами — ничего, кроме ее собственной жизни, лежавшей перед ней в обломках.

Когда она вернулась в свою квартиру, оказалось, что гуляла она всего полчаса. Прогулка явно не пошла на пользу ее внешнему виду — она была бледна, руки дрожали так, что она только с третьей попытки смогла повесить свое пальто на крючок. Заплетающимися шагами войдя в спальню и закрыв за собой дверь, Алекс легла на кровать, спрашивая себя, сможет ли она когда-нибудь смотреть в глаза своему мужу. Так вот почему он хотел свободы! Когда он говорил, что ему нужно время, это был просто обман, игра. Ему нужна была только новая женщина. И он ее нашел.

Алекс вошла в ванную и посмотрела на себя в зеркало. Ей казалось, что она выглядит, как столетняя старуха; медленно сняв парик, она воочию увидела, во что она превратилась. Лысая уродина, больная раком и оставшаяся без одной груди. Вспомнив о подруге Сэма, Алекс осознала самую горькую правду. Она больше не была женщиной.

Глава 15

В рождественский вечер Сэм пришел домой рано, проводив улетавшую в Лондон Дафну. Она собиралась навестить своих родителей и сына, а Сэм хотел присоединиться к ним в Швейцарии, свозив Аннабел в Диснейленд.

Он подарил Дафне эффектный браслет с бриллиантами и булавку с рубиновой головкой в форме сердца, купленную им в «Фред Лейтон». Сэм всегда отличался щедростью и купил кое-что и для Алекс — очень красивые часы от Балгэри, о которых она давно мечтала. Впрочем, они не были такими дорогими, как подарки Дафне, и он не стал покупать ни одной из тех приятных мелочей, которые бы свидетельствовали о его интересе и любви к жене. Он не хотел вводить ее в заблуждение.

Нельзя было не заметить, что в этом году они справляли Рождество совсем не так, как в прежние годы. Несмотря на все их усилия, Аннабел все равно чувствовала неладное, и когда они положили за дверью печенье для Санта-Клауса и соль и морковь для его северного оленя, девочка вдруг расплакалась.

— А вдруг он не принесет мне того, о чем я просила? — безутешно всхлипывала она, несмотря на утешения родителей. В конце концов она призналась, что боится, как бы Санта-Клаус не рассердился на нее за то, что в этом году она попросила у него нечто «трудное».

— Я хочу, чтобы мамочка выздоровела и перестала пить лекарства и чтобы волосы снова выросли.

Услышав это, Алекс расплакалась сама так, что ей даже пришлось отвернуться, и даже Сэму стало тяжело.

— И что он тебе сказал? — хриплым голосом спросил Сэм. Оказывается, Аннабел нашептала Санта-Клаусу свои просьбы на ухо, когда ходила вместе с Алекс смотреть на него в «Мэйси».

— Он сказал, что это дело Бога, а не Санта-Клауса.

— И он прав, моя принцесса, — ответил Сэм. Алекс вытерла нос и поправила свой длинный парик. — Мама обязательно выздоровеет, и волосы у нее вырастут снова.

Сэм был удивлен, когда услышал, что у его жены выпали все волосы — он не заметил, как это произошло, а Алекс ему не говорила. Это заставило его осознать, как он отдалился от своей семьи, будучи настолько поглощенным Дафной и их романом, что ничто другое его не интересовало. Ему совсем не хотелось знать, что происходит дома, и он почти не обращал внимания на то, что происходит на работе.

Ларри и Том пару раз делали ему критические замечания, но Саймон, казалось, был вполне доволен им. Однажды Ларри сказал ему, что ему и Фрэнсис — его жене — очень жаль Алекс. Он явно не договаривал того, что ему жаль их распадающийся брак — разумеется, все уже заметили их близость с Дафной. Но Сэм абсолютно ни о чем не жалел. Он счел, что его партнеры просто ему завидуют. Ему даже не приходило в голову, что они могут считать его не вполне порядочным человеком из-за того, что он бросил Алекс в такой ситуации, когда она болела раком и переживала курс химиотерапии.

Постепенно Аннабел успокоилась, и они вдвоем уложили ее. На лице девочки было написано такое счастье, что Алекс чуть снова не расплакалась. Когда они вернулись на кухню, Сэм, положив в рот одно из печений для Санта-Клауса, смущенно сказал:

— А я и не заметил, что у тебя выпали волосы.

В этом году в их доме как будто все уменьшилось. Меньше печенья, меньше пирогов, меньше подарков, меньше тепла. Даже елка казалась какой-то маленькой. Из-за болезни Алекс никто не позаботился о всяких приятных мелочах. И рождественских открыток они никому не посылали. У Алекс не было на это сил, и, кроме того, она не знала, как их подписывать. Алекс... и, возможно, Сэм... как-нибудь так.

— Я думала, что ты не хочешь, чтобы я заявляла об этом во всеуслышание, — сказала Алекс, стараясь не думать о женщине, в чьем обществе она видела его накануне. Труднее всего было смириться с той мыслью, что это явно не было легкое увлечение. Сэм с той девушкой казались мужем и женой.

— Они вырастут, — сказал Сэм, снова чувствуя себя беспомощным. Рядом с женой он всегда ощущал себя неловким и ненужным.

— Волосы — да. Наш брак — нет, — печально откликнулась Алекс. Она помнила о том, что они решили не обсуждать этого до следующего месяца, но удержаться было трудно.

— Ты уверена в этом? — спросил Сэм, глядя ей прямо в глаза в ожидании ответа.

— А ты нет? У меня создалось впечатление, что ты уже все решил.

Это впечатление возникло у нее вчера, когда она видела его с этой англичанкой около магазина.

— Никогда нельзя быть в чем-то твердо уверенным. Трудно не вспоминать хорошие времена.

— Мне кажется, что хорошие времена были совсем недавно, — честно сказала Алекс. — Может быть, ты был несчастен дольше, чем я.

— Скорее смущен. Меня очень смутило, что когда ты заболела, то сильно изменилась.

Это прозвучало не как обвинение, а как утверждение. Сэм таким образом оправдывал свое поведение и приобретал билет на свободу.

— Мы оба изменились. Мне кажется, что такого рода вещи всегда меняют людей. Это длинная и тяжелая дорога к выживанию.

— Как это все ужасно, — сказал Сэм, в первый раз испытывая к ней сочувствие. В последние дни он стал мягче, и Алекс это заметила. Влюбившись, он смог посмотреть вокруг более умиротворенным взглядом. Но Алекс не находила в этом ничего трогательного. — Ты прошла через несколько кругов ада.

— И несколько еще впереди, — улыбнулась она. — Если говорить точно, четыре с половиной месяца.

— А потом что?

— А потом я буду ждать, нет ли рецидива. Пять лет — это волшебная цифра. Может быть, характер моей опухоли дает мне хорошие шансы, которые только подкрепляются химиотерапией. Мне кажется, что мне нужно жить своей жизнью и просто не брать все это в голову. Мои знакомые, которые через это прошли, говорят, что вспоминают о болезни раз в год, когда ходят на обычное обследование. Хотела бы я к ним присоединиться. Все-таки это очень страшно.

Это был их первый настоящий разговор об этом за три месяца, и Алекс очень удивилась тому, что Сэм не пытается уйти от разговора. Кто бы ни была та девушка, ей удалось привести его в человеческий вид. Но никакой

благодарности по отношению к ней Алекс не испытывала — только ревность, печаль и гнев.

— Если у тебя будет рецидив, — решил подбодрить
ее Сэм, — ты с ним тоже справишься.

— Вряд ли, — спокойно сказала Алекс, борясь
с желанием снять парик, под которым прела голова.
Но она боялась показывать ему, как она теперь выглядит. — За исключением редких случаев, от рецидивов умирают. Поэтому при первой вспышке болезни
врачи и действуют так решительно.

Сэм был поражен услышанным. Возможно, раньше
она не говорила об этом так прямо, или же он не вслуши-
вался. Общение с женой после Дафны затрагивало какие-
то струны в его душе, но ничего более. Для него это было
уже прошлое. По отношению к Алекс он испытывал только
жалость и с нежностью вспоминал лучшие времена.

— Что ты будешь делать, когда мы с Аннабел
уедем? — спросил Сэм, пытаясь сменить тему. Ему стало тяжело говорить об этом.

— Ничего. Спать, отдыхать, работать. Как ты понимаешь, в последнее время я веду не слишком активную
светскую жизнь. Все силы, которые у меня есть, я трачу
на Аннабел и свою работу.

— А почему бы тебе не уехать? Это пойдет тебе на
пользу. Или ты не можешь?

— Могу. Каждый месяц у меня двухнедельный перерыв в лечении, но я хочу остаться здесь.

Она не собиралась уезжать с Броком, хотя он ее и приглашал. Несмотря на то, что их так сближала работа, она его
едва знала. А одной ей уезжать не хотелось. Лучше всего
Алекс чувствовала себя в своей квартире, в своей постели,
среди привычных вещей, поблизости от ее врача. В последнее время она стала интровертом, который сильно зависит от
знакомых вещей. В ее жизни стало так много пугающих

элементов, что она не могла позволить себе впускать в нее что-то новое.

— Это ужасно, что ты будешь одна, — виновато сказал Сэм. Странно, но после отъезда Дафны он внезапно почувствовал прилив ответственности по отношению к Алекс. Ему казалось, что его действия диктует какая-то внешняя сила, и это ему не слишком нравилось. Так что можно было только порадоваться тому, что на следующий день он вместе с Аннабел уезжает в Диснейленд.

— Все будет в порядке. Я на самом деле никуда не хочу уезжать. И потом, у меня куча работы, так что скучать я не буду.

— Помимо работы, в жизни есть много интересного, — улыбнулся Сэм, и Алекс вопросительно подняла на него глаза:

— Ты это серьезно, Сэм?

Он вышел из кухни, не ответив ей, но спрашивая себя, догадалась ли она каким-то шестым чувством о существовании Дафны или кто-то сказал ей об этом. Впрочем, в последнем он сомневался. Она была слишком поглощена собой, чтобы думать о ком-то еще. Возможно, она просто что-то подозревает.

Все подарки для Аннабел были упакованы и спрятаны в особом месте. Вскоре, после девяти, они положили их под елку, а затем разошлись по комнатам, как незнакомые друг другу люди. Алекс немного почитала, а в двенадцать услышала, как звонит телефон. Она не стала поднимать трубку, зная, что звонят Сэму. И действительно, это была Дафна, только что прилетевшая в Лондон и уже успевшая соскучиться. Обрадовавшись возможности поговорить с ней, Сэм вдруг понял, что находиться рядом с Алекс было очень тяжело. Казалось, она решила отказаться от жизни, и все ее окружавшее опадало и умирало — ее настроение, ее волосы, ее семья. Сэм понимал, что должен поддерживать свою жену, но просто не мог этого сделать.

— Я очень сильно по тебе скучаю, милый, — щебетала Дафна. — Мне без тебя очень плохо. Поспеши. Господи, здесь так холодно!

Она уже успела забыть, что такое лондонская зима, и выяснилось, что отопление в ее квартире вышло из строя. У нее был только камин и не было Сэма, чтобы согреть ее.

— Перестань, — сказал он, чувствуя острую боль от расставания с ней, — или я улечу на следующем же «конкорде».

— Я бы очень этого хотела.

Но они оба знали, что не могут позволить себе встретиться, пока каждый из них не выполнит своего родительского долга.

— Я этого не вынесу, — повторила Дафна. Наконец они положили трубки, и Сэм почувствовал, что хочет ее всем своим телом. Лежа в постели, он думал об этой восхитительной женщине, которая так круто изменила его жизнь после Дня благодарения. Ничего подобного у него никогда не было. Даже Алекс в лучшие дни не отличалась такой страстностью.

Наутро Аннабел проснулась в шесть утра, и для нее это был длинный и счастливый день. Сэм и Алекс тоже получили удовольствие от Рождества. Аннабел понравились все ее подарки, а Сэм был тронут щедростью подарка Алекс и тепло ее поблагодарил. Ей тоже понравились часы, хотя она и прекрасно поняла, что он хотел этим сказать — время для маленьких интимных подарков прошло. На мгновение Алекс стало больно, но в целом они очень хорошо провели время.

Алекс удалось не только приготовить ростбиф с гарниром, но и скрыть от всех, как ей плохо. По крайней мере такого кошмара, как в День благодарения, не было. После обеда она прилегла, и, ради шутки, поскольку они были дома, надела свой короткий парик, так что они с Аннабел стали похожи на близнецов. Даже Сэм сказал, что ему нравится.

Алекс была одета в красный свитер и черные замшевые брюки и выглядела на редкость привлекательной. Ее лицо было немного одутловатым, она прибавила в весе, но все эти изменения были не слишком заметны. Потолстеть в таком состоянии, учитывая, как сильно ее каждый день рвало, было особенно странно, но именно это и предсказывала доктор Уэббер.

Днем они все пошли прогуляться, и Сэм повел их к Центру Рокфеллера, чтобы они могли посмотреть на катающихся на коньках. Но это только напомнило ему о Дафне.

Алекс очень устала, и им пришлось взять такси до дома. Она с трудом передвигала ноги, так что Сэм вынужден был тащить ее до постели чуть ли не на руках. Суставы у нее болели, и без посторонней помощи она не могла сделать лишнего шага.

— Маме плохо? — обеспокоенно спросила Аннабел, и Сэм кивнул, разрываясь между жалостью к своей жене и злостью на нее за то, что она пугала дочь своей болезнью.

— Хорошо, — все же твердо ответил он.

— А когда мы поедем во Флориду, она без нас будет болеть?

— Все будет прекрасно. О ней позаботится Кармен.

Аннабел успокоилась, а через некоторое время Алекс встала, чтобы собрать дочку в дорогу. Складывать в сумку все ее маленькие вещички было приятно, но внезапно Алекс пронзила ужасная мысль. А что, если однажды она уже не сможет заботиться об Аннабел и придется отдать ее Сэму? Что, если она потеряет и ее? Одна мысль об этом вызвала у нее новый прилив тошноты. Ее трясло; она поняла, что не допустит, чтобы произошло нечто подобное, чтобы ее дочурка досталась Сэму и той женщине. Страх заставил ее высидеть вместе с ними за обеденным столом, хотя после всех хлопот этого долгого дня у нее совершенно не было сил. Но тем не менее она легла спать только после того, как уложила Аннабел, и проснулась от будильника на следующее утро.

Одев Аннабел, она пожелала ей весело провести время и звонить, если ей этого захочется. Потом она прижала девочку к себе и обняла так, как будто боялась, что больше никогда ее не увидит. Почувствовав мамин страх, Аннабел заплакала, и они еще долго стояли обнявшись. Девочка знала, что мама ее очень любит, и инстинктивно чувствовала, как ей одиноко.

— Я тебя люблю, — крикнула ей Алекс, когда они с Сэмом уже вошли в лифт. Сэм смотрел на нее со знакомым раздражением, а Аннабел тихо плакала.

— Мама поправится, — еще раз заверил он Аннабел, когда они с сумками ловили такси на улице. Он злился на свою жену. Совершенно не нужно было так прилипать к девочке и пугать ее. Знакомое ему чувство обиды, посещавшее его в октябре этого года и раньше, когда умирала его мать, снова возникло в его душе. Уехать от нее было настоящим облегчением. Как бы она ни старалась не докучать им своей болезнью, находиться рядом с ней было тяжело.

Наконец таксист повез их в «Ла Гуардию», а Алекс смотрела на отъезжающую машину из окна спальни и думала о том, как она будет скучать по ним обоим. За последние два дня она общалась со своим мужем больше, чем за весь уходящий месяц. В каком-то смысле это было приятно, в каком-то — очень болезненно. Она как бы заставляла себя смотреть на что-то, ей уже не принадлежавшее. Даже после того как он причинил ей такую боль и так ее подвел, она постоянно напоминала себе о том, что ей надо перестать его любить. Заботиться о нем она была не в состоянии, а после того как она увидела Сэма с этой англичанкой, она поняла, что рассчитывать ей совершенно не на что. Проводив его, она почувствовала некоторое облегчение.

Через некоторое время она помыла оставшиеся после завтрака тарелки и прибрала кровать Аннабел. Кармен не было. Поскольку Аннабел уехала, Алекс сказала ей, что не нуждается в ее помощи и дала ей целый день. Бесцельно прослонявшись несколько минут по комнате, она отправилась в ванную, чтобы принять душ. Она пыталась заставить себя одеться и пойти прогуляться, чтобы не чувствовать себя такой одинокой, однако это сразу же напомнило ей о том, как три дня назад она встретила Сэма в обществе его подружки. И внезапно она поняла, что ей совсем не хочется выходить на улицу. Лечь в постель и спать, спать целый день. Больше делать было нечего, поскольку на работу идти было бессмысленно. Но какой-то спартанский дух все же подстегивал ее к тому, чтобы помыться и переодеться. Сняв в ванной парик, она случайно взглянула на себя в зеркало. Последние остатки волос выпали, и она стала совершенно лысой, без единого волоска. Потом она сняла халат и ночную рубашку и вдруг поняла, что именно так она выглядит в глазах Сэма. Лысая и с пересекающим грудь рубцом. То, что когда-то было ее грудью, теперь представляло собой кусок белой кожи с розовым шрамом и полным отсутствием соска. Это не было похоже даже на мужскую грудь. Она превратилась в ничто, в манекен без волос и груди, подобный тем, которые сваливали в кучу в кладовках универмагов в те дни, когда там меняли витрины.

Увидев свое отражение в полный рост, Алекс снова начала плакать. Ей вдруг стало ясно, что вместе с Сэмом ушла и Аннабел. Уже потеряв мужа, она может постепенно потерять и дочь. Как будто ее отрезали от всего, что она когда-то любила и хотела. Ей осталось только одно — работа, которую она тоже не могла выполнять так, как раньше. Алекс чувствовала себя уродливой, никому не нужной и больной. Не лучше ли умереть сейчас, пока она еще не потеряла и то немногое, что у нее осталось? Зачем ждать, пока у нее заберут последнее? Пока Сэм не скажет ей, что ему нужен развод, чтобы он мог жениться на той девушке, а Аннабел не привяжется к ней. Зачем ждать, пока они ее убьют или оставят в полном одиночестве?

Алекс стояла и плакала, глядя на себя в зеркале. Где-то в глубине квартиры зазвонил телефон, но она решила не брать трубку. В конце концов ее желудок отреагировал на все те душевные муки, которые она испытывала, и, как была обнаженная, она склонилась над унитазом. Все это было уже хорошо ей знакомо. Во что она превратилась? Разбитый механизм, способный только лишь изрыгать из себя желчь. От прежней Алекс ничего не осталось. Когда ее наконец отпустило, она некоторое время лежала на полу в ванной, а потом медленно добралась до кровати и, так и не одевшись, свернулась калачиком под одеялом. Она ничего не ела целый день, а Аннабел с Сэмом не звонили — круговорот Диснейленда захватил их. Они были там, где шла настоящая жизнь, в том солнечном мире, который был наглухо закрыт от Алекс, лежавшей в своей одинокой спальне за темными занавесями зимы своей жизни. Проплакав почти весь день, к вечеру она снова почувствовала, что пустой желудок дает себя знать, и вернулась в ванную. День превратился в череду слез и приступов рвоты, да еще и из зеркала на бывшую красавицу Алекс смотрело лысое привидение. Даже не включая света, она видела свое отражение.

Во второй половине дня снова зазвонил телефон, но Алекс не стала утруждать себя. Она чувствовала себя слишком больной, усталой и потерянной. Все, чего ей хотелось, — это умереть, а не разговаривать с кем-то, кто пытался ей дозвониться. Аннабел сейчас в ней не нуждалась — она была с Сэмом. Она никому была не нужна. Она была ничто. Никто. Даже не женщина.

Однако звонки не прекращались, и Алекс, лежа в слезах на постели, молча желала, чтобы телефон замолчал, но тщетно. В конце концов она сняла трубку, но ничего не сказала.

— Алло? — раздалось на том конце провода. Голос был знакомым, но мысли Алекс настолько спутались, что она его не узнала.

— Алло, Алекс? — повторил звонивший.

— Да, — ответила она нетвердым голосом. — Кто это?

— Это Брок Стивенс. — Он тоже ее не сразу узнал и спрашивал себя, неужели ей так плохо, или же она вынуждена была пройти дополнительный курс лечения.

— Привет, Брок, — откликнулась Алекс совершенно безжизненным голосом после некоторой паузы, от чего тот забеспокоился еще сильнее. — Где ты?

Она говорила так, как будто ей совершенно все равно, где он, просто для поддержания беседы.

— Я звоню из Коннектикута, от своих друзей. Я хотел бы снова пригласить тебя в Вермонт. Я еду туда завтра.

Алекс улыбнулась. Какой милый мальчик. И какой глупый. Она умирает. Зачем ему умирающая подруга? Помогать ей — пустая трата времени.

— Я не могу. У меня много работы.

— На этой неделе никто на работу не выйдет, и потом, мы же все закончили.

— Хорошо, — слабо улыбнулась она, чувствуя очередную волну тошноты. Голод только ослабил ее, и она это прекрасно знала. — Я тебе вру. Но я все равно не могу никуда поехать.

— А где твоя дочь? — спросил Брок, не желая отпускать ее без борьбы. Ему очень хотелось, чтобы она с ним поехала. Он считал, что это только пойдет ей на пользу, да и Лиз согласилась с ним, когда он с ней посоветовался. Алекс нужно было развеяться, и свежий воздух в умеренных количествах не помешал бы.

— Аннабел во Флориде, — ответила она. — Вместе с Сэмом и, возможно, его подружкой.

Алекс произносила слова с расстановкой — от голода и жажды у нее немного кружилась голова.

— Он что, сам тебе об этом сказал? — с некоторым раздражением спросил Брок. Он начинал считать Сэма последней сволочью, не заслуживавшим такой женщины, как Алекс, но чувствовал, что даже его положение друга не позволяет ему сказать об этом в открытую.

— Я видела их вместе накануне Рождества. Она очень молодая и очень красивая. И я уверена, что у нее всего по паре. Сэм так любит совершенство.

Она говорила, как пьяная, и Брок забеспокоился еще сильнее.

— Алекс, как ты себя чувствуешь? — спросил он, глядя на часы и прикидывая, сколько времени ему потребуется на то, чтобы добраться до нее. Может, позвонить Лиз, чтобы она приехала к ней? Брок раздумывал. Ему не нравились ее голос и то, что она совершенно одна. Он боялся, что в таком состоянии она может немного тронуться.

— Ничего, — спокойно солгала она, лежа с закрытыми глазами, чтобы ее не стошнило. — Сегодня выпали
последние волосы. Теперь я выгляжу намного аккуратнее.

— Ляг и отдохни. Я перезвоню в течение часа.
Слышишь?

— Слышу, — сонно ответила она, положила
трубку и забыла о Броке. Ей хотелось забыть обо
всем. Ничего не есть в течение шести дней отсутствия Аннабел — и по возвращении они найдут
ее труп. Все очень просто. Гораздо проще, чем
умереть от химиотерапии. С этими мыслями Алекс
провалилась в сон, но через некоторое время ее
разбудил какой-то звук — будильник или звонок.
Сначала она попыталась не обращать на него внимания, но потом поняла, что звонят в дверь. Кто
бы это мог быть, подумала она, не вставая с постели. Она решила не вставать, но звонящий был
весьма настойчив. Когда от звонков он перешел к
методичному стуку в дверь, Алекс накинула халат, подошла к двери и заглянула в глазок. Это
был Брок Стивенс. Алекс настолько удивилась, что
открыла дверь. Некоторое время они стояли друг
напротив друга молча — она в бежевом кашеми-
ровом халате, он — в грубом свитере и парке, вель-
ветовых штанах и тяжелых ботинках. От Брока пахло
свежим зимним воздухом, но взгляд у него был
очень обеспокоенный.

— Господи, как же ты меня напугала, — наконец вымолвил он.

— Чем? — Алекс была заторможенная, и ее ша-
тало, но Брок слишком хорошо ее знал, чтобы подумать, что она действительно напилась. Скорее всего
ей просто было очень плохо и она ничего не ела.
Она отступила, чтобы дать ему дорогу, и прошла с

ним в гостиную. Взглянув в попавшееся ей на пути зеркало, Алекс поняла, что не надела парика.

— Черт побери, — произнесла она, глядя на него, как нашкодивший ребенок.

— Ты выглядишь, как Шинейд О'Коннэр, только лучше.

— Я не умею петь.

— И я не умею, — сказал он, глядя на нее и думая, что она скорее похожа на Одри Хепберн. Даже без волос Алекс не перестала быть красивой. Как будто этот недостаток сделал ее внешность еще более простой и неприукрашенной. Казалось, что ее красота перестала быть земной, что эта женщина прилетела из какого-то другого мира. Ее окружало сияние, которое Брок чувствовал всегда.

— Что случилось? — спросил он. Было ясно, что что-то произошло — как будто она пыталась пустить все на самотек и умереть. По крайней мере во время их телефонного разговора Брок почувствовал именно это

— Даже не знаю. Сегодня утром я увидела себя в зеркале и ужаснулась... Потом Аннабел уехала, и мне опять стало плохо... Знаешь, мне кажется, нет смысла с этим бороться. Сэм, эта его любовница... Кошмар. Это больше, чем я могу вынести, — честно сказала она. Брок разозлился и, к удивлению Алекс, почти закричал на нее:

— Итак, ты решила все бросить. Да?!

— У меня есть право на собственный выбор, — печально ответила Алекс.

— Да что ты говоришь? У тебя дочь, и даже если бы ее не было, у тебя оставались бы обязательства перед самой собою, не говоря уже о людях, которые тебя любят. Ты должна бороться, Алекс. Я знаю, что это нелегко. Но позволить себе лежать и умирать только потому, что «это такой кошмар», нельзя.

— А почему бы и нет? — равнодушно спросила Алекс.

— Потому что я это говорю. Ты сегодня что-нибудь ела? — разъяренно спросил он, и Алекс, как он и ожидал, покачала головой. — Тогда пойди оденься. Я приготовлю тебе что-нибудь.

— Я не голодна.

— А мне наплевать. Я не намерен слушать ту чушь, которую ты несешь, — сказал Брок, хватая ее за плечи и слегка встряхивая. — Мне плевать на то, что кто-то причинил тебе боль, и на то, что ты думаешь о своей жизни. Да будь ты худая, как скелет, и лысая, как орел, с одной грудью или двумя, ты все равно должна бороться за свою жизнь, Алекс Паркер. Для себя самой и ни для кого другого. Ты — огромная ценность. И все мы в тебе очень нуждаемся. И когда ты смотришь в зеркало и тебе не нравится то, что ты видишь, не забывай о том, что эта женщина — ты. Все эти изменения не имеют никакого значения. Ты осталась такой же, какой была до всех этих событий. Может быть, даже стала лучше. Всегда помни об этом.

Эта неожиданная нотация внушила Алекс какой-то благоговейный страх, и, не говоря ни слова, она проследовала в ванную. Механически сняв халат, она приняла душ и снова уставилась на себя в зеркало. Она видела ту же женщину, которая предстала перед ней этим утром, — ту же подбитую птицу. Тот же рубец, та же голая голова. Но теперь она понимала, что Брок прав. Она должна была бороться — не ради Аннабел, Сэма, Брока или кого-нибудь иного. Ради себя, ради того, чем она была, чем она может быть и всегда будет. Потеряв грудь и волосы, она не потеряла себя. Сэм не мог отнять у нее самого главного. Стоя под теплой струей воды, сбегавшей по ее голове и плечам, Алекс тихо заплакала, раздумывая о том, чему ее только что научил Брок.

Надев джинсы, свитер и короткий парик, лежавший на раковине с того момента, когда она утром стряхнула с него остатки своих волос, Алекс прямо босиком прошла в кухню.

— В моем обществе тебе совершенно не обязательно носить парик, — улыбнулся Брок — Впрочем, наверное, в нем ты чувствуешь себя лучше.

— Без него у меня странное представление о себе, — призналась Алекс.

Брок приготовил яичницу-болтунью, поджарил хлеб и картошку. Алекс с трудом съела совсем немного, но потом решила не искушать судьбу. Проводить всю ночь на полу в ванной ей не хотелось. Ее желудок постоянно приводил ее в уныние, но в чем-то Сэм был прав — его состояние во многом зависело от эмоций.

Некоторое время в кухне царила тишина; потом Алекс сказала, что Аннабел понравились все ее подарки.

— Мне было очень приятно их покупать, — сказал Брок, улыбаясь от радости за Алекс, наконец-то соблаговолившую поесть. — Я люблю детей.

— Поэтому-то ты до сих пор не женат? — спросила она.

— «Бартлетт и Паскин» не дают мне такой возможности, — усмехнулся он.

Совсем мальчишка, подумала Алекс. Красивый мальчишка.

— Пожалуй, мы переведем тебя на облегченный режим, — поддразнила его Алекс.

Они поговорили о Рождестве и о том, как трудно было с Сэмом. После ужина Брок помыл посуду.

— Перестань, Брок. Я сама потом помою.

— Конечно, помоешь. Ты ведь можешь свалить дерево одним ударом, не правда ли? Так как насчет Вермонта? Я приехал сюда за тобой, Алекс, — сказал он, глядя ей прямо в глаза, и она, как всегда, почувствовала прилив благодарности.

— Даже не знаю, что и сказать.

— Я от тебя не отстану. Лиз тоже считает, что тебе это пойдет на пользу, — твердо произнес Брок.

— Вы что, комитет организовали? — рассмеялась она, удивленная и растроганная. — А мое мнение имеет какой-нибудь вес?

— Нет, — сказал Брок, полностью лишая ее права вето.

— Охота тебе терять целую неделю на такую развалину, как я.

— Запомни, пожалуйста, что это не потеря времени, — решительно ответил Брок, но Алекс покачала головой и показала на свой парик:

— Пусть эта мишура тебя не обманывает. Я слишком вымотана, чтобы кататься на лыжах, слишком стара, чтобы за мной ухаживали, слишком больна, чтобы мое общество было приятным, и, кроме всего прочего, я замужем.

— Что-то я этого в последнее время не замечаю, — как всегда, в лоб сказал Брок, но Алекс не обиделась — она продолжала смеяться.

— Приятно слышать. Ладно, скажем по-другому — я товар, бывший в употреблении, — откликнулась Алекс и вдруг с видом человека, которого осенило, выпалила: — Ты же не хочешь сказать, что приглашаешь меня как свою... м-м-м... девушку?

Было совершенно очевидно, что она не может в это поверить, и Брок тоже рассмеялся:

— Нет. Но если тебе приятна эта мысль, я не против. Я прошу тебя составить мне компанию, как твоему
другу, который будет рад видеть, как твое бледное лицо
хоть немного загорит на солнце. Ты будешь сидеть у
камина и пить горячий шоколад и ложиться спать, зная,
что вокруг друзья, а не эти одинокие стены.

— Хорошо говоришь для мальчика твоих лет.

— Да. А у меня есть большой опыт ухаживания за
такими старыми кошелками, как ты. Моя сестра была...
Моя сестра на десять лет старше меня.

— Мои соболезнования, — усмехнулась Алекс. —
Ты говоришь так убедительно, что тебе невозможно
отказать.

— Поэтому-то я и приехал, — сказал он, глядя на
нее с мягкой улыбкой. Он определенно ей нравился.

— Надо же, а я подумала, что ты приехал поесть на
чужой счет, — продолжала она насмешничать.

— Так оно и есть, но за едой я хотел еще с
тобой поговорить.

— В Коннектикуте, наверное, было очень скучно. —
Алекс была насмешлива, но Броку это нравилось. Сбли-
зившись за последние месяцы, они получали удовольствие
от общения друг с другом.

— Да, тоскливо было. Так что, ты едешь или нет?

— Как, неужели ты предоставляешь мне право выбора?! А я-то думала, что ты перекинешь меня через плечо
и увезешь насильно.

— Может быть, придется прибегнуть к этой мере,
если ты будешь плохо себя вести.

— Ты просто сумасшедший. Больше всего на свете
тебе не хватает женщины, которую будет тошнить
всю дорогу и которая в Вермонте вообще будет не в
состоянии встать с постели.

— Ты знаешь, я к этому так привык, — улыбнулся Брок, — что не представляю своей жизни без этих милых мелочей.

— Ты псих.

— А ты — чудо. Для чего, по-твоему, существуют друзья?

Алекс была растрогана — уже в который раз. — Я-то думала, только для того, чтобы сходить за подарками к Рождеству, помочь с работой и вынести на руках из туалета после рвоты.

Для всего этого вообще-то существовали мужья, но ее супруг был исключением.

— Ладно, заткнись и иди собираться. Ты вгоняешь меня в краску.

— По-моему, это невозможно.

— Я разбужу тебя в восемь. Не рано? — почему-то вновь обеспокоившись, сказал Брок.

— Нормально. А если тебе захочется привести девушку?

— Там большой дом. Я запру тебя в твоей комнате, я обещаю.

Продолжая улыбаться, Алекс проводила его до входной двери, и они расстались. Не в состоянии поверить в то, что ему удалось уговорить ее на это, Алекс внезапно поняла, что ждет поездки с ним с нетерпением. Ее ожидали еще четыре с половиной месяца слабости и болезни, но в ней только что произошел какой-то перелом. Брок спас ее от смертельного отчаяния, и теперь ей хотелось уехать с ним, хотелось жить и держаться за жизнь. Но больше всего ей хотелось справиться со своей болезнью. Алекс знала, что должна это сделать.

Глава 16

Дни, проведенные в Вермонте, стали для Алекс самой счастливой порой с того момента, когда она заболела. Она позвонила Сэму и Аннабел, чтобы дать им знать, где она, приведя своего мужа в полное изумление.

— Я и не знал, что ты в состоянии путешествовать, — озабоченно сказал Сэм. — Ты уверена, что тебе это не навредит? С кем ты поехала?

— С коллегой. У меня все хорошо. Встретимся в Нью-Йорке на Новый год.

Алекс дала ему свой номер телефона, но они не звонили. Дом, в котором они жили, был простым, но очень уютным. В нем было четыре спальни и своего рода дортуар. Брок поселил Алекс в самую большую комнату наверху, а сам спал в каморке внизу, чтобы не беспокоить ее. Они обращались друг с другом, как старые друзья. По вечерам они читали, отгадывали кроссворды и играли в снежки, как дети.

Алекс подолгу гуляла в обществе Брока и даже однажды попыталась встать на лыжи, но это было для нее уже слишком. После химиотерапии сил на это у нее уже не хватало. Но она чувствовала себя гораздо лучше, чем в течение всех последних недель. Только один день у нее выдался действительно тяжелым. Она провела его в кровати и к ужину совсем пришла в себя.

На следующий день после приезда Брок отыскал в гараже старые санки и катал на них Алекс, чтобы она не слишком уставала.

По вечерам Брок готовил обед, и когда Алекс советовала ему пойти в гости к друзьям, он только смеялся и говорил, что он от всех устал. Ему нравилось быть с ней наедине. Правда, однажды вечером они пошли на обед к

Чезу Генри, где прекрасно провели время. К концу недели Алекс сильно окрепла. Очередной цикл ее мытарств
заканчивался; правда, это означало, что скоро ей сделают
новое вливание. К счастью, до этого оставалось еще несколько дней. Таких замечательных каникул у нее уже
давно не было; они с Броком еще сильнее сблизились и
большую часть проведенного вместе времени смеялись.

Однажды Брок ушел кататься на лыжах, после
чего они встретились около охотничьего домика, чтобы
сходить на ленч. Брок был окружен толпой хоро-
шеньких юных лыжниц, и Алекс почувствовала, что
он должен быть с ними, а не с ней.

— Да им еще четырнадцати нет! Ты что, хочешь,
чтобы меня арестовали?

Они снова рассмеялись.

— Ничего подобного! Они выглядят на все двадцать
пять, — ответила Алекс.

— Да ладно тебе.

Но даже тридцатилетние женщины, казалось, не привлекали Брока. Ему было хорошо только с Алекс. Но он не
пытался дотронуться до нее или поставить ее в неловкое
положение. И они очень много говорили о Сэме. Алекс
призналась ему, как ей было больно, когда она увидела своего мужа в компании этой молодой девицы.

— Убить его мало. Или ее, — отреагировал Брок,
но Алекс покачала головой:

— Нет смысла. Все уже позади. Она ни в чем не
виновата. Просто это случилось. Когда я смотрю на себя
в зеркало, меня это нисколько не удивляет.

— Глупостей не говори, — разозлился Брок. —
Тебе не кажется, что это с ним что-то случилось?
А если бы он потерял руку, ногу или, черт побери,
яичко, неужели ты бы бросила его?

— Нет. Но он другой человек. Мне кажется, что в этом основное отличие женщины от мужчины. Я не уверена в том, что большинство мужчин может успешно с этим справиться. Не всем так повезло с мужем, как Лиз.

Впрочем, Алекс уже говорила Броку, что у них тоже бывали проблемы.

— Я не думаю, что можно послать ко всем чертям свою семейную жизнь только потому, что твоя жена осталась без груди, без волос или без левого ботинка. Как ты можешь так спокойно принимать это? — спрашивал пораженный Брок, но Алекс лишь улыбалась ему мудрой улыбкой — все-таки она была на десять лет его старше.

— В настоящий момент у меня просто нет выбора. Мужа нельзя купить или продать, Брок, все очень просто. Магазин закрыт. Он перенес свой бизнес в другое место.

— И что? Ты и это пустишь на самотек? — сказал он, удивляясь звучавшей в ее словах безысходности.

— А что ты предлагаешь? Застрелить ее?

— Его, — флегматично поправил Брок. — Он этого вполне заслуживает.

— Ты неисправимый романтик, — с укором сказала Алекс.

— И ты, — вернул он ее упрек.

— И что я с этого буду иметь? Его не вернуть. Сэм терпеть не может уродство и болезнь. Он даже смотреть на меня не в состоянии. Увидев мое тело вскоре после операции, он чуть в обморок не упал. Его от меня просто тошнит. Это не самая лучшая основа для счастливого брака.

— Значит, он просто подлец.

— Может быть. Но в хорошем вкусе ему трудно отказать. Она очень хорошенькая, Брок. По возрасту она подходит как раз тебе. Кто знает, может, тебя она тоже покорит, и ты составишь Сэму конкуренцию.

Брок не стал говорить Алекс, что это именно она его покорила. Момент для этого был явно неподходящим. Алекс обращалась с ним так свободно, что он не хотел портить ситуацию.

Новогодний вечер они провели дома за телевизионным экраном и попкорном. Они говорили о своих мечтах, о карьере, о том, чего они ждали от будущего года. Алекс пожелала ему найти себе жену, которая бы заботилась о нем, а Брок пожелал ей здоровья и счастья — такого, какого она захочет. В полночь они весьма стройно спели все полагающиеся новогодние гимны. Ложась спать, Алекс думала об их дружбе и о том, как надо ценить друзей.

Уезжать обоим совершенно не хотелось, но Алекс выглядела значительно лучше, чем в день приезда. В ней произошел какой-то едва заметный перелом. Она чувствовала, что у нее опять хватает энергии на борьбу, и желание победить рак стало непоколебимым.

В машине она молчала, думая о том, что совсем скоро опять увидит Сэма, пусть всего на один вечер. На следующий день он улетал в Европу, и Алекс догадывалась, к кому. Время от времени Брок спрашивал у нее, как она себя чувствует. Алекс отвечала, что хорошо, но явно была слишком напряжена. Чтобы успокоить ее, Брок взял Алекс за руку, думая о том, что она стала ему больше чем сотрудницей — другом, самым близким человеком.

К дому Алекс они подъехали во второй половине дня, и Брок был явно сильно расстроен предстоящим расставанием. С минуту Алекс сидела в машине и смотрела на него, не в силах подыскать подходящие слова благодарности.

— Знаешь, ты вернул меня к жизни. Я прекрасно провела время.

— И я тоже, — ответил он, ласково касаясь пальцами ее щеки. — Не позволяй никому унижать тебя. Ты самая лучшая женщина, которую я знаю.

Брок произнес эти слова со слезами на глазах, окончательно растрогав Алекс. Ему удавалось добраться до самого ее сердца без всяких усилий.

— Ты же знаешь, что я тебя очень люблю. И я должна тебе сказать, что ты ведешь себя глупо. Где-то ходит твоя половинка. И ты станешь потрясающим мужем для какой-нибудь счастливицы.

— Я подожду, когда Аннабел подрастет, — сказал он с ухмылкой, которая делала его лет на пятнадцать моложе и так нравилась Алекс.

— Тогда Аннабел повезло. Спасибо тебе, Брок. — Она поцеловала его в щеку и вошла в подъезд в сопровождении швейцара. Когда Сэм с Аннабел вернулись в этот вечер домой, они обнаружили Алекс в гораздо лучшем состоянии, чем неделю назад.

Аннабел была просто переполнена впечатлениями от Диснейленда. Она зевала, смеялась и засыпала одновременно. Когда Алекс пришла поцеловать ее на ночь, девочка едва оторвала голову от подушки.

— Похоже, она неплохо провела время, — сказала Алекс, улыбаясь Сэму. Он заметил, что его жена как-то изменилась — как будто она примирилась с самой собой и с тем, что с ней произошло.

— Мне тоже было очень весело, — сказал Сэм. — С Аннабел легко общаться. Мне даже возвращаться не хотелось.

— Я очень по ней скучала, — сказала Алекс. Никто из них не говорил, что соскучился по другому. Этого тоже теперь не было. Они делали вид, что до сих пор состоят в браке, хотя это совершенно не соответствовало действительности.

Вечером Сэм собрал чемоданы и наутро, когда Аннабел и Алекс завтракали, улетел в Лондон, пообещав позвонить из Швейцарии. Аннабел напомнила ему о том, чтобы он вернулся к ее дню рождения. Когда за ним захлопнулась входная дверь, девочка удивленно повернулась к маме и сказала, что он забыл поцеловать Алекс. Но она уже не спрашивала, почему — она знала. Даже Аннабел понимала, что все изменилось.

Остаток недели пролетел незаметно. Алекс сумела пойти с ней в балетный класс и провела тихие выходные, но в понедельник кошмар начался снова — настала пора для очередного внутривенного вливания. На этот раз ей было хуже, чем обычно. Химические препараты в сочетании с таблетками цитоксана совершенно выбили ее из колеи. Когда она вернулась в офис, ей казалось, что она умирает. Ей даже пришлось прийти домой раньше. Аннабел заплакала, когда увидела, как Алекс выворачивает наизнанку, и пришла в ужас, когда она сняла парик.

На следующий день Алекс все же пошла на работу, но день превратился в сплошное мучение, и в пять часов она еле доползла до дому. В дверях ее встретила заплаканная Кармен, и поначалу Алекс не могла разобрать ни одного слова из истерического потока ее испанской речи. Но стоило ей увидеть Аннабел, как она все поняла. Девочка состригла свои очаровательные рыжие кудряшки почти под самый корень, чтобы походить на свою маму.

— Господи, зачем ты это сделала? — заплакала усталая и измможденная Алекс, спрашивая себя, как она объяснит это ее отцу.

— Я хотела выглядеть, как ты, — всхлипывая, сказала Аннабел виноватым голосом. Болезнь матери пугала ее; папин отъезд заставил ее волноваться.

Алекс пыталась еще раз рассказать ей о своей болезни и даже почитала ей книжку «Мама выздоравливает», но ничего не помогало. Она чувствовала себя слишком слабой, чтобы говорить достаточно убедительно и энергично, а Аннабел была слишком расстроена, чтобы воспринимать мамины объяснения. Алекс даже позвонили из садика и сказали, что Аннабел переживает трудный период и все время говорит о лекарствах и болезни своей матери. Воспитательница явно многого не договаривала: девочка боялась того, что мама умрет. Алекс была слишком слаба и испугана, чтобы помочь своей дочери, и обе они не получали никакой поддержки от Сэма.

Хуже того — казалось, каждый новый сеанс химиотерапии Алекс переживала тяжелее, хотя, по логике, должно было быть наоборот. К концу недели она даже не смогла выйти на работу, но у нее оставалась еще одна обязанность — подготовиться к дню рождения Аннабел. Алекс знала, как это важно. Девочка нуждалась в подтверждении того, что все нормально, что ее праздник пройдет так, как проходил всегда. Кроме того, она уже долго ждала этого дня.

Большинство подарков опять купила Лиз. Но из булочной прислали не тот пирог, и Алекс забыла позвать клоуна. Лучшая подруга Аннабел заболела гриппом, так же как и трое других ее друзей, так что вечеринка явно не удалась. Несмотря на помощь Кармен, день превратился в

кошмар, и, увидев разочарование в глазах Аннабел, Алекс расплакалась.

Сэм прилетел накануне, поздно вечером. Он страдал
от разницы во времени и пребывал в раздражении.
Ему явно было не слишком-то приятно возвращаться, а когда он увидел изуродованную голову Аннабел, он просто взбеленился.

— Как ты это допустила? Как ты могла? Почему ты
позволяешь ей видеть тебя без парика? — орал он.

— Мне было плохо, и он свалился на пол. Ради
Бога, Сэм, я не виновата. Я не могу каждую мину-
ту помнить о том, что мне надо хорошо выглядеть.
В конце концов я больна.

Аннабел слушала их ссору с широко открытыми глазами.

— Значит, она не будет с тобой жить, — отрезал
он, приведя Алекс в ужас. Она встала и дала ему поще-
чину. Аннабел начала плакать, но ее родители не прекра-
щали кричать друг на друга.

— Даже и не думай об этом! Я ее от себя не отпущу!
И только попробуй ее отнять! — голосом, срывающимся
на визг, выкрикивала Алекс.

— Ты не в состоянии заботиться о ней, — рычал
Сэм. Испуганная Аннабел прижалась к матери.

— В состоянии, не беспокойся, — ответила
Алекс. — И если ты посмеешь отнять ее, то ты будешь
последней дрянью. И еще я в состоянии возбудить
против тебя такой иск, какой тебе и не снился. Она
останется со мной. Понял?

Вся дрожа, Алекс крепко обняла своего ребенка, и
Сэм посмотрел на нее с яростью.

— Тогда потрудись ходить в парике. — Сэм отстал
только из-за угроз Алекс и слез своей дочери. Девочка не
хотела расставаться с мамой, но ей всякий раз станови-

лось страшно, когда родители ссорились. Аннабел считала, что это она виновата, только не знала почему.

Это был тяжелый вечер, и Сэм ушел из дома, как
только Аннабел легла спать. На следующий день они с
Алекс сели поговорить. Компромиссный вариант явно не
удался. Сэму надо было уходить, и они оба знали это. Их
вчерашняя ссора в присутствии Аннабел потрясла обоих.
Но вдруг Сэм до глубины души поразил Алекс словами о
том, что, по его мнению, он не должен уходить, пока не
закончится курс ее лечения. Похоже, его убедила в этом
новая прическа Аннабел. Он чувствовал, что должен жить
вместе с дочерью, чтобы помогать воспитывать ее и отвлекать, когда Алекс станет особенно плохо.

— Мне не нужна сиделка, Сэм. Если хочешь, ты
можешь уйти.

— Я уйду в мае, когда закончится твоя химиотерапия, — твердо сказал он.

— Ты ли это, Сэм? Я тебя не узнаю. Ты остаешься
из-за моей химии?

— Я остаюсь из-за Аннабел, на тот случай, если
тебе будет слишком плохо и ты не сможешь ухаживать за
ней. Когда все это закончится, я уйду.

— Я потрясена, Сэм. И что же будет дальше? —
Алекс давила на него. Она хотела знать, собирается ли он
жениться на своей подружке и вообще кто она такая. Но
Сэм был еще не готов посвятить ее в свои тайны.

— Я еще не решил, — ответил Сэм. Но догадаться
труда не составляло. Сэм помолодел, похудел и стал еще
красивее. То, что он счастлив и влюблен, было видно
невооруженным взглядом, поэтому Алекс очень удивилась его намерению жить с ней до конца курса химиотерапии. Оставалось еще четыре месяца, и никто не хотел
завершения этого кошмара так сильно, как Алекс.

— А ты уверен, что сможешь это выдержать? — напряженно спросила Алекс.

— Я смогу, если ты сможешь. Я не собираюсь торчать тут все время, но если Аннабел будет во мне нуждаться, я немедленно появлюсь.

— Очень приятно, — с легким оттенком недовольства сказала Алекс. С одной стороны, ей хотелось, чтобы он ушел, с другой — чтобы он остался; она не знала, что хуже. Его поступок только оттягивал неизбежное — Алекс уже давно перестала себя обманывать. Было ясно, что рано или поздно, сейчас или через четыре месяца, Сэм ее оставит. Он уже это, можно сказать, сделал.

Брок, которому она сообщила об этом на следующий день, не поверил своим ушам. Да, Сэму имело смысл оставаться ради Аннабел, но всем остальным от этого оттягивания развязки могло стать только хуже. Больше всех расстроилась Дафна. Когда Сэм сказал ей, что договорился с Алекс не переезжать из квартиры до мая, она надулась, как обиженный ребенок:

— А я так надеялась, что ты совсем переедешь ко мне.

Они прекрасно провели время в Европе, постоянно занимаясь любовью и в промежутках катаясь на лыжах. Потом Сэм повез ее в Париж, где покупал ей все, на что падал ее взгляд, в магазинах «Картье» и «Ван Клиф», «Эрме» и «Диор», «Шанель» и «Живанши» и в маленьких бутиках, куда Дафна вдруг решала направиться. Но больше всего ей хотелось именно Сэма, хотя она и понимала, почему он откладывает переезд в ее квартиру. В любом случае для двоих она была слишком маленькой. И Сэм поговаривал о том, чтобы купить квартиру в мае, после того как курс лечения Алекс закончится.

— Это ненадолго, — заверял он ее. Кроме того, он собирался проводить дома не каждую ночь, то есть вести себя так же, как раньше, и большей частью ночевать у Дафны. Ему очень хотелось познакомить ее с Аннабел, но он боялся, что девочка смутится или расскажет матери. Правда, Дафна, еще при первой встрече признавшаяся ему, что достаточно равнодушна к детям, нисколько не настаивала на этом. Она была достаточно равнодушна ко многому — за исключением секса. Ее чувственность выплескивалась из нее всегда и везде, при любой возможности. Они с Сэмом занимались любовью во всех мыслимых и немыслимых местах, включая примерочные комнаты у Диора и Живанши. Дикая и страстная, она заставила его снова почувствовать себя молодым и свободным от всех проблем.

Одним субботним утром в феврале Алекс снова случайно увидела эту счастливую парочку, выходившую из дверей «Кристи», где Сэм только что заказал Дафне кольцо с изумрудом. Сэм вообще покупал ей много всякой всячины — ему нравилось баловать ее. Расстроенная Алекс стояла и смотрела, как они идут по Парк-авеню, счастливые и безразличные ко всему, кроме друг друга. В эти дни ее многое огорчало. Когда папа уходил, Аннабел грустнела, и Алекс приходилось придумывать объяснения тому, что Сэм не слишком часто ночует дома. Ей было противно смотреть на свое тело или на голову, волосы на которой и не думали отрастать вновь. И когда доктор Уэббер предложила ей пластическую операцию, это не слишком воодушевило Алекс. С момента удаления груди прошло уже достаточно времени, чтобы начать думать об этом, но Алекс поняла, что ей все равно. Хотя ей и не нравилось, как она выглядит, она уже к этому привыкла. К ее собственному удивлению, она стала обсуждать ее с Броком, который считал, что она должна сделать себе эту операцию. Похоже, запретных тем, на которые они не могли беседовать, просто не существовало. Алекс казалось, что Брок стал ей настоящим братом.

— Какая разница, сколько у меня грудей — одна или две? Кого это, черт побери, волнует? — воинственно говорила она, сидя с ним во время перерыва на ленч в «Ле Релэ». Это было время между сеансами химиотерапии, и Алекс чувствовала себя достаточно прилично.

— Тебя волнует — или должно волновать. Нельзя же до конца своих дней вести монашеский образ жизни.

— А почему нет? Черный цвет мне очень идет, да и голову брить не надо, — откликнулась Алекс, показывая на свой роскошный, самый длинный парик. Брок нахмурился.

— Ты ведешь себя отвратительно, а я говорю совершенно серьезно. В один прекрасный день это будет для тебя важно.

— Нет. Может, мне нравится быть белой вороной. Если кто-нибудь полюбит меня, то ему будет все равно, имплантант у меня или настоящая грудь. Конечно, я не говорю о мерзавце Сэме. Для того, чтобы соперничать с этой его английской секс-бомбой, мне нужно отрастить себе две новые груди.

— Не думай об этом, — задумчиво сказал Брок. — Все равно, мне кажется, ты должна на это пойти. Ты будешь ощущать себя по-другому и не расстраиваться при каждом взгляде в зеркало.

— А ты бы как к этому отнесся? — вдруг спросила она. — Я имею в виду, если бы познакомился с девушкой, у которой только одна грудь?

— Это сэкономит массу времени во время любовной прелюдии, — засмеялся он, — и избавит от проблемы выбора. Конечно, мне было бы все равно, — уже серьезно добавил он. — Но я не такой, как все, и я моложе.

Мужчины твоего возраста гораздо в большей степени помешаны на внешности и совершенстве.

— Да, как Сэм. Этот тип мужчин мне известен очень хорошо, спасибо, — сказала Алекс, вспоминая лицо Сэма, когда он увидел ее грудь. — Итак, ты хочешь мне сказать, что мне нужны либо пластическая операция, либо мужчина лет на десять меня моложе. Иного выбора у меня нет.

— Именно это я и хочу сказать, — ответил Брок, поддразнивая ее. У Алекс было хорошее настроение. А Брок очень хотел сказать ей что-то важное, но никак не мог подобрать подходящий момент.

— Мне кажется, что это все слишком большая морока. Даже врач сказала, что это адская боль. А сама процедура просто отвратительна. Врачи берут кусочек кожи отсюда, кусочек — оттуда, делают каналы, клапаны, выпуклости и впадины, а потом прилаживают имплантант и делают татуировку в виде соска. Господи, да я сама нарисую себе все, что угодно, если встречу кого-нибудь, кто мне понравится. Любого размера, формы или цвета. Ты же знаешь, что я на многое способна, — продолжала она. Брок не мог перестать смеяться и в конце концов швырнул в нее салфеткой, чтобы она остановилась.

— У тебя навязчивая идея.

— Как ты можешь обвинять меня в этом? Из-за своей груди я потеряла мужа, он сбежал и нашел себе девушку, у которой в этом смысле все в порядке. Неужели тебе это ни о чем не говорит? Помимо всего прочего, он просто жадный.

— Все равно ты должна это сделать.

— Лучше я подтяну себе лицо. Или нос другой сделаю.

— Ладно, пошли работать, пока ты не решила **изменить** форму ушей.

Броку нравилось общаться и работать с Алекс, и Аннабел ему тоже очень нравилась. Он видел ее несколько раз, когда приходил к ним домой с бумагами для Алекс. Аннабел говорила, что он смешной, и с удовольствием играла с ним. Как-то раз, когда Алекс было совсем плохо, Кармен простудилась, а Сэм с Дафной куда-то укатили, он даже ходил с ней на каток.

По дороге к офису они говорили о последних поступивших к ним делах. Алекс уже четыре месяца не участвовала в процессах, но в ближайшее время ей это, возможно, предстояло, и она не могла решить, справится она с этим или нет. Искушение было велико, но Алекс не хотела давать своим клиентам меньше, чем они заслуживают. Курс химиотерапии подходил к своей середине, и тут было о чем подумать. В конце концов она все же передала дело Мэттью Биллингсу.

В марте Брок снова пригласил ее в Вермонт на уикэнд. Сэм уехал с Аннабел, а Алекс приняла предложение Брока и великолепно отдохнула. Она даже достаточно успешно каталась на лыжах. В последнее время Алекс окрепла. До конца курса лечения оставалось всего восемь недель. Алекс не могла дождаться момента, когда кончится этот кошмар, хотя для нее это означало несколько вещей — прежде всего то, что Сэм от нее уйдет и будет жить своей жизнью. Несмотря на то, что она называла его подружку секс-бомбой, у нее возникло сильное подозрение, что они поженятся. Он был совершенно очевидно увлечен ею, но отмалчивался в ответ на любые расспросы со стороны Алекс. Сэм не признал в открытую, что у него есть другая, но было совершенно ясно, что Алекс знает об этом. Впрочем, он был джентльменом и никогда с ней этого не обсуждал.

Это означало также, что Алекс тоже должна жить своей жизнью. Ей придется смириться с мыслью об уходе Сэма. Когда закончится химиотерапия, она сможет вернуться к работе на процессах. Но что ей делать еще, она не знала. Ей было немного страшно снова оказаться в одиночестве, хотя Брок постоянно говорил ей, что самое тяжелое уже позади.

В очередной раз он сказал ей это, когда они слезли с подъемника в Шугарбуше и медленно возвращались назад. Алекс подняла на своего друга напряженный взгляд и поняла, что он прав. Она пережила химиотерапию без поддержки мужа, но зато около нее все время был Брок.

Однажды он даже пошел с ней на сеанс лечения, чтобы понять, что это такое. Брок держал ее за руку, пока процедура не закончилась. Чего он только не делал для нее за последние шесть месяцев! Он стал ей настоящим братом, и Алекс совершенно его не стеснялась.

Когда они были в Вермонте, у них опять зашел разговор о пластической операции. В тот вечер Алекс приготовила ему обед, и Брок сказал, что она хорошо готовит, хотя, конечно, до него ей далеко.

— Еще бы я плохо готовила. Ты можешь, например, сделать суфле? — похвасталась она. За исключением тех случаев, когда их разговор касался серьезных вещей, они вели себя как дети, постоянно смеялись, поддразнивали друг друга и даже толкались.

— Могу, — соврал он, и Алекс расхохоталась.

— А я не могу, — сказала она сквозь смех, и они вернулись к теме пластической операции, предложенной доктором Уэббер. Иногда, когда разговор становился особенно печальным, они специально начинали усиленно шутить.

— Мне плевать, — настаивала Алекс. Ей действительно не хотелось поднимать эту тему, но Брок был непреклонен.

— Ты должна это сделать.

К этому аргументу Алекс уже привыкла, но на этот раз она вдруг повернулась к своему собеседнику и уставилась на него. Она совершенно не стыдилась Брока. В течение многих месяцев он был свидетелем ее бесконечных приступов рвоты и видел ее безволосую голову. Так что теперь она чувствовала, что вполне может показать ему то, что они обсуждали. Интересно, что он подумает? Алекс полностью доверяла суждениям и доброму сердцу Брока.

— Ты хочешь это увидеть? — спросила она совершенно спокойно, как девочка, которая предлагает своему однокласснику посмотреть, что у нее под трусиками. Ей было немножко неловко, и она нервно рассмеялась, но Брок посмотрел на нее серьезным взглядом и кивнул.

— Да. Мне всегда было интересно, как это выглядит, — честно ответил он. — Мне кажется, что это не должно быть так страшно, как ты думаешь.

— Это очень страшно, — предупредила Алекс. — Это совсем некрасиво, и потом, там такой рубец.

Правда, сейчас это выглядело лучше, чем в октябре. И Алекс без дальнейших церемоний сняла свитер и медленными точными движениями расстегнула блузку. Поколебавшись мгновение, Алекс сняла блузку и нижнюю сорочку, под которой не было никакого бюстгальтера. Это было похоже на медленный и очень хорошо выполненный стриптиз. Она стояла перед ним голая до пояса, открыв его взорам свою единственную грудь и плоскость на том месте, где когда-то была вторая.

Брок посмотрел сначала ей в лицо, как будто спрашивая разрешения посмотреть в другое место. И Алекс поняла его без слов и взглядом дала свое разрешение. Брок опустил глаза ниже и почувствовал, что его сердце готово вырваться из груди. Она была такая красивая и молодая, такая ранимая! Одна грудь по-прежнему оставалась твердой и округлой, а другую словно отсекли от ее тела шашкой. Не задумываясь, Брок протянул к ней руки и медленно привлек к себе. Больше скрывать свои чувства он не мог. Он слишком долго любил Алекс для того, чтобы сейчас не отреагировать на ее такой простой и смелый поступок.

— Ты такая красивая, — ласково сказал он в ее волосы. — Ты само совершенство, Алекс, такая смелая и... я очень высоко тебя ценю. Ты просто потрясающая, — добавил он, чуть отстраняя ее от себя, чтобы посмотреть на нее.

— С одной грудью или с двумя? — спросила она со смущенной улыбкой, вспомнив, почему она решила показать ему свое тело. Надо сказать, что такой реакции она не ожидала.

— Я люблю тебя такой, какая ты есть. Ты была права, — продолжал он, снова прижимая ее к себе и ощущая тепло ее тела. — Я люблю тебя любой.

Брок был в некотором замешательстве. Их взаимное доверие стало невероятно сильным и особенным.

— Я не думала, что ты об этом заговоришь, — тихо сказала она. — А я-то хотела, чтобы ты объективно высказал свое мнение.

Алекс чувствовала, что его прикосновения взволновали ее, и удивилась самой себе. Их отношения так долго были целомудренными, что она была не готова к внезапному взрыву чувственности и любви.

— А я что, по-твоему, делаю? — прошептал он, покрывая поцелуями ее лицо. — Ты очень, очень красива, и я хочу тебя всю...

И с этими словами Брок поцеловал ее — очень медленно, с нежностью, которой Алекс никогда ранее не испытывала. Одной рукой Брок ласкал ее оставшуюся грудь, а второй нежно коснулся рубца, а потом, скользнув по животу, обнял за талию. Руки у него оказались очень сильными. Алекс почувствовала прилив захватывающего дух желания, и в этот момент Брок поцеловал ее более властно.

— Брок... что мы делаем? — спросила она, не в состоянии собраться с мыслями. Впрочем, еще через мгновение она поняла, что этого и не стоит делать. — Что мы... что... о-о-о...

Брок расстегнул ее джинсы и скользнул в них рукой, а потом медленно снял их при помощи Алекс. Его руки осторожно исследовали ее ноги, бедра и то, что между ними. Алекс сняла с него одежду, и через несколько минут он уложил ее на кушетку перед горящим камином в гостиной этого уютного домика, в который он привез ее уже во второй раз. Брок покрывал ее тело поцелуями, двигаясь от груди и рубца на юг, пока Алекс не застонала от этих прикосновений. «О, Брок... О, Брок...», — шептала она, не в силах поверить в то, что происходит. Как они могут? Он ведь всего лишь близкий друг. Но когда он вошел в нее, он стал чем-то большим — частью ее жизни, ее тела. Комната наполнилась долгими, нежными стонами бесконечного желания. Они долго любили друг друга; поленья мирно потрескивали в камине, иногда рассыпаясь искрами. Наконец Брок издал грудной вопль, а Алекс содрогнулась. И после этой одновременной кульминации они долго лежали в объятиях друг друга, безмолвные и потрясенные. Брок желал ее долго, а Алекс не

осознавала, что он чувствует. Просто им надо было со-
зреть, как двум деревьям, переплестись листьями, срос-
тись корнями и стать одним существом, чтобы никогда не
разделяться.

— Господи, да что же это такое? — лениво улыбнулась она в ответ на его очередной поцелуй. Брок
привлек ее к себе, не потрудившись даже извлечь
из нее орудие своей страсти.

— Хочешь, чтобы я объяснил? — поинтересовался Брок. — Ты не знаешь — и никогда не узнаешь, — как я мечтал об этой минуте. Ты никогда
не узнаешь, как я тебя люблю и как я молился о
том, чтобы ты ко мне пришла.

— Да где же я-то была все это время? — спросила
она, глядя на него удивленным и безоблачно счастливым взглядом. Это был самый радостный момент
в его жизни. Брок был чувственным, нежным и невероятно сексуальным. И они так долго были друзьями,
что полюбить его не составляло особого труда. Теперь она чувствовала, что связана с Броком до конца своих дней. — Как же я не замечала, что ты ко
мне что-то испытываешь? — спрашивала она, ругая
себя за собственную глупость и слепоту.

— Ты была слишком занята своей рвотой.

— Это точно, — улыбнулась она. — Я рада,
что в конце концов я сделала нечто более утончен-
ное — я имею в виду стриптиз.

Внезапно Алекс рассмеялась своей наивности. Ей ни
разу не приходило в голову, что их отношения так далеко
зайдут, но теперь она была рада такому повороту событий. Трудно было поверить в то, что ее хотели — с ее
«уродством» и рубцом. Она ведь даже не пыталась от
него это скрыть. Вдруг Брок снял с нее парик и отложил

его в сторону. Между ними не должно было быть ничего неестественного.

— Похоже, мне теперь не нужно делать пластическую операцию, раз у меня есть молодой мужчина. Ведь выбор был именно таким, если я не ошибаюсь? — с улыбкой сказала она, но потом добавила обеспокоенным голосом: — А ты понимаешь, как я чудовищно стара, дурачок? Я на десять лет старше тебя. Можно сказать, что я тебе в матери гожусь.

— Ерунда. Ты ведешь себя так, как будто тебе двенадцать. Без меня тебе придется трудно, — откровенно, без заносчивости и притворства сказал он.

— Похоже, ты прав. Но все-таки я старше.

— А мне плевать.

— У тебя неправильная позиция. Когда тебе будет девяносто, мне будет сто.

— Я закрою глаза, когда мы будем заниматься любовью, — успокоил ее он.

— А я одолжу тебе свой парик.

— Хорошо. — Брок крепко обнял ее и поцеловал. В приступе смеха Алекс вдруг почувствовала, что он снова возбуждается. Их поцелуи стали горячими и страстными, и столь долго томившееся в одиночестве тело Алекс отвечало на ласки Брока с подлинным неистовством. После этого Брок, боявшийся утомить ее, принес одеяло и прикрыл свою подругу, лежавшую прямо на ковре у камина. Она мирно спала в его объятиях, а он думал о том, какой он счастливый человек. Брок знал, что теперь никуда ее не отпустит. Он слишком долго ждал того, чтобы она к нему пришла. И она пришла — нагая и бесхитростная, и теперь он был готов на все, чтобы удержать ее. Отныне она принадлежала ему, а не Сэму. И Брок собирался провести с ней всю жизнь.

Глава 17

После возвращения из Вермонта Брок пошел вместе с Алекс на химиотерапию и присутствовал при осмотре, предшествовавшем процедуре. На рентгеновских снимках все было чисто; Алекс осталось только семь недель. Доктор Уэббер была очень удовлетворена результатами лечения и высказывала свои соображения не только Алекс, но и Броку, воспринимая их как пару.

— Как это странно, — со смущенной улыбкой сказала Алекс в такси по дороге в офис. Она расслабленно прислонилась к его плечу, чувствуя подкатывающую тошноту. Последние остатки стеснения между ними улетучились.

— Что странно? — спросил он, внимательно наблюдая за ее состоянием, готовый помочь в любую минуту.

— Мы с тобой, — улыбнулась Алекс, поправляя съехавший парик. — С нами обращаются, как с мужем и женой. Ты это замечал? Тот парень из бакалеи в Вермонте подумал, что ты мой муж. И доктор Уэббер ведет себя так, как будто ты был со мной с самого начала. Неужели никто не понимает, что я гожусь тебе в матери?

Алекс не переставала удивляться тому, как легко все это оказалось. Их роман продолжался всего три дня, но уже казался вполне естественным не только им, но и всем окружающим.

— Я думаю, они не замечают, мамочка, — сказал он, целуя ее в нос.

— Ты должен обращать внимание на четырнадцатилетних девчонок. Здоровых девчонок.

— Занимайтесь своим делом, советник.

Единственной трудностью было то, что они должны были держать это в тайне от сотрудников. Партнеры и помощники не должны были вступать в близкие отношения или брак. В противном случае один из них должен был уйти из фирмы. Это был обычный неписаный закон юридических контор, и в случае обнаружения их романа Брок, стоявший ниже Алекс в иерархической лестнице «Бартлетт и Паскин», неизбежно потерял бы работу.

По дороге они попали в пробку, и, возвращаясь, потратили больше времени, чем предполагали. В результате эффект химиотерапии проявился за три квартала до точки назначения. Им пришлось выйти из машины, и пока Алекс рвало посреди Парк-авеню на виду у десятков людей, Брок бережно ее поддерживал. Это было ужасно. Алекс была совершенно подавлена, но не могла остановиться. Даже водитель такси пожалел ее. Было ясно, что она не пьяна, а просто очень больна. Брок велел ему ждать, оставив счетчик включенным. Только через полчаса она смогла снова сесть в машину. Брок хотел отвезти ее домой, но Алекс настояла на возвращении на работу.

— Да не дури ты, ради всего святого. Тебе надо поехать домой и отдохнуть.

— У меня работы по горло, — сказала Алекс и улыбнулась, несмотря на свое несчастное положение. — Не думай, что ты можешь указывать мне, что делать, только потому, что у нас роман.

— Это было бы слишком легко. — Расплатившись с таксистом, Брок довел ее до кабинета. Ему пришлось поддерживать ее на ходу, но все, кто встретился им на пути, ничего не заподозрили, думая, что он просто ей помогает. Все знали, что Брок ее помощник и что она уже много месяцев больна. Сотрудники все еще очень ее жалели.

Лиз отправилась заварить ей чай, и следующий час Алекс провела на полу в туалете. Брок, как всегда, составил ей компанию. Немного оправившись, Алекс прямо там завела деловой разговор об одном из ее исков.

— Это ненормально, — в конце концов сказала она. — Мы работаем здесь больше, чем за моим столом.

— Ничего, осталось недолго, — напомнил он. Это было действительно так — по мнению доктора Уэббер, рак удалось победить скорее всего навсегда.

В пять он отвез ее домой, а потом вернулся на работу и оставался там до девяти. Перед уходом он позвонил Алекс и попросил разрешения зайти на несколько минут. Сэма опять не было дома.

— Ты в состоянии принимать гостей?

— Конечно. Приходи, я буду рада тебя видеть. — Алекс все еще не пришла в себя от удивления после того, что произошло между ними в эти выходные, и хотя последствия химиотерапии не позволяли им насладиться друг другом, Алекс с нежностью вспоминала восхитительные часы, проведенные в Вермонте. Это было как сон. Через полчаса Брок появился в дверях ее квартиры с букетом цветов и нежно поцеловал ее. Алекс была в ночной рубашке и халате, немного приоткрывавшем грудь. Перед его приходом она надела один из париков, но Брок напомнил ей о том, что в его присутствии парик носить необязательно.

— Без него тебе лучше. Ты выглядишь более сексуальной.

— Ты с ума сошел.

— От тебя, — прошептал он, укладывая ее в постель с нежным поцелуем. Потом он отправился на кухню поставить цветы в вазу. Алекс немного отошла после дневных приступов; присев на край ее кровати, Брок долго разговаривал с ней, лениво проводя пальцем по ее телу.

— Я счастливый человек, — сказал он, смотря на нее. Он так долго желал ее, хотел быть рядом с ней и помогать ей. Он считал своим долгом защитить ее от Сэма, и теперь она принадлежала ему полностью. Это была судьба.

— Глупенький мальчик, — улыбнулась она. Впрочем, ей давно стало ясно, что он не мальчик, а зрелый мужчина. Ей постоянно приходилось напоминать себе о том, что он моложе ее. С ним Алекс чувствовала себя как за каменной стеной — настолько надежен, предупредителен и заботлив был Брок.

— И где на этот раз Сэм? — спокойно спросил Брок.

— Опять в Лондоне. Мы его почти не видим. Он говорит, что будет жить здесь, пока не кончится курс химиотерапии. А потом он переедет. Мне кажется, что он подыскивает себе квартиру. На прошлой неделе ему звонил агент по недвижимости и предлагал пентхаус* на Пятой авеню. Наверное, он разделит ее со своей возлюбленной, — ответила Алекс таким тоном, как будто ей совершенно все равно, хотя это было не так — мысль о том, что он ее предал, по-прежнему причиняла ей боль.

— Ты собираешься подавать на развод?

— Пока нет. Куда спешить и какое это имеет значение? Просто каждый из нас живет своей жизнью.

Хотя для Брока это имело значение, он знал, что давить на нее еще рано. Он хотел, чтобы Алекс принадлежала ему, хотел жить с ней. Но для этого нужно было, чтобы Сэм совсем исчез с ее горизонта.

Брок сидел около ее постели до одиннадцати. Потом он уложил ее спать, выключил свет и тихо ушел из квартиры.

---

* Пентхаус — фешенебельная квартира на крыше небоскреба. — *Примеч. пер.*

На следующий вечер он приготовил обед для нее и Аннабел. После этого они немного поработали, и когда пришла пора ложиться спать, Брок понял, что не сможет справиться с собой. Алекс была обворожительно красиво, и ему не терпелось заняться с ней любовью, но она все еще плохо себя чувствовала, и они не хотели будить Аннабел. Девочке нравилось играть с Броком, и она понятия не имела о том, что происходит между ним и ее мамой. Она подружилась с ним и нисколько его не смущалась.

К выходным Алекс стало лучше. В субботу пришла Кармен, позволив Алекс провести целый день в квартире Брока. И весь этот день они не вылезали из постели. Алекс и не думала, что секс может быть таким сногсшибательным. Брок оказался изумительным любовником. Они совершенно свободно обращались с телами друг друга — им нечего было скрывать, нечего бояться, нечего удерживать. Забыв обо всем на свете, они занимались любовью часами.

А в воскресенье Брок пришел к ним и провел с ними весь день. Алекс сказала дочери, что они должны работать, но эти планы развеялись в прах. Они побывали в зоопарке, перекусили в кафе, а потом долго сидели около песочницы, наблюдая, подобно всем родителям, как Аннабел играет с другими детьми.

— Тебе нужна женщина твоего возраста, — сказала Алекс. Впрочем, голос ее звучал менее убедительно, чем раньше, — она слишком хорошо помнила вчерашний день, проведенный вместе. Она чувствовала, что привязывается к нему и никому его не отдаст. Брок отличался подкупающей добротой, умом и нежностью. — Тебе нужны дети.

— А у тебя еще могут быть дети? — откликнулся Брок. Об этом предмете он почти не беспокоился. Ему нравилась Аннабел, и он не отказался бы стать приемным отцом.

— Не думаю. Я пыталась забеременеть чуть ли не с того самого дня, когда появилась Аннабел, но все было безуспешно, хотя никто и не понимал почему. Доктор Уэббер говорит, что около половины женщин моего возраста после химиотерапии становятся стерильными. Я не знаю, когда у меня начался рак, но в любом случае мне не следует беременеть в течение пяти лет, даже если я буду на это способна. А через пять лет я буду уже слишком стара. Ты заслуживаешь лучшего, Брок.

— Я много раз говорил себе это, — поддразнил ее он, на что Алекс толкнула его в бок. — Понимаешь, меня это мало волнует. Если у меня не будет своих собственных детей, ничего страшного не произойдет. Я считаю, что усыновление — это великая вещь. Ты будешь возражать? — с неожиданным любопытством спросил он, ловя себя на том, что знает про нее слишком мало.

— Я никогда об этом не думала. Скорее всего ты прав. Но неужели ты не допускаешь, что в один прекрасный день пожалеешь об этом? Всем мужчинам хочется продолжить свой род. Дети — это так прекрасно, — сказала она, посмотрев на Аннабел и переведя взгляд на него. — До тех пор пока я сама не родила, я не понимала, как много я теряю. Теперь я жалею о том, что не сделала этого раньше.

— У тебя не было времени. Ничего удивительного — твоя карьера тебе этого не позволяла. Я до сих пор не понимаю, как тебе это удалось.

— Это своего рода самообман. Тебе приходится все время помнить о своих приоритетах. Но в большинстве случаев игра стоит свеч. Аннабел — замечательный ребенок, и я пытаюсь сделать для нее как можно больше. Сэм тоже очень ее любит — конечно, когда он на месте.

Брок понял, что его впечатление о Сэме день ото дня становится хуже.

В этот вечер они с Броком обедали в изыскан-
ном ресторане на 84-й улице. Он рассказывал Аннабел смешные истории и пытался изображать разных
животных и персонажей из мультфильмов. И к концу дня они все окончательно подружились. В понедельник Брок снова повез Алекс к доктору Уэббер.
Он больше не позволял ей ездить туда одной, потому что отныне она принадлежала ему. И все началось сначала — рвота, усталость и наконец две-три
недели приличного самочувствия до следующего раза.
Но теперь Алекс казалось, что время просто бежит.

Им удавалось выкраивать время для встреч у нее
в квартире, когда там не было Сэма — а его там
не было почти все время, — или у него, когда с
Аннабел оставалась безотказная Кармен. С каждым
днем их взаимное притяжение росло. Однажды они
даже, не удержавшись, набросились друг на друга в
туалете при ее кабинете. Брок вышел оттуда с неправильно застегнутой рубашкой и развязанным гал-
стуком, заставив Алекс хохотать до боли. Они вели
себя как дети, но удовольствие, которое они от этого получали, было безмерным, и потом, они заслу-
жили свое счастье. Алекс заплатила за это слишком
высокую цену, а Брок ждал ее слишком долго. Они
оба были счастливы, как никогда в жизни. Брок очень
нравился Аннабел и Кармен. Старая женщина не могла
простить Сэму того, что он сделал со своей женой
за последние полгода, поэтому сейчас ей было особенно приятно видеть Алекс счастливой. Даже Лиз
поняла что к чему и очень обрадовалась, но ради их
спокойствия делала вид, что ничего не замечает.

Теперь они все время работали вместе, больше,
чем раньше, и советовались друг с другом по любому поводу. Алекс делилась с ним всеми своими де-

лами. Никто ничего не подозревал — все знали, что, после того как она серьезно заболела осенью, Брок взял на себя часть ее обязанностей, чтобы максимально облегчить ее жизнь. Система их работы и ее результаты производили весьма значительное впечатление. Их отношения были просто идеальными, они были вместе постоянно. Не было часа, во время которого они бы не общались, и эта непрекращающаяся близость совершенно не раздражала ни Алекс, ни Брока. Наоборот, им очень нравилось быть рядом.

Даже Сэм заметил, что его жена изменилась. Она казалась счастливой, на сердце у нее явно стало легче, и в те редкие дни, когда они встречались за завтраком, Алекс даже пыталась шутить и уже не так сердилась на него.

В одно апрельское утро, когда Кармен повела Аннабел в садик, Алекс наконец решилась оторвать его от утренней газеты и спросить, когда он переезжает.

— Ты что, хочешь, чтобы я поскорее исчез? — с некоторым удивлением сказал Сэм.

— Нет, — Алекс печально улыбнулась, — но агенты по недвижимости замучили меня своими звонками. Я думала, ты себе уже что-то подыскал. Я не думаю, что в Нью-Йорке продается так много пентхаусов.

Агенты действительно звонили днем и ночью. И Дафна постоянно напоминала ему об этом. Она достаточно долго проявляла терпение, но теперь ей хотелось завладеть им полностью. Сэму было не слишком-то приятно возвращаться домой поздно ночью, но он чувствовал свою вину перед Аннабел и считал, что по утрам он должен быть дома.

— Я еще ничего не нашел. Я сообщу тебе, — холодно ответил он. — И кроме того, ты еще не закончила свое лечение, — напомнил он. «Не тянет ли он резину?» — подумала Алекс; впрочем, было ясно, что он просто не хочет оставлять свою дочь.

— Это произойдет через четыре недели, — сказала она с облегчением. Кошмар, начавшийся пять месяцев назад — самые длинные пять месяцев в ее жизни, — наконец-то заканчивался. В последнее время они с Броком только и обсуждали свои планы на будущее. Они уже ходили в кино и театры. Алекс хотелось пойти с ним в оперу, но сил на это у нее не было. На следующий сезон они хотели купить абонемент, но Алекс инстинктивно боялась строить столь дальние планы. — А ты, Сэм? — спросила она, стараясь, чтобы ее голос звучал как можно более обыденно. — Что ты будешь делать летом? Или ты еще не решил?

— Я... э-э-э... еще не знаю. Наверное, уеду в Европу на месяц-другой.

Сэм не мог сказать ничего определенного, но Дафне хотелось провести лето в Южной Франции, а Саймон взахлеб расхваливал им яхты, которые можно было нанять. Это было дороже, чем их обычный отдых на Лонг-Айленде или в Мейне, но Сэм мог себе это позволить. Ему казалось, что Дафну нужно вознаградить за ее терпение.

— В Европу на месяц или два? — переспросила Алекс, не веря своим ушам. — Наверное, у тебя очень хорошо идут дела.

— Да. Спасибо Саймону.

— А Аннабел? Ты ее с собой возьмешь?

— На какое-то время — да. Я думаю, ей будет интересно. — Дафна тоже собиралась на пару недель привезти своего сына, хотя эта перспектива ее не слишком радовала. Слушая Сэма, Алекс вдруг задумалась над тем, что это за девушка и как хорошо она будет заботиться о ее дочери. Этот вопрос нужно было решить до лета.

— Ты не забыл, что Аннабел не знает о твоем решении уйти? — напомнила Алекс. Рано или поздно им придется заняться этим вопросом, но сейчас было еще рано, и Сэм никак не мог собраться с духом. — Ей будет тяжело.

Им всем будет тяжело — это понимали они оба. Никакая подготовка не могла смягчить разрыв после семнадцати лет совместной жизни.

— Она очень обидится на меня, — угрюмо сказал Сэм, надеясь на то, что Аннабел полюбит Дафну и несколько облегчит его положение. Дафна была молодая, веселая и красивая. Как она может кому-то не понравиться?

— Она справится, — отрезала Алекс. За прошедшие несколько месяцев им пришлось справиться с массой трудностей; пик уже прошел, и Аннабел гораздо меньше беспокоилась о здоровье своей матери.

— По-моему, ты выздоравливаешь, — заметил Сэм, глядя на свою жену. Он не мог не видеть, что она изменилась и снова обрела часть прежней женственности. Еще пару месяцев назад Алекс казалась ему ходячим трупом, а теперь она постепенно возвращалась к жизни, что, с одной стороны, облегчало Сэму разрыв, а с другой — усложняло. К его собственному удивлению, он чувствовал, что будет по ней скучать.

— Да, у меня все в порядке, — сказала Алекс. Этот разговор огорчал и раздражал ее. Было бы странно, если бы это было не так. Не думать о девушке, к которой он уходил, было очень сложно. Как-то раз Алекс снова видела их вместе в ресторане, но Сэм по-прежнему не подозревал, что ей известна его тайна.

Внутри у нее все переворачивалось, когда она в очередной раз их встречала.

По пути на работу он все еще думал об Алекс, вспоминал их прежнюю счастливую жизнь и те приятные мелочи, которыми она была наполнена. Когда они познакомились, Алекс показалась ему очень темпераментной и немножко сумасбродной. Она была умна и красива, и Сэма всегда привлекали ее прямота и честность, ее чистота и чувство собственного достоинства. Теперь она стала гораздо спокойнее и вообще изменилась. Сэм понимал, что ее прежняя натура никуда не делась, но в последнее время Алекс казалась ему какой-то чужой и отстраненной. Он не мог понять, в какой степени это была его вина.

— Что это ты сегодня такой задумчивый? — спросила его Дафна в этот день, перехватив его в одном из коридоров.

— Я готовлюсь к переезду. Знаешь, нам действительно пора выбрать себе квартиру.

Сэму хотелось начать новую жизнь и полностью забыть старую. Разумеется, он не имел в виду Аннабел. В ближайшее время он собирался познакомить ее с Дафной. Теперь Алекс уже не станет устраивать по этому поводу сцены; кроме того, ему казалось, что она догадывается о существовании другой женщины, хотя он ничего не говорил своей жене и не знал, что она их видела.

— Тебе попадалось на этой неделе что-нибудь приличное? — с надеждой спросил он. Поиск квартиры начинал его раздражать. Они осмотрели уже все пентхаусы для продажи в городе, но ни один не устраивал их полностью. В большинстве из них требовалось менять интерьер или делать крупный ремонт.

— Знаешь, мне это надоело, — пожаловалась Дафна. — Либо там слишком много спален, либо мне не нравится вид из окон, либо квартира расположена слишком низко, и поэтому там шумно.

Им хотелось, чтобы в квартире был камин и чтобы окна выходили на парк или реку. Лучше всего был Центральный парк. Сэму хотелось жить на Пятой авеню, и он готов был заплатить больше миллиона — прибыль от их последних сделок вполне позволяла сделать это.

Алекс уже сказала ему, что ей от него ничего не нужно. Он должен был только давать деньги на содержание Аннабел. Алекс была очень порядочным человеком и хорошим юристом. Сама она в деньгах Сэма не нуждалась, а того, что ей хотелось бы получать от него, он ей дать не мог.

— Не будь таким угрюмым занудой, — ворковала Дафна, запирая дверь его кабинета и садясь к нему на колени. Она прижалась к Сэму, заставив его робко улыбнуться. Жалеть о прошлом было глупо. Оно было позади и не могло вернуться. Как бы хорошо ему тогда ни было, это не могло идти ни в какое сравнение с тем, что давала ему Дафна. Просунув руку ей под юбку, он, как и обычно, не обнаружил там никаких препятствий для своих пальцев. Она не носила ни трусиков, ни колготок, надевая чулки на резинке или на поясе, и Сэму это очень нравилось. У нее была целая коллекция на редкость сексуальных бюстгальтеров, но с трусиками ее отношения не складывались уже довольно давно.

— Сообщите мне, пожалуйста, мое расписание на сегодня, мисс Белроуз, — сказал он, целуя ее. Дафна расстегнула «молнию» у него на брюках и просунула туда свои уверенные пальцы.

— Никаких встреч, никаких сделок, мистер Паркер, — сказала она со своим безупречным английским выговором. — Впрочем, подождите минуту, — она делала вид, что напрягает память,— что-то, кажется, было... а, вот оно...

Достав искомое, Дафна приникла к нему губами, и Сэм откинулся на спинку стула, застонав от удовольствия. Их «встреча» продолжалась недолго, но была исключительно плодотворной. Когда Дафна через некоторое время вышла из его кабинета, она удовлетворенно улыбалась.

Глава 18

Солнечным майским днем игла вонзилась в руку Алекс в последний раз. Брок, как всегда, был рядом. Когда все было кончено, Алекс расплакалась от переполнявших ее чувств. Ей еще нужно было принять шесть таблеток цитоксана, и после этого должна была наступить долгожданная свобода. Заключительный снимок груди, анализ крови, маммограмма — и все. Рак был побежден. С помощью Брока Алекс пережила шесть чудовищных месяцев химиотерапии.

Назначив контрольную встречу через полгода, Алекс попрощалась с доктором Уэббер и, несмотря на подступающую слабость, почувствовала воздух свободы, как только вышла из ее кабинета.

— Как мы это отпразднуем? — спросил Брок. Они стояли на 57-й улице, не веря тому, что все кончилось.

— У меня есть идея, — загадочно сказала она, глядя ему в глаза. Правда, оба знали, что через час ее будет рвать — в последний раз. Она больше никогда не испытает этого ужаса. Алекс была уверена в этом. Она не допустит, чтобы это повторилось.

Вернувшись в офис, они спокойно занялись работой. Алекс стало плохо, но все равно на этот раз она чувствовала себя иначе. Казалось, ее тело знало, что над ним надругались в последний раз.

Ночью она мирно лежала в его объятиях. Дверь была заперта на случай, если Аннабел проснется. Они наконец решили отказаться от целомудрия в ее доме. Что касалось Сэма, то если он не приходил домой к девяти или десяти часам, это означало, что он вообще не придет ночевать.

— И что мы теперь будем делать, Алекс? — спросил Брок. Они планировали провести лето в Лонг-Айленде, но один из партнеров предложил Алекс пожить в его летнем домике в Истхэмптоне, и эта идея очень понравилась Алекс. Единственное, чего она боялась, — что их роман с Броком таким образом будет обнаружен; впрочем, это было маловероятно. Кроме того, у них была такая хорошая отговорка, что пока никто не обращал внимания на их неразлучность.

— Я бы хотел попутешествовать с тобой, — продолжал он.

— А куда мы поедем? — мечтательно спросила Алекс. Их отношения были воплощением мечты, обещанием счастья в будущем.

— В Париж... Венецию... Рим... Сан-Франциско. — Брок закончил перечисление более реалистично, чем начал.

— Давай, — неожиданно сказала Алекс. У нее должен был быть большой отпуск, но поскольку она довольно долго не работала, ей казалось, что долго отдыхать ей не следует. — В следующем месяце, насколько я знаю, никаких процессов не ожидается. Давай съездим куда-нибудь на несколько дней, это будет интересно и приятно.

— Ты же уже не лечишься, ты забыла? — упрекнул ее Брок, лежа рядом с ней в темноте. — Разве ты не примешь предложение насчет Истхэмптона?

— Пожалуй, — решилась Алекс. Теперь они могли строить планы и сами управлять своей жизнью, могли уехать. Алекс снова была настоящим человеком, со своими надеждами, мечтами, счастьем и будущим.

Следующие несколько недель стали для нее очень напряженными. Она активно включилась в работу, взяла на себя все прежние обязанности, стала гото-

виться к участию в процессах. В этой запарке она
даже не заметила, как закончила пить цитоксан. К
первому июня она чувствовала себя более окрепшей
и вообще самой собой. В конце месяца они собирались в Сан-Франциско, но до этого им с Сэмом надо
было разъехаться и сказать об этом Аннабел.

Сэм наконец-то нашел именно такую квартиру, которую искал. Она была расположена на одном из верхних
этажей небоскреба, неподалеку от того места, где они
с Алекс жили. Там была красивая столовая, гостиная
с захватывающим видом из окон, спальни, комната для
прислуги и уютная кухня. Кроме того, там была комната для Аннабел и комната для гостей, в которой
должен был жить сын Дафны во время своих приез-
дов в Америку. Правда, Дафна сказала, что лучше
она будет навещать его в Англии. Отправлять пяти-
летнего мальчика в такое путешествие одного было неразумно, а его няньки были такими занудливыми, что
их ей здесь видеть не хотелось. Дафна всегда находила уважительные причины для того, чтобы не общаться
со своим сыном, и Сэм иногда спрашивал себя, в чем
дело — то ли он ужасный ребенок, то ли она — плохая
мать. Может быть, и то, и другое; впрочем, Сэм не
слишком-то волновался по этому поводу. Его мысли
были заняты Аннабел. Накануне Дня памяти павших
Сэм и Алекс пришли домой пораньше, чтобы поговорить с дочерью.

— Папа уходит?! — в ужасе переспросила девочка со слезами на глазах.

— Я буду жить через три квартала, — сказал Сэм, пытаясь обнять вырывающуюся из его
рук Аннабел.

— Почему? Почему ты уходишь?

Что она сделала? Что с ними такое? Почему это с ней случилось? Девочка не могла этого понять. И мама, и папа, еле сдерживая слезы, пытались утешить ее.

— Мы с мамой считаем, что так лучше, родная, — сказал Сэм, пытаясь успокоить ее и объяснить все как можно доступнее. — Понимаешь, я все равно мало бываю дома. Я все время путешествую. И мы с мамой думаем...

Как можно объяснить четырехлетнему ребенку такую сложную вещь? Особенно если учесть, что они сами не до конца понимали, что случилось с их семьей.

— Мы с мамой думаем, — продолжал Сэм, — что будет лучше, если мы будем жить в разных квартирах. Ты сможешь приходить ко мне в гости в любое время и в будни, и на выходные. Мы с тобой такое придумаем! Если хочешь, давай опять поедем в Диснейленд.

Но Аннабел была умнее, чем он думал, — настоящая дочь юриста. Предлагать ей взятки было бесполезно.

— Я не хочу в Диснейленд. Я вообще ничего не хочу. Папа, ты что, больше нас не любишь?

Это был убийственный вопрос. Сэм чуть не поперхнулся и быстро ответил:

— Конечно же, люблю.

— А маму не любишь? Ты все еще злишься на нее из-за того, что она заболела?

На этот вопрос надо было бы ответить утвердительно, но Сэму не хватало духа на это.

— Конечно, нет. Конечно, я на нее не злюсь. И я ее люблю. Но, — продолжал он со слезами в голосе, смотря на прижавшуюся к Алекс дочь, — мы не хотим больше быть мужем и женой. По крайней мере мы не будем жить, как прежде. Теперь у нас будут отдельные квартиры.

— Вы разводитесь? — с искренним удивлением спросила Аннабел. Ей приходилось слышать об этом в садике от Либби Вайнштейн. Ее родители были в разводе, мама вышла замуж второй раз и родила близнецов, что совершенно не устраивало Либби.

— Нет, мы не разводимся, — твердо ответил Сэм, хотя Алекс подумывала о том, что ей стоит подать на развод. Она считала, что узел надо разрубать сразу. Но никто из них не решался предпринять окончательные шаги, и необходимости спешить не было. Так что временно они могли говорить Аннабел, что никакого развода не предвидится. — Мы просто будем жить отдельно.

— Я не хочу, чтобы ты уходил, — сказала Аннабел, сердито глядя на отца. Потом она вдруг вскочила с коленей матери и накинулась на нее с неожиданным жаром. — Это все ты виновата, потому что ты заболела! Из-за тебя он на нас сердится, а вот теперь уезжает! Это из-за тебя! Ты заставила его ненавидеть нас!

Она выкрикивала эти обвинения с горячностью, к которой ни Алекс, ни Сэм не были готовы. Вырвавшись из объятий Алекс, Аннабел убежала в свою комнату и захлопнула за собой дверь, из-за которой вскоре послышались безутешные рыдания. Родители поочередно пытались успокоить дочку, но все было напрасно. Наконец Алекс решила оставить ее на некоторое время в одиночестве и медленно прошла на кухню. Сэм был уже там. Он стоял и смотрел на нее, онемев от страдания и чувства вины. Никогда в жизни он не чувствовал себя так паршиво, как сейчас.

— Как всегда, во всем виновата я, — жалобно вздохнула Алекс, такая же угрюмая, как ее муж.

— Постепенно она начнет ненавидеть меня, не беспокойся. Ни ты, ни я ни в чем не виноваты. Просто все так сложилось.

— Она сумеет с этим справиться, — неуверенно сказала Алекс. Ей бы суметь. — Если она пой-мет, что ты живешь совсем близко, и будет почаще тебя видеть, она со временем научится относиться к этому более спокойно. Ты должен приложить к этому максимум усилий.

— Конечно, — откликнулся Сэм, раздраженный этой лекцией. — Я хочу, чтобы она общалась со мной так часто, как ты мне это позволишь.

— Ты можешь брать ее к себе, когда захочешь, — благородно заявила Алекс. Ей было неуютно от мысли, что они делят дочь так, как будто это какой-нибудь канделябр. Вдруг она вспомнила о своих собственных планах. — А что ты делаешь в этот уик-энд?

Сэм как-то обмолвился, что хочет взять ее в Хэмп-тонс на День памяти павших. Он снял там дом на четыре дня и считал, что Аннабел должно там понравиться. Алекс не возражала.

— Мои планы не изменились, если она, конечно, согласится со мной поехать.

— Она сердится на меня, а не на тебя, не забывай. Все будет в порядке, не волнуйся, — заверила она его. Алекс с Броком собирались поехать на Файр-Айленд.

С тяжелым сердцем Алекс пошла в комнату Аннабел. Девочка лежала на своей кровати с таким видом, как будто у нее разбито сердце.

— Прости нас, дочка, — ласково сказала Алекс. — Я знаю, что это тяжело. Но папа по-прежнему тебя любит и будет часто-часто с тобой видеться.

— А ты будешь ходить со мной на балет? — спросила Аннабел, вконец запутавшись в том, кто куда уходит. Четырехлетней девочке переварить все это было слишком трудно — впрочем, как и сорокатрехлетней

Алекс. И Сэму, которому только что исполнилось пятьдесят.

— Конечно, все будет по-прежнему. Каждую пятницу мы будем ходить с тобой на балет. Я больше не буду болеть. Я перестала принимать свое лекарство.

— Совсем перестала? — с подозрением спросила Аннабел.

— Совсем перестала, — твердо ответила Алекс.

— А твои волосы снова вырастут?

— Думаю, что да.

— А когда?

— Скоро. Мы снова будем, как близнецы.

— И ты не умрешь?

Для каждого из них это был больной вопрос, и обещать что-либо по этому поводу было трудно.

— Нет. — Алекс чувствовала, что в данном случае гораздо важнее раз и навсегда успокоить Аннабел, чем говорить ей всю правду. Никаких гарантий быть не могло, но не было и признаков рецидивов.

— Я не умру. Я выздоровела.

— Это хорошо, — улыбнулась Аннабел, почти готовая простить ее за то, что она упустила папу. — Тогда зачем же папа уходит? — наивно продолжала она.

Как ей было это объяснить?

— Потому что там он будет счастливее. И это для него очень важно.

— А здесь, с нами, он разве не счастлив?

— Сейчас — уже нет. Ему хорошо с тобой. Но не со мной.

— Я же говорю тебе, что он на тебя сердится, — снова упрекнула она свою маму, — а ты меня не слушаешь.

Алекс рассмеялась, поняв, что все будет хорошо. Им всем удалось пережить этот кошмар. С их семьей произошла страшная вещь, но они смогли справиться с посланным им коварной судьбой испытанием.

Она пошла выяснить, где Сэм, и обнаружила его в комнате для гостей — он собирал сумки. Большая часть его вещей оставалась здесь, хотя он сказал ей, что собирается переехать в течение двух недель. Месяц он должен был прожить в «Карлайле»*, пока квартира не освободится. Переезжать в квартиру Дафны ему не хотелось, и «Карлайл» казался ему золотой серединой и местом, куда не стыдно позвать Аннабел.

— Все будет в порядке. Сейчас она потрясена, но я уверена, что она привыкнет к этой мысли, — грустно сказала ему Алекс.

— В пятницу я заберу ее из садика и возьму с собой в Саутхэмптон. А в понедельник вечером мы вернемся.

— Хорошо, — кивнула Алекс, осознав, что они только что перевели свои отношения в новую фазу. Несмотря на то что в течение шести месяцев он постоянно пропадал и возвращался. Только сейчас это было узаконено. Они сказали о своем решении Аннабел. Итак, они расставались — не разводились, но собирались жить отдельно. Мир — их маленький мир — изменился до неузнаваемости.

— Бедная девочка, — сочувственно сказал Брок, когда Алекс пересказала ему события того вечера. — Наверное, ей очень трудно это все понять. Это даже взрослым трудно.

— Она ругает за это меня. Говорит, что если бы я не заболела, папа бы на нас не сердился. В этом есть доля истины, но я подозреваю, что наш разрыв назревал уже давно, просто на поверхность

* «Карлайл» — гостиница в Нью-Йорке.— *Примеч. пер.*

ничего не вылезало. Теперь я понимаю, что мой брак не был таким безупречным, как мне казалось раньше, иначе бы он не развалился так стремительно.

— Я думаю, что то, через что тебе пришлось пройти, расшатало бы какие угодно отношения, — откровенно сказал он.

Алекс согласилась с Броком, а потом напомнила ему о том, что в один из ближайших дней хочет повидаться с его сестрой. Брок кивнул, но ничего не сказал. Через секунду Алекс уже с увлечением обсуждала их планы поездки на Файр-Айленд.

Уик-энд должен был удаться на славу. Они заказали комнату в маленькой и уютной старой гостинице. Алекс по опыту знала, что стоит только сесть на паром и ощутить дуновение соленого ветра на лице, как все проблемы в миг исчезнут. Именно это ей и было сейчас нужно.

Сэм в эти выходные тоже решил заняться решением своих проблем. Забрав Аннабел из садика, он собирался быстренько покормить ее ленчем, захватить Дафну и направиться в Саутхэмптон. Ему хотелось сначала побыть наедине с Аннабел, чтобы подготовить ее, но девочка была совершенно сражена известием о том, что в жизни ее отца может быть другая женщина. Понять, как это может быть, было выше ее сил.

— Она поедет с нами? — тупо переспросила она. — Почему?

— М-м-м, — замялся Сэм, чувствуя себя полным идиотом. — Чтобы помочь мне ухаживать за тобой, чтобы нам было интереснее.

Это был дурацкий ответ, и Сэм это прекрасно знал.

— Ты имеешь в виду, что она, как Кармен? — Аннабел явно была сбита с толку, и Сэм рассмеялся:

— Нет, глупенькая. Она мой друг.

— Как Брок? — Это был понятный ей образец отношений, за который Сэм с облегчением ухватился:

— Точно. Дафна работает вместе со мной, так же как Брок работает с мамой.

Между этими двумя ситуациями было гораздо больше сходства, только Сэм об этом не подозревал.

— И она мой друг, — продолжал он, — так что нет ничего страшного в том, что она проведет с нами выходные.

— И ты будешь работать с ней так, как мама работает с Броком?

— Может быть... но скорее всего мы будем все время веселиться и играть с тобой.

— Хорошо. — Ей это все казалось очень глупым, но по крайней мере она не отказалась встретиться с ней. Но получилось, что планы Дафны совершенно не совпадают с планами Сэма.

— Почему ты не взял с собой няню или хотя бы домработницу? — набросилась на него Дафна, открыв ему дверь квартиры. Аннабел сидела внизу в машине, ключи были у него, и он следил за ней в окно. — Или хотя бы прислугу. Мы не сможем с ребенком такого возраста ходить куда нам захочется. Мы будем намертво привязаны к ней.

С этой стороны он ее совершенно не знал. Лицо Дафны выражало недовольство.

— Прости меня, дорогая, — извинился он, подхватывая ее сумку, — я об этом не подумал.

Для них с Алекс, когда они куда-нибудь уезжали, не составляло труда ухаживать за Аннабел. Правда, она была их общим ребенком и они были мужем и женой.

— В следующий раз я возьму с собой Кармен, я тебе обещаю.

Сэм поцеловал Дафну, и она немного смягчилась. На ней было надето голубое хлопчатобумажное летнее платье, в вырезе которого была слегка видна ее грудь, и Сэм мог догадаться, что под платьем у нее ничего не было.

— Тебе она понравится, — пообещал он ей, когда они спускались. — Она просто очаровательна.

Но оказалось, что Дафна вовсе не считает ее очаровательной. По дороге на Лонг-Айленд она вела себя очень подозрительно. Вопросы, неловкие ответы и необходимость лгать сильно испортили настроение Сэму. Когда они прибыли на место, он вспотел и очень нервничал. Он положил вещи Дафны в комнату по соседству с его, а вещи Аннабел — в комнату напротив, отделенную от их половины коридором. Увидев все эти предосторожности, Дафна громко рассмеялась:

— Ты что, шутишь, Сэм? Ей только четыре года, она пока не в состоянии понять, что происходит.

Дафне в отличие от Сэма было совершенно все равно, что Аннабел скажет своей матери.

— Мне кажется, что ты можешь держать свои вещи здесь. Она не должна знать, что мы спим вместе.

— А если ей приснится страшный сон? — Об этом Сэм не подумал.

Но Дафна знала, что это иногда происходит с детьми.

— Мы сами к ней пойдем, — разрешил он эту проблему, заставив свою подругу снова рассмеяться.

— Тогда строго-настрого запрети ей вылезать из постели под страхом смертной казни, ладно, милый?

— Хорошо, хорошо. — Сэм чувствовал себя неловко и глупо.

Впрочем, через некоторое время выяснилось, что даже такое очаровательное дитя, как Аннабел, может целый день вести себя несносно: она съела слишком много конфет, провела много времени на солнце без панамки, а в довершение всего во время обеда ее вырвало на колени Дафне.

— Очаровательно, — холодно произнесла та, наблюдая за попытками Сэма убрать следы рвоты. — Мой сын тоже это постоянно делает. Я все время пытаюсь объяснить ему, что это очень некрасиво.

— Мою маму все время рвет, — попыталась защищаться Аннабел, сверкнув глазами. Девочка уже успела понять, что эта тетя и ее папа — никакие не друзья и никогда ими не будут, что бы там папа ни говорил. Дафна была совсем не похожа на Брока. Она была придирчивая и своенравная и постоянно лезла к папе обниматься и целоваться. — Моя мама очень смелая, — продолжала она, в то время как Сэм снял с нее платье и замочил в раковине. Он потрогал ей лоб, чтобы проверить, нет ли у нее температуры, но не обнаружил ничего подозрительного. — Она сильно заболела, папа на нее рассердился, и теперь он переезжает в другую квартиру.

— Я знаю, детка, я тоже переезжаю туда, — выпалила Дафна прежде, чем Сэм смог остановить ее. — Я все про это знаю. Я буду там с ним жить.

— Вы? — в ужасе спросила Аннабел и убежала в комнату, которую они ей приготовили.

Как только дверь за ней захлопнулась, Дафна расстегнула платье и сбросила его на ковер, представ перед Сэмом во всей красе своего обнаженного тела.

— Ее вырвало на мое платье, — объяснила она, хотя Сэм это прекрасно знал.

— Извини. Я думаю, что она просто переела.

— Явно переела. Не беспокойся, — сказала Дафна, целуя его. Сэм с трудом заставил себя оторваться от своей возлюбленной.

— Надень что-нибудь. Я поднимусь к Аннабел.

— Слушай, пусть она немного побудет там одна, ей все равно надо к этому привыкать. Я терпеть не могу, когда детей балуют.

Неужели она считает это баловством? Неужели она именно из-за этого оставила своего сына в Англии с бывшим мужем?

— Я спущусь через минуту, — сказал Сэм. Поднимаясь по лестнице, он спрашивал себя, как долго будет продолжаться эта война. Он застал свою дочь в слезах; она продолжала плакать, когда он взял ее на руки, и заснула, не переставая всхлипывать. Сэму было не по себе от всего, что происходило. Ему хотелось, чтобы Аннабел и Дафна полюбили друг друга. Они обе играли огромную роль в его жизни, и он нуждался в них обеих. Поэтому надо было сделать так, чтобы у них были хотя бы внешне приличные отношения.

Когда на следующий день Аннабел проснулась в шесть утра, Сэм и Дафна все еще лежали в постели, причем Дафна по своему обыкновению не потрудилась одеться. Сэм не подумал о том, что может произойти утром, и забыл попросить свою подружку надеть ночную рубашку. Аннабел беззвучно вошла к ним в комнату и застыла на месте, открыв рот от ужаса. Сэм тоже был совершенно голым. Он предложил дочери спуститься вниз и подождать, но Дафне совершенно не понравилось вставать в такую рань, поэтому настроение у нее изрядно испортилось.

«Девочки» умылись и почистили зубы, и в конце концов Сэм взял Аннабел на пляж, чтобы Дафна немного успокоилась. Но когда он вернулся, чтобы пойти куда-нибудь на ленч, Дафна была в ярости из-за того, что Сэм вообще поехал с Аннабел.

— Что я, по-твоему, должен с ней делать? Отправить ее домой одну?

— Ну и отправь. Ничего страшного с ней не произойдет. Она не младенец. Знаешь, я тебе скажу, что американцы как-то странно обращаются с детьми. Ваши дети испорчены и чувствуют себя пупом земли. Это просто-напросто вредно. Говорю тебе, нужно воспитывать ее по-другому, Сэм. Дома, с няней или прислугой ей будет гораздо лучше. Зачем таскать ее повсюду с собой? Если этого хочет ее мама, чтобы иметь возможность пожить личной жизнью, это прекрасно, но я должна тебе сказать, что я с этим мириться не собираюсь. Я не буду навязывать тебе общество моего сына больше чем на пять дней в году, и не думай, что я буду нянькой для твоей дочери. Меня это совершенно не привлекает.

Дафна была очень раздражена, и Сэм впервые за проведенные с ней полгода почувствовал боль и разочарование в своей подруге. Наверное, в молодости с ней произошло нечто, заставившее ее так относиться к детям. Он совершенно не мог понять, как можно не любить детей. Но потом он вспомнил, что Дафна предупредила его об этом в самом начале. Надо было надеяться, что со временем она немного изменит свое мнение.

Ленч получился напряженным. Аннабел не поднимала глаз от тарелки и ничего не ела. Она слышала все, что сказала Дафна, и на некоторое время ей действительно захотелось вернуться к маме, потому что Дафна ей совсем не нравилась, о чем она и сообщила Сэму сразу же после ленча. Но Сэм жалобно сказал, что мама тоже уехала на уик-энд.

Через соседей Сэму удалось найти шестнадцати-
летнюю девочку, которая согласилась посидеть с Аннабел вечером. А они с Дафной отправились в местный
клуб пообедать и потанцевать. Когда они вернулись
домой, у Дафны явно несколько улучшилось настроение. Этой ночью Сэм попросил ее надеть ночную
рубашку, но Дафна только рассмеялась и сказала,
что такой предмет в ее гардеробе не водится.

Следующий день был похож на предыдущий, поэтому, когда пришло время возвращаться, все вздохнули
с облегчением.

Алекс была уже дома и ждала их в одиночестве. Сэм с Аннабел поднялись наверх, оставив
Дафну ждать в машине.

— Ну что, хорошо отдохнули? — спросила сияющая
и загорелая Алекс, одетая в голубые джинсы и накрахма-
ленную белую рубашку. Сэм не мог не отметить, что она
прекрасно выглядит.

Но лицо Аннабел говорило само за себя. Она подняла полные слез глаза, а Сэм мягко коснулся плеча своей дочери.

— Честно говоря, нам было трудно. Мне не всегда
удавалось находить правильный выход из ситуации.
Я кое-кого взял с собой, и Аннабел было нелегко.
Простите меня.

Алекс переводила встревоженный взгляд с дочери на мужа, гадая, что же произошло. И Аннабел
прямо сказала:

— Я ее ненавижу.

— Не надо никого ненавидеть, — поправила Алекс,
глядя на Сэма. Она-то думала, что они прекрасно прове-
дут время. Интересно, что такое сделала эта англичанка с
ее всегда доброжелательной дочкой? Наверное, Аннабел
просто не понравилось, что папа общается с другой женщи-

ной. — Ты должна хорошо себя вести с папиными друзьями, Аннабел. Если ты будешь им грубить, ты обидишь его, — ласково добавила она.

Но Аннабел не желала умолкать, пока не сказала всего, что у нее на душе.

— Она все время ходила совершенно голая. Это было ужасно. И она спала с папой.

С этими словами, бросив хмурый взгляд на родителей, девочка исчезла в своей комнате, даже не попрощавшись с отцом. Честно говоря, Алекс была удивлена тем, что у Сэма настолько не хватает благоразумия.

— Наверное, ты должен поговорить со своей подругой. Если это действительно так, то ей не стоит этого видеть.

Это беспокоило Алекс. Контролировать встречи Аннабел с отцом она не могла. Кроме того, она не подозревала, что Сэм может допустить такие очевидные промахи.

— Я знаю, — жалобно сказал он, сокрушенно смотря на Алекс. — Прости меня. Ты знаешь, это был настоящий кошмар. Честно говоря, они обе вели себя просто невозможно.

Он заслуживал жалости, но Алекс не находила в себе этого чувства.

— Ты должен держать ситуацию в руках, если ты собираешься жить с этой женщиной. Ведь Аннабел будет к тебе приходить. Она слишком мала для таких вещей.

Алекс впервые говорила с Сэмом о Дафне — только после того, как эту тему открыла Аннабел.

— Я знаю. А я слишком стар. Я обещаю тебе решить этот вопрос. Она не увидит того, чего видеть не должна, — ответил Сэм измученным голосом. — Кстати говоря, в пятницу ее вырвало.

— Наверное, это было очень приятно, а, Сэм? — рассмеялась Алекс, и ее заливистый смех живо напомнил ему прежние дни. Пришлось признать, что в этом действительно есть смешная сторона. Потом он пошел поцеловать Аннабел, но девочка все еще сердилась на него и отказалась попрощаться. Надо сказать, что в эти дни она была обижена на весь мир и очень смущена всем происходящим. Послав жене воздушный поцелуй и помахав ей рукой, Сэм, не дожидаясь лифта, сбежал по лестнице вниз, где его ждала уже изрядно соскучившаяся Дафна.

— Ну что, мы снова вместе, любовь моя? — спросила она, когда машина тронулась, придвигаясь к нему поближе. Но Сэм все еще был весьма разочарован уикэндом, да и каждая встреча с Алекс все еще была для него испытанием. Их обоих преследовали призраки прошлого, которое они усердно пытались забыть.

— Мне жаль, что все так получилось, — тихо сказал Сэм, признавая свое фиаско.

— Все будет хорошо, — уверенно ответила Дафна и перевела разговор на квартиру.

Но после его переезда в «Карлайл» в июне ситуация только усложнилась. Дафна все время вертелась там, и Аннабел очень быстро поняла, что она им мешает.

— Я ее ненавижу! — говорила она всякий раз, возвращаясь домой от Сэма.

— Нет, ты не должна ее ненавидеть, — твердо отвечала Алекс.

— Нет, ненавижу!

Ей показали новую квартиру Сэма, но Аннабел там тоже не понравилось. Единственное, что примиряло ее с действительностью, — это лимонад и шоколадное печенье, которым ее угощали в «Карлайле».

Сэм тоже строил планы на лето — он арендовал яхту и дом в Антибах, и Алекс согласилась отпустить с ними Аннабел.

Но Дафна резко возразила против того, чтобы девочка ехала с ними. В Европе она не намерена была терпеть ее общество, даже если с ними поедет няня.

— Послушай, она же моя дочь, — пытался убедить ее Сэм, которого приводило в ужас отношение Дафны к Аннабел. Ему было очень больно. От женщины, с которой он собирался жить, он ожидал совсем другого. Они должны были уехать на шесть недель — Сэм никогда еще не расставался с дочерью так надолго.

— Отлично. Тогда бери ее с собой, когда ей исполнится восемнадцать. Я не хочу, чтобы она была с нами на яхте и в доме на юге Франции. А что, если она упадет за борт? Я не собираюсь постоянно беспокоиться о ней. Своего сына я тоже не беру.

С сыном она собиралась провести всего семь дней в Лондоне, причем это звучало так, как будто она приносила себя в жертву. Постепенно Сэм начинал понимать, какой подарок ему достался.

Они постоянно спорили на эту тему, и Сэм не собирался отступать, но в итоге окончательное решение приняла сама Аннабел. Она заявила, что не хочет ехать ни в какую Европу и оставлять маму одну. Неделю Сэм с Дафной должны были провести в Лондоне, две недели в Антибах и три — на яхте, проплыв вокруг побережья Франции, Италии и Греции. Алекс сама не отказалась бы от подобного путешествия, но Аннабел была непреклонна.

— Может быть, она просто слишком маленькая, — мягко предположила Алекс, разговаривая с Сэмом. — На следующий г д все будет иначе.

Она думала, что к тому времени Сэм женится на своей подруге и Аннабел придется смириться с ее существованием. Странно, что Сэм до сих пор не попросил ее о разводе, но Алекс понимала, что за этим дело не станет. Скорее всего в конце лета Сэм поднимет этот вопрос. А сейчас он, наверное, просто не хотел на нее давить. Алекс решила отказаться от всяких притязаний на него. Их семейная жизнь стала историей — она никогда не была такой шикарной, как его роман с Дафной. Когда они с Алекс жили вместе, Сэму и в голову не приходило на полтора месяца увезти ее в Южную Францию или прокатить на яхте по Средиземноморью.

— А как ты с ней поступишь? — спросил Сэм, обеспокоенный тем, как проведет лето его дочь. Ему было жаль расставаться с ней так надолго.

— Я сняла дом в Истхэмптоне и собираюсь сама побыть там с ней некоторое время. Я попросила Кармен пожить там с ней, а работать я буду не полную неделю, так что буду часто к ней приезжать.

— Это значит, что я никуда не поеду с папой и Дафной? — недоверчиво спросила Аннабел. — Ура-а-а!

Сердце Сэма пронзила внезапная боль, и этим вечером он разговаривал с Дафной очень раздраженно.

— Ой, ради Бога, не дуйся, — подмигнула ему Дафна, наливая бокал шампанского. — Она ведь совсем ребенок, и я не думаю, что ей бы понравился круиз. А мы с тобой не смогли бы как следует насладиться обществом друг друга, потому что вынуждены бы были все время следить за ней. Это не было бы отпуском. — Дафна улыбнулась, радуясь тому, что этот неприятный вопрос разрешился так, как она хотела. — А что мы будем делать сегодня? Пойдем куда-нибудь или останемся дома?

Жизнь была для нее постоянной вечеринкой. Вернее, не вечеринкой, а оргией.

— Может быть, я для разнообразия поработаю, — угрюмо ответил Сэм. Он и так взвалил львиную долю своих обязанностей на партнеров. Они с Саймоном занимались устройством новых сделок, причем Саймон успевал отслеживать все детали. Сэм был настолько занят своими путешествиями и переменами в личной жизни, что несколько запустил бизнес и теперь чувствовал себя виноватым.

— Нет, не работай, — капризно сказала Дафна. — Давай займемся чем-нибудь приятным.

Он не успел ей возразить. Дафна широко расставила ноги, задрав юбку и приоткрыв верное средство отвлечь ее любовника от работы. Сэм уложил ее на кушетку и взял ее с еще большим напором, чем обычно, сердясь на нее и одновременно восхищаясь ею. Разочарование и душевная боль сочетались в нем с такой яростной страстью, что иногда ему казалось, что он сходит с ума.

Глава 19

Алекс и Брок переехали в свой летний домик в конце июня, и им там очень понравилось. Дом был простым и удобным, с бело-голубыми занавесками и покрытым сизалем* полом. В доме были большая кухня с португальским кафелем и маленький садик, в котором могла играть Аннабел. Она тоже очень полюбила это место, когда они в первый раз привезли ее туда четвертого июля.

Аннабел совершенно не удивилась присутствию Брока; кроме того, Алекс была гораздо осторожнее Сэма. «Официально» Брок спал в комнате для гостей внизу, спускаясь туда каждое утро до того, как Аннабел встанет. Правда, однажды утром они забыли об этом, и бедному Броку пришлось, едва натянув джинсы, прятаться в ванной.

Аннабел была совершенно счастлива и очень свободно обращалась с маминым другом. Они повсюду ходили втроем. К Алекс быстро возвращались силы и хорошее настроение. В середине июля она удивила Брока и Аннабел, спустившись вниз без парика. Ее голова покрылась мягкими, короткими и вьющимися волосами.

— Как ты хорошо выглядишь, мама! Совсем как я! — воскликнула Аннабел. Она убежала играть на улицу, а Брок с улыбкой задал Алекс такой вопрос, от которого она подскочила на стуле.

— Итак, когда мы поженимся, миссис Паркер? — Алекс заколебалась. Она очень сильно его любила, но никогда не позволяла себе думать о будущем по многим причинам.

— Сэм еще не попросил у меня развода.

---

* **Сизаль** — обработанные волокна текстильных агав. — *Примеч. пер.*

— Зачем ждать, когда он этого попросит? Может быть, когда он вернется из Европы, ты сама подашь на развод? — с надеждой спросил Брок.

Но Алекс посмотрела на него очень серьезно.

— Это будет несправедливо по отношению к тебе, Брок. Сейчас я чувствую себя вполне прилично, но вдруг потом со мной опять что-нибудь случится?

Он уже доказал свою способность быть с ней рядом во время болезни, но дело было не в этом.

— Я не хочу связывать тебя, — продолжала она. — Ты имеешь право на безоблачное будущее.

— Не говори ерунды, — сердито ответил Брок. — Ты же не можешь просидеть следующие пять лет взаперти, ожидая рецидивов. Тебе надо продолжать жить и принимать все, что тебе суждено. Я хочу жениться на тебе и заменить Аннабел отца, — сказал он, беря ее за руку и целуя. — Зачем ждать? Я хочу жить с вами и заботиться о тебе. Если наш роман кончится, как только пройдет лето, это будет ужасно.

— Я тоже не хочу, чтобы это все кончалось, — честно ответила Алекс. Но она была на десять лет старше и имела за плечами рак. — Что на это скажет твоя сестра?

Так и не встретившись с ней, Алекс знала, как много она значит для Брока, хотя он почти не говорил о ней.

— Ты уверен, что она не расстроится? Тебе нужно жениться на молодой девушке, которая нарожает тебе детей и не будет обременять тебя своими проблемами.

— Она скажет мне, чтобы я делал то, что считаю нужным. А ты мне нужнее всего. Алекс... я действительно этого хочу. Я хочу, чтобы ты подала на развод, когда Сэм вернется из отпуска. И я хочу жениться на тебе после этого.

— Я тебя люблю, — ласково ответила она, одним глазом наблюдая за Аннабел в окно. Алекс была глубоко тронута его готовностью принять ее на любых условиях.

— Я хочу, чтобы ты стала моей женой. И я не перестану просить тебя об этом, пока ты не скажешь мне «да», — упрямо повторил Брок, и Алекс рассмеялась.

— Дело не в том, что я этого не хочу. Что ты намерен делать с работой? — серьезно спросила она. Ему придется выбирать: либо она, либо «Бартлетт и Паскин».

— В этом году мне предлагали два места, оба — очень приличные. Может быть, там мне будет лучше. Но прежде чем я подам заявление, мне хотелось бы поговорить со старшими партнерами. Поскольку ты была больна, они могут сделать для нас исключение и позволить нам работать вместе.

— Кто знает. Мы с тобой хорошая команда, — с благодарной улыбкой откликнулась Алекс. — А в следующем году ты вполне можешь стать партнером сам.

— Мы поговорим с ними, — спокойно подытожил он, — но сначала с Сэмом.

— Я еще не согласилась, — сказала Алекс, глядя на него озорно и с любовью.

— Согласишься, никуда не денешься, — уверенно произнес он, и Алекс не могла не признаться себе, что он прав. И к концу недели она сказала ему «да», решив поговорить с Сэмом, как только он вернется, и выйти замуж за Брока сразу после окончания бракоразводного процесса.

— Наверное, я с ума сошла, — рассеянно говорила она. — Я почти в два раза тебя старше.

— Ты старше всего на десять лет, а это не считается. И потом, ты выглядишь моложе меня.

Так оно и было. После того как они переехали на Лонг-Айленд, она как будто сбросила несколько лет. Последствия химиотерапии прошли, новые волосы были еще гуще прежних, лицо утратило свою одутловатость. Она выглядела так же, как до болезни, может быть, даже лучше. А на пляже они вообще смотрелись, как дети. Когда они с Броком уезжали по понедельникам, Алекс чувствовала себя прекрасно отдохнувшей. Кармен приезжала поздно вечером в воскресенье, чтобы дать им возможность успеть к началу рабочего дня. А по четвергам они уходили с работы как можно раньше и отправлялись на Лонг-Айленд. Большинство адвокатов летом не работали по пятницам, и фирма закрывалась днем, как и многие конторы Нью-Йорка.

В домике на побережье их всегда поджидала счастливая и веселая Аннабел. В течение недели Алекс и Брок жили либо в его квартире, либо в ее, которая была более удобна. Это было потрясающее лето.

Аннабел несколько раз разговаривала по телефону с папой. Он в это время был в Антибах и прислал ей оттуда несколько открыток. Но Алекс с ним не говорила — когда она была на Лонг-Айленде, он не звонил. В любом случае она не хотела обсуждать будущий развод по телефону. Она больше ни в чем не сомневалась — Броку удалось ее убедить. В той ситуации, в которую она попала, он сделал больше, чем мог сделать любой мужчина. И ей не хотелось задавать ему никаких вопросов, поскольку она знала, чего он хочет. Алекс знала, что любит его, и считала, что ей очень повезло.

Как-то раз в середине июля, когда они лежали на пляже, Алекс заметила, что Брок смотрит на ее купальник. Он нагнулся к ней и поцеловал ее.

— Ты очень красивая, — ласково сказал он, и она ответила улыбкой. Поблизости играла Аннабел, но возможность «подремать» после ленча устраивала обоих.

— Ты ослеп, — ответила она, щуря глаза от солнца. Брок осторожно коснулся рукой ее груди, и Алекс почувствовала, как все ее тело напряглось.

— Я считаю, что нам нужно поскорее найти пластического хирурга.

— Зачем? — Алекс делала вид, что ей этот предмет безразличен, но вообще-то ей не нравились разговоры на эту тему. Несмотря на мягкость Брока, она все еще очень болезненно воспринимала свой внешний вид. Чаще всего она носила протез.

— Мне кажется, тебе нужно это сделать.

— Хочешь, чтобы я изменила форму носа или подтянула лицо?

— Не дури. Ты же не можешь до конца своих дней прятаться. По мне, так ты должна вообще все время голой ходить.

Брок очень тщательно подбирал слова, но его желание сделать так, чтобы она перестала переживать по поводу удаления груди, было совершенно очевидным.

— Ты хочешь, чтобы я была как любовница Сэма? Мне это не слишком симпатично.

Мысль о Дафне все еще раздражала ее.

— Я не это имею в виду. По крайней мере поговори с врачом, посмотри, что для этого требуется. Ты можешь сделать это летом, и тогда у тебя снова будут две груди.

— Говорят, что это очень болезненная операция.

— Откуда ты знаешь?

— Я спрашивала двух женщин из группы поддержки, и доктор Уэббер говорила мне об этом.

— Не будь такой трусихой. — Конечно, они оба прекрасно знали, что трусихой она не была. Но Брок хотел, чтобы она снова почувствовала уверенность в себе, чтобы обрела внутреннюю — не только внешнюю — цельность. Он просто умолял ее сходить к хирургу и даже дал ей координаты известного врача, который занимался этим. Брок всегда отличался готовностью помочь и навести справки.

— Я записал тебя, — решительно сказал он Алекс, когда они как-то раз работали у нее в кабинете. Алекс воззрилась на него в изумлении. Ей не хотелось никуда идти, и она готова была спорить до хрипоты.

— Тебе не кажется, что ты на меня давишь? Я никуда не пойду.

— Нет, пойдешь, я тебя потащу силой. Просто поговори с ним. Он же тебя не съест.

Когда настал назначенный день, Алекс все еще сопротивлялась, но в конце концов она отправилась туда с Броком и была приятно удивлена тем, как отличался этот врач от ее первого хирурга. Если доктор Герман был холодным и методичным, оперировавшим лишь трудно перевариваемыми фактами и сообщениями о грозившей ей опасности человеком, то «ставленник» Брока занимался улучшением существующего положения вещей. Его целью было помочь людям снова обрести себя. Толстый, маленького роста, он был очень мягок в обращении и обладал хорошим чувством юмора. Он начал с того, что рассмешил Алекс, а через несколько минут незаметно перевел разговор на саму процедуру. Обследовав грудь своей новой пациентки (вернее, то, что от нее осталось), он сказал, что может ей помочь. Можно было либо поставить имплантант, либо нарастить ткань, для чего потребуется два месяца еженедельных инъекций солевого раствора. Алекс больше устраивал имплантант, поскольку эта процедура была одномоментной. Но в любом случае она еще не решилась окончательно. Врач объяснил ей, что операция, разумеется, будет весьма дорогостоящей и болезненной, но последнее обстоятельство было в значительной степени поправимым. Что касается ее возраста, тот тут никаких проблем возникнуть не могло.

— Вы не должны до конца своих дней ходить с изуродованной грудью, миссис Паркер. Мы сделаем вам потрясающую выпуклость.

Он считал, что нужно сделать татуировку соска. Но несмотря на все его ободряющие слова, Алекс по-прежнему считала, что все это звучит ужасно.

Этой ночью, лежа в объятиях Брока, утомленная Алекс спросила Брока, как он отнесется к тому, что она может и не пойти на эту операцию.

— Конечно, для меня это не имеет большого значения, — честно ответил он. — Но мне все же кажется, что ты должна это сделать. Я люблю тебя такой, какая ты есть, даже если бы у тебя вообще не было груди — не дай Бог, конечно.

Это точно, подумала Алекс. Одного раза будет достаточно на всю жизнь.

Не возвращаясь больше к этому вопросу, Алекс размышляла об этом в течение двух недель и к концу июля весьма удивила его своим решением.

— Я сделаю это, — заявила она, присаживаясь за стол их летнего домика после того, как вся посуда была помыта. Брок оторвался от воскресной газеты.

— Что «это»? — спросил он удивленно. Он не понял, что она имеет в виду. — Разве мы сегодня что-то делаем?

— Не сегодня. Я позвоню ему в понедельник.

— Кому? — недоумевал Брок с таким видом, как будто он пропустил важную часть разговора.

— Гринспану.

— Кто это? — Брок ничего не понимал — после обеда его тянуло ко сну. Может быть, речь идет о новом клиенте?

— Это врач, к которому ты меня возил. Хирург по пластическим операциям.

У Алекс был очень решительный вид, и было заметно, что она немного нервничает.

— Правда? — счастливым голосом спросил Брок, немедленно засияв, как медный таз. — Какая ты умница!

Он наградил ее поцелуем, а в понедельник, верная своему слову, Алекс позвонила врачу и сказала, что выбрала имплантацию. Конечно, ее приводила в ужас перспектива операции, да еще и болезненной, но поскольку она решилась на это, отступать было нельзя. Он назначил операцию на конец недели и сказал ей, что она проведет в больнице дня четыре, но потом сразу же сможет вернуться к работе. Это будет немного больнее, чем во время ее прежней операции, но ничего похожего на последствия химиотерапии ей не предстоит.

На этой неделе она договорилась о том, что не выйдет в четверг, а Кармен согласилась остаться с Аннабел в Истхэмптоне. Дочери Алекс сказала, что уедет по делам. Ей не хотелось, чтобы девочка волновалась из-за того, что мама снова ложится в больницу. Она сообщила о предстоящем только Кармен, которая сперва немного испугалась, но потом, узнав причину, успокоилась, так же как и Лиз. Все были просто в восторге по поводу этого — кроме самой Алекс, которая с трудом скрывала свой страх и снова думала о том, что окажется на пороге смерти.

В ночь на четверг она не спала, лежа рядом с Броком и жалея о том, что она согласилась.

Брок отвез ее в больницу в семь утра. Медсестра и анестезиолог подробно рассказали им о том, что ее ждет. Надев на Алекс больничную рубаху, они воткнули ей в вену капельницу, и в этот момент Алекс не смогла сдержать слез. Чувствуя себя полной дурой, она вспоминала химиотерапию и предыдущую операцию.

Пришел доктор Гринспан и распорядился сделать ей укол валиума.

— Мы хотим, чтобы здесь у всех было прекрасное настроение, — сказал он и, игриво посмотрев на Брока, добавил: — Хотите, вас тоже уколем?

— С удовольствием.

Когда ее повезли на операцию, Алекс уже наполовину спала. Брок ходил взад-вперед по ее палате и по коридору до пяти часов, пока доктор Гринспан не спустился к нему, чтобы сообщить, что все в порядке. Он был очень доволен. Процедура была сложная, но все прошло хорошо.

— Я думаю, что она будет очень довольна результатами, — сказал он. Он поставил ей имплантант, и, поскольку ее грудь изначально была небольшой, ему не потребовалось слишком сильно растягивать кожу, чтобы достичь желаемой формы. Разумеется, были и другие варианты, но Алекс предпочла немедленную операцию, хотя и понимала, что ей придется наблюдаться у врача, чтобы исключить какие-либо нарушения в имплантанте и состоять в контрольной группе для исследования силиконовых протезов.

— Через месяц-другой ей надо будет встретиться со мной для окончательной проверки, — продолжал доктор. Реконструкцию соска и татуировку можно было сделать под местным наркозом. — Но я уверен, что все будет в порядке.

Алекс привезли из послеоперационной только через два часа. Она все еще была очень сонная.

— Привет, — шепотом сказала она, — как я тебе?

— Потрясающе, — ответил он, хотя, разумеется, ничего не видел.

Находясь в больнице, Алекс не слишком хорошо себя чувствовала. Боль была сильнее, чем она ожидала, и в понедельник, когда она вернулась на работу, болевые ощущения все еще сохранялись. Но ни осложнений, ни опасностей, которые таила в себе ее первая операция, на этот раз не было.

Несмотря на громоздкость, бинт вполне позволял ей работать. Большинство ее партнеров были в отпуске, так что никто ничего не заметил. Она почти не выходила из кабинета и надела поверх бинта одну из рубашек Брока. Он принес ей ленч в кабинет и в конце дня отвез в свою квартиру. В четверг, через неделю после операции, врач снял повязку и швы, так что в Истхэмптон Алекс вернулась уже без них. Когда Аннабел, завизжав от радости, бросилась ее обнимать, Алекс немного поморщилась.

— Тебе больно, мама? — взволнованно и испуганно спросила она. Аннабел ничего не забыла, и Алекс не хотелось, чтобы ее дочь опять за нее боялась.

— Нет, все в порядке.

— Ты опять заболела? — глядя на мать своими огромными глазами, спросила девочка. Алекс прижала ее к себе и почувствовала, что она вся дрожит.

— Нет, милая, я здорова, — ласково ответила она, держа ее в своих объятиях. Впрочем, она почувствовала, что должна объяснить ей, что произошло. Это было просто: десять месяцев назад, сказала она, когда она поранила свою грудь, врачам пришлось отрезать от нее кусок, а теперь его вернули на место. Когда вечером позвонил папа, Аннабел не преминула сообщить ему, что мама нашла свою грудь и поставила ее туда, где она была. Девочка была очень рада этому обстоятельству, но Сэм удивился — он решил, что Аннабел увидела протез Алекс. Ему не пришло в голову, что его жена сделала пластическую операцию, а поговорить с Алекс он не решился, потому что рядом стояла Дафна.

В это время они были на яхте, где к ним присоединились друзья Дафны. Эта космополитическая компания проводила время в весьма изысканных удовольствиях, заглядывая в гости к обитателям других яхт и на виллы Ривьеры. Через несколько дней они должны были поехать на Сардинию.

Брок каждый день напоминал Алекс о том, что она должна поговорить с Сэмом, как только он вернется из Европы. Он очень хотел ускорить их развод.

— Я знаю, я знаю, — говорила она, сопровождая свои слова ласковыми поцелуями. — Успокойся. Как только он приедет домой, я ему позвоню.

Если они подадут заявление осенью, свадьба может состояться весной. Именно этого он и хотел. Иногда его юношеский пыл заставлял Алекс чувствовать себя старухой, но чаще всего ей нравилось его общество. Обычно она не замечала разницу в возрасте; впрочем, иногда ей казалось, что Брок недостаточно зрелый человек, но она старалась не обращать на это внимания. Их опыт и представления о жизни совпадали далеко не во всем.

Для каждого из них лето пролетело слишком быстро. Дафне очень не хотелось возвращаться в Америку, и она сделала это только из любви к Сэму. Она призналась ему, что очень соскучилась по Лондону. Жизнь в Штатах была не для нее, но она надеялась на то, что новая квартира несколько развеет ее тоску. Сэм пообещал ей, что они будут много путешествовать и проводить как можно больше времени за границей. С его деловыми обязательствами в Нью-Йорке это было не слишком легко, но теперь у его фирмы появилось много клиентов за рубежом, и он готов был на все, чтобы его подруга была счастлива. Он был так поглощен своей любовью к ней, что в последние несколько месяцев совсем забросил бизнес. Дафна оказалась очень требовательной девушкой, которая привыкла всегда получать то, что ей хочется.

Когда Сэм наконец вернулся домой, Алекс и Брок с сожалением вспоминали об ушедшем лете. Они жили в Истхэмптоне до начала сентября. В первые же выходные после своего приезда Сэм взял Аннабел в Бриджхэмптон. Он жил там с друзьями, и после шести с половиной недель разлуки Дафна позволила ему привезти дочку.

— Как ты думаешь, на этот раз все будет удачнее? — озабоченно спросила Алекс у Брока.

До этого момента встречи Дафны и Аннабел не доставляли никакого удовольствия обеим. Но когда Сэм ранним воскресным утром привез ее обратно в Истхэмптон, Алекс стало ясно, что что-то произошло. Он был молчалив и приехал в одиночестве, и хотя Брок настаивал на том, чтобы Алекс поговорила с мужем как можно раньше, она так и не смогла урвать даже минутку. Сэм уехал, едва сказав Алекс пару слов.

— Что случилось? — спросила она у Аннабел, как только машина скрылась за поворотом.

— Я не знаю. Папе очень много звонили. Он все время разговаривал по телефону и кричал в трубку. А сегодня он сказал, что ему надо уезжать, собрал мою сумку и привез сюда. Дафна тоже все время кричала. Она сказала, что, если он будет плохо с ней разговаривать, она вернется в Англию. Хорошо бы она уехала. Мне кажется, что она очень высокомерная и глупая.

Было очевидно, что случилось нечто из ряда вон выходящее, но из рассказа Аннабел трудно было что-либо понять.

Только на следующее утро, когда они с Броком ехали в город на электричке, Алекс случайно взглянула на первую полосу газеты и остолбенела. В газете были напечатаны фотографии Сэма, Ларри и Тома. Большое жюри* обвинило их в мошеннических инвестициях и прочих весьма серьезных грехах, в том числе растратах.

— Бог ты мой, — только и могла сказать Алекс, протягивая газету Броку. Это было невероятно. Сэм всегда отличался исключительной честностью.

— Ого! — присвистнул Брок. Обвинения были очень серьезными. Авторы статьи упоминали и Саймона, хотя он не был обвинен. Именно троих основателей фирмы подозревали по меньшей мере в десятке различных мошенничеств и хищений. — Плохи у него дела, так что нет ничего удивительного, что вчера он был таким угрюмым.

Брок взглянул на совершенно окаменевшую Алекс. Что сделал со своей жизнью ее муж за последние несколько месяцев? Какую глупую ошибку он допустил? Если его признают виновным, он может провести в тюрьме двадцать—тридцать лет. Что, черт возьми, произошло?

— Я позвоню ему из офиса, — задумчиво произнесла Алекс. Она не могла поверить в то, что только что прочла.

---

* Большое жюри — присяжные, решающие вопрос о предании суду. — Примеч. пер.

Когда она пришла на работу, оказалось, что он уже звонил целых два раза. Алекс закрыла дверь кабинета и набрала его рабочий номер. Сэм снял трубку немедленно.

— Спасибо, что позвонила, — нервным голосом сказал он.

— Что происходит? — Алекс все еще не могла поверить в случившееся. Она-то считала, что прекрасно его знает.

— Я сам еще не знаю. Вернее, знаю, но не все. И не уверен в том, что мне будут когда-либо известны все подробности. Но мне хватит того, что есть, Алекс. Я на крючке. Мне нужна помощь. Мне нужен адвокат.

У него был очень хороший юрист, но он не был криминальным адвокатом.

— Я не занимаюсь уголовными делами, Сэм, — мягко ответила Алекс. Ей было жаль своего непутевого мужа, который настолько утратил контроль над своей жизнью и так сбился с пути, что даже не ведал, что творит. Она спрашивала себя, имеет ли ко всему этому отношение его девушка. Но то, что здесь не обошлось без Саймона, было очевидно, хотя ему даже не было предъявлено обвинение.

— Но ты же можешь хотя бы посоветовать мне, что делать. Можно с тобой поговорить? Можно, я приду к тебе, Алекс? Пожалуйста!

Он умолял ее о помощи, и после семнадцати лет брака Алекс чувствовала себя обязанной хотя бы выслушать его. И кроме того, она все еще любила его вопреки всему, что между ними произошло.

— Я подумаю, что я смогу сделать. Но я в любом случае направлю тебя к криминальному адвокату. Я не настолько глупа, чтобы хотя бы не попытаться тебе помочь. Но для этого я должна знать, что произошло. Когда ты сможешь прийти?

— Можно сейчас? — с надеждой спросил он, не в состоянии больше выдерживать это напряжение.

Было десять часов утра. На половину второго у нее была назначена встреча, но до этого момента она была совершенно свободна.

— Хорошо. Приходи. — Бумажная работа могла подождать. Алекс отправилась сообщить Броку о своих действиях.

— Может быть, прямо сейчас направить его к кому-нибудь из криминалов?

— Сначала я сама хочу с ним поговорить. Ты не хочешь поприсутствовать?

Это была странная просьба, но ей предстояла профессиональная встреча, и она уважала мнение Брока.

— Если ты настаиваешь. Могу я дать ему по физиономии, когда он закончит говорить? — угрюмо усмехнулся Брок. Ему казалось, что двадцать лет тюрьмы — это самый подходящий конец для такого мерзавца, как Сэм Паркер. Так что он согласился только ради Алекс, совершенно не собираясь ему помогать.

— Ты не должен бить его, пока он не оплатит свой визит, — улыбнулась в ответ Алекс. Что бы там ни происходило с ее мужем, она теперь была с Броком, а не с ним.

— Тогда не забудь задать ему вопрос на миллион долларов. — Брок имел в виду развод, но момент для этого разговора был не самый удачный.

— Успокойся. Это будет деловой разговор.

Сэм приехал через двадцать минут. Загар не мог скрыть его смертельной бледности, под глазами были темные круги, руки сильно дрожали. Он был в шоке. Его репутация в один момент рассыпалась в прах, а жизнь за те шесть недель, которые он провел с Дафной в Европе, казалось, развалилась на куски.

Алекс спросила его, не будет ли он против присутствия Брока, и Сэм без особого энтузиазма согласился. Он был в таком состоянии, что надо было хвататься за все ниточки, поэтому если Алекс хотелось, чтобы этот белобрысый юнец сидел с ними за одним столом, то Сэм не возражал. Он был настолько благодарен своей жене за то, что она согласилась его выслушать, что назвал ее лучшим из известных ему адвокатов, чье мнение он очень ценит. Больше он по этому поводу ничего не стал говорить, но они с Алекс обменялись странно привычным взглядом. Эти мужчина и женщина так давно знали друг друга и так долго любили, что забыть это было трудно.

История, которую поведал им Сэм, была не из приятных. Ему самому было известно далеко не все. Насколько он понял, Саймон медленно и настойчиво вводил в круг их клиентов весьма неразборчивых в средствах людей, подделывая их биографии и сведения о финансовом состоянии, в том числе и банковские документы. А потом Саймон начал обогащаться за счет фирмы. Какими способами он это делал, Сэм пока не знал. Похоже, он производил хищения и попросту обкрадывал постоянных клиентов, попутно отмывая весьма сомнительного происхождения деньги в Европе. Очевидно, это продолжалось уже несколько месяцев. Не обвиняя ни в чем Алекс, Сэм признал, что из-за ее болезни и обострения их отношений он стал уделять меньше внимания бизнесу. Не говоря уже о том, что его отвлекал его роман с Дафной. Хотя в разговоре с Алекс Сэм не хотел упоминать ее имя, ему все же пришлось это сделать.

Сэм не был уверен в том, что Дафна тоже была вовлечена в эту махинацию в качестве приманки. Но нельзя было не признать, что она появилась очень вовремя и сумела отвлечь Сэма от дел.

Затем Сэм сказал, что еще весной заподозрил неладное, наблюдая, как Саймон ведет дела с одним из их клиентов. Некоторые фонды явно контролировались недостаточно тщательно. Он сообщил о своих подозрениях партнерам, но они заверили его в том что все в порядке, после чего Сэм решил, что волнуется по пустякам. Теперь он понимал, что просто дал себя успокоить. Странно, что именно в этот период Алекс напомнила о своих не слишком приятных соображениях по поводу Саймона, которые он тогда решительно отмел.

— Все это время я был круглым идиотом, — признался Сэм. — Саймон — просто нечистоплотная дрянь. Ты была права. А теперь я обнаружил, что Ларри и Том участвовали в этой махинации. Правда, не с самого его появления — только в феврале они поймали его на какой-то сомнительной сделке, и тогда он их просто купил, заплатив им, чтобы они молчали, и уверив, что никто ничего не узнает. Он открыл им счета в швейцарском банке и положил туда по миллиону баксов. Так что в течение полугода они наравне с ним участвовали в хищениях, воровстве и организации мошеннических сделок. Я ругаю себя за глупость и слепоту. Саймону даже удалось выпроводить меня в Европу на два месяца, и без меня они провернули самые грязные дела. Он нашел для меня яхту, и я вступил в его игру, как последний кретин.

Не без помощи Дафны, подумала Алекс.

— А когда я уехал, — продолжал Сэм, — один из банковских служащих что-то заподозрил и сообщил в Комитет по биржам и ценным бумагам и в ФБР, они передали дело в министерство юстиции, и этот чертов карточный домик развалился. Меня привлекли к ответственности наравне с ними. В Лондоне, когда я разговаривал с одним из бывших партнеров Саймона, у меня в голове что-то стукнуло. Он вел беседу так, как будто я знаю нечто, чего на самом деле не знал. Я позвонил Ларри и Тому и спросил, что происходит, но они прикрыли Саймона, потому что были слишком напуганы. Потом оказалось, что, пока я был в отъезде, они заключили грязных сделок на двадцать миллионов, и все — от моего имени. И теперь я по уши в дерьме — так же, как они.

Сэм был совершенно опустошен и напуган. Построенное им с таким трудом здание благополучия развалилось, скрыв под обломками его репутацию.

— Но ведь тебя не было, когда они заключали эти сделки, — взволнованно сказала Алекс. — Неужели это не поможет?

— Эти сделки — только вершина айсберга. Все гораздо хуже. Я ведь звонил им почти каждый день, они посылали мне бумаги курьерской почтой, я подписывал документы. Со стороны все это выглядело вполне прилично. И теперь я несу такую же ответственность, как они. Я хотел, чтобы все было хорошо. Я хотел, чтобы мои подозрения не оправдались. Мне было лень разбираться в том, что они делают. Но когда я на прошлой неделе вернулся домой и начал задавать вопросы, я пришел в ужас и попытался заглянуть за весь этот внешний лоск. Ты не представляешь себе, что я потерял за последний год. Я не могу поверить в то, что оказался таким дураком, что не без моего пассивного участия нанесен такой ущерб не только моей репутации, но и моему бизнесу. Все кончено, Алекс, — сказал Сэм со слезами на глазах. Когда было плохо ей, он не плакал; зато теперь он оплакивал себя. — Все, что я построил, пропало. Эти два подонка продали меня за миллион долларов, а теперь с помощью Саймона мы все отправимся гнить за решеткой.

Закрыв глаза, Сэм попытался восстановить спокойствие. Алекс было жаль его, но эта жалость была абстрактной. В какой-то степени он это заслужил. Он доверился Саймону, хотя не должен был этого делать — недаром инстинкт с самого начала подсказывал ему, что к этому новоявленному партнеру нужно присмотреться повнимательнее. И он не хотел замечать, как Саймон разрушает не только его дело, но и его жизнь и будущее. Сэм широко открыл глаза и посмотрел на Алекс, не пытаясь даже скрыть, что напуган до смерти.

— Как ты думаешь, насколько это все плохо? Он смотрел ей прямо в глаза, и Алекс недолго колебалась с ответом.

— Достаточно плохо, Сэм. Я делала некоторые заметки и хочу позвонить одному из партнеров. Но я боюсь, что тебе будет очень непросто оправдать себя. На твоих плечах лежит слишком большая ответственность. Убедить суд и вообще кого бы то ни было, что ты ничего не знал о том, что происходит, даже если ты действительно ничего не знал, невероятно трудно.

— Ты мне веришь?

— До некоторой степени, — честно ответила она. — Мне кажется, ты просто не хотел замечать, что за твоей спиной творятся грязные дела, и закрыл на это глаза.

При этих словах Брок выразил свое молчаливое согласие.

— И что мне теперь делать? — со вполне обоснованным ужасом спросил Сэм.

— Говорить правду. Всю правду. Особенно твоим адвокатам. Расскажи им все, что ты знаешь, Сэм. Это твое единственное спасение. А Саймон?

— Сегодня днем ему тоже предъявят обвинение.

— А девушка? Его двоюродная сестра? Какую роль она играет во всем этом?

Помимо того, что она разрушила их брак. Раздираемый противоречивыми чувствами, Сэм выглядел в этой ситуации полнейшим дураком.

— Я еще не знаю, — ответил он, глядя в сторону. — Она говорит, что не участвовала в этом и ничего не знает. Но мне кажется, что, когда она приехала сюда, она знала о планах Саймона, но потом решила не впутываться в это. Или нет. Может быть, ей все было известно, — закончил Сэм, проводя рукой по волосам под пристальным взглядом Алекс. Теперь он расплачивался за свой роман по самой высокой ставке — расплачивался своим бизнесом, своей репутацией, своими деньгами, возможно, своей жизнью, если он закончит ее в тюрьме. Но Алекс все равно хотелось ему помочь. Он все еще был ее мужем.

Она сняла телефонную трубку и позвонила Филипу Смиту, одному из их старших партнеров. Он занимался налоговыми мошенничествами и нарушениями Комитета по биржам и ценным бумагам. Алекс подумала о нем в первую же минуту. Это было в компетенции Филипа, и он пообещал спуститься через пять минут.

— А ты? Ты останешься? — патетически спросил Сэм, после чего Броку захотелось его ударить. Она больше не принадлежала этому человеку. Он причинил ей достаточно боли, но, несмотря ни на что, Алекс чувствовала, что должна ему помочь — хотя бы ради их дочери.

— Зачем я тебе? — честно ответила Алекс. — Это не по моей части.

Несмотря на жалость, она не хотела слишком сильно вовлекаться в это дело.

— Но ты будешь давать свои консультации? Помогать ему? — Алекс... пожалуйста...

Брок отвернулся — ему не хотелось это видеть. Неужели после того фортеля, который выкинул с ней Сэм, она все еще хотела ему помочь?

— Я посмотрю, что я смогу сделать. Но я тебе в данном случае не нужна, Сэм. После твоей беседы с Филипом Смитом я тоже поговорю с ним.

Не без раздражения Брок отметил, что Алекс разговаривала со своим мужем очень мягко. Вопреки той боли, которую причинил ей Сэм, между ними все еще оставалась крепкая связь.

— Нет, ты мне нужна, — сказал Сэм, понизив голос. В дверь вошел старший партнер, а Брока позвали, и он вышел на несколько минут.

Алекс произнесла небольшое вступительное слово и показала Филипу Смиту свои заметки. Кивнув и нахмурившись, он уселся рядом с Алекс напротив Сэма.

— Я должна оставить вас, — сказала Алекс, вставая и глядя на своего мужа. Неожиданно его поведение стало очень патетическим. Он выглядел совершенно подавленным тем, что произошло.

— Не уходи, — взмолился он голосом испуганного ребенка. Алекс сразу вспомнила, как она себя чувствовала, когда ей сказали, что у нее рак, как она была одинока и напугана и он отказался помочь ей. Он уходил к своей Дафне, оставив Алекс склоненной над унитазом и позволив преступникам разрушать свое дело.

— Я вернусь, — тихо сказала она. Она не хотела слишком ободрять его, чтобы он не чувствовал себя зависимым от нее. Случай обещал быть весьма сложным, и Алекс была уверена в том, что дело кончится судом. На расследование могли уйти месяцы, а то и годы, поэтому она вела себя очень осторожно, чтобы случайно не взять на себя лишних обязательств.

Оказавшись у себя, она обнаружила там Брока, который разъяренно расхаживал по кабинету, как лев по клетке.

— Ах он, подонок! — воскликнул он, глядя на Алекс так, как будто это она во всем виновата. — Сейчас он ноет и ползает перед тобой на коленях, а за прошедший год он хоть что-нибудь для тебя сделал? А до этого? Что-то я в этом сомневаюсь. А теперь он рыдает, потому что ему грозит тюрьма. Знаешь, надо оставить все так, как есть. Тюрьма только пойдет ему на пользу. Нет, просто замечательно! Этот его Саймон и его сестричка втянули его в мошенничество и хищения, и теперь он приходит к тебе и умоляет спасти его.

Брок был в ярости и никак не мог остановиться, как будто предали не Алекс, а его.

— Расслабься, Брок, — пыталась успокоить его Алекс, — он все еще остается моим мужем.

— Ненадолго, я надеюсь. Отвратительный слизняк! Сидит тут в своем дорогом костюме и часах за десять тысяч долларов после двух месяцев отдыха на яхте в Южной Франции и удивляется тому, что его партнеры оказались мошенниками и ему предъявили обвинение. Нет, меня это нисколько не удивляет. Мне даже кажется, что он с самого начала в этом участвовал.

— Я так не думаю, — спокойно сказала она, садясь за стол и наблюдая за расхаживающим по комнате Броком. — Скорее всего это произошло примерно так, как он рассказывает. Он занимался своими делами и не обращал ни на что внимания, а его сотрудники выжимали его как губку. Это его нисколько не оправдывает, потому что он должен был следить за тем, что происходит. На нем лежала ответственность, а он играл в свою игру и прятался от нее.

— Я все-таки считаю, что он этого заслуживает.

— Может быть. — Алекс еще толком не знала, что она думает по этому поводу. Но после того
как в два пятнадцать ее назначенная на половину
второго встреча закончилась, Сэм все еще беседо-
вал с Филипом Смитом, и через некоторое время
они попросили ее снова присоединиться к ним. На
этот раз она пошла без Брока — это казалось ей
проще. Не надо было вообще просить его присутствовать, поскольку требовать от него объектив-
ности было трудно.

— Ну? — спросила она, усаживаясь за стол. Сэм
отметил про себя, что ее фигура выглядит такой же, как
была, но заставил себя сосредоточиться на своих проблемах. — На чем вы остановились?

Алекс мгновенно сконцентрировалась на деле
Сэма, ведя себя как врач с пациентом, бесстрастно и профессионально.

— Боюсь, что не на самом лучшем месте, —
сказал Филип Смит. Он не делал никаких опро-
метчивых заявлений, чувствуя, что Сэм в большой
степени виноват и обвинение большого жюри скорее всего будет подтверждено. Существовала даже
довольно большая вероятность того, что Сэму будут предъявлены дополнительные обвинения. Дело
обязательно дойдет до суда, где может произойти
что угодно, в том числе нечто совсем непредвиденное. У Сэма были все шансы проиграть дело,
особенно если присяжные ему не поверят. Единственное обстоятельство, которое могло служить в
его пользу, — это то, что он до самого последнего времени действительно не знал, что происходит. Филип Смит был уверен, что партнеры вместе
с Саймоном будут осуждены, в то время как сла-

бая вероятность спасти Сэма все-таки существовала, если им удастся отделить дело Сэма от их дел и завоевать симпатии присяжных. У жены подсудимого был рак, он потерял голову от беспокойства за нее, и, занимаясь исключительно семейными проблемами, перестал обращать внимание на бизнес. Он слишком доверился своим партнерам. Сам он в преступлениях не участвовал, оказавшись пешкой в руках Саймона и своих собственных партнеров.

С юридической точки зрения все это казалось Алекс правильным, но она внезапно почувствовала, что использовать ее болезнь в качестве аргумента в защиту Сэма, в то время как он почти ничего для нее не сделал, будет несправедливо. Алекс понимала, что это всего лишь адвокатский трюк, но это все равно задевало ее.

— Как ты считаешь, это подействует? — в лоб спросил Филип у Алекс. Он знал, что они не живут вместе, и хотел выяснить ее отношение к ситуации.

— Может быть, — осторожно сказала она, — если только присяжные не заартачатся. По-моему, все знают, что наш брак распался и Сэм не оказывал мне особенной поддержки.

Сэм вздрогнул от этого проявления ее честности, но отрицать ее слова он не мог и поэтому ничего не сказал.

— А окружающие знали, что он тебя не поддерживал?

— Несколько человек. Я это особенно не афишировала. Но, помимо этого, жизнь Сэма все это время была вполне яркой, — отозвалась Алекс, смотря прямо в глаза своему мужу, совершенно не ожидавшему того, что последует за этими словами. — Он достаточно открыто встречался с другой женщиной с прошлой осени или по крайней мере с Рождества.

Сэм остолбенел, но никак не проявил своего удивления. Он не знал, что Алекс так давно узнала о Дафне.

Филип Смит посмотрел на него очень холодно.

— Это правда? — спросил он. Сэму было противно признаваться в этом, но он знал, что должен говорить всю правду, как бы ни трудно было это делать перед лицом Алекс.

— Да, это правда. Это та женщина, о которой я вам говорил. Дафна Белроуз.

— Она пока не привлечена к ответственности, но она этого очень боится и говорит, что уедет в Англию, как только что-нибудь произойдет.

— Это будет очень глупо, — жестко сказал Смит. — К ней тут же начнут относиться, как к дезертиру, и могут даже потребовать выдать ее Соединенным Штатам. Как складываются сейчас ваши отношения?

— Я с ней живу, — ответил Сэм, чувствуя себя ничтожеством, — по крайней мере жил до сегодняшнего утра.

— Понятно, — кивнул Смит. — Ладно, мистер Паркер, мне нужно некоторое время, чтобы переварить все это, и посмотрим, что будет делать большое жюри. Когда вы должны предстать перед его членами?

— Через два дня.

— Таким образом, у нас есть некоторое время на то, чтобы выработать план действий.

Этот случай явно не нравился адвокату — впрочем, как и сам Сэм, но он чувствовал, что это нужно Алекс. Ясно, что дело обещало быть очень интересным и крупным. Потом Филип Смит оставил их вдвоем, пообещав связаться с Сэмом на следующее утро и позвонить Алекс. И супруги Паркеры впервые за последнее время оказались наедине.

— Прости меня. Я не знал, что тебе столько известно, — сказал он очень смиренно, таким голосом, как будто ему было больно.

— Мне известно достаточно много, — грустно откликнулась Алекс, не желая вести с ним этот бессмысленный разговор. Несмотря на остававшуюся между ними нить и общего ребенка, их семейная жизнь была позади.

— По-моему, ты увяз по уши, Сэм. Мне очень жаль, что все так получилось. И я надеюсь, что Филип тебе поможет.

— И я тоже, — вздохнул Сэм, с жалким видом глядя на нее через стол. — Прости, что впутываю тебя во всю эту грязь и отнимаю твое время. Ты этого не заслуживаешь.

— И ты тоже. Ты заслуживаешь хорошего пинка под зад, — печально улыбнулась Алекс. — Но не такого сильного.

— Может быть, ты и права, — совсем подавленно ответил он, поглощенный чувством вины за все, что он сделал. — Когда ты узнала о Дафне?

— Я видела, как вы выходили из «Ральфа Лорена» перед Рождеством. Одного взгляда на вас было достаточно, чтобы понять, что между вами происходит. Вычислить остальное было нетрудно. Мне кажется, что я просто не хотела ничего замечать, как ты закрыл глаза на махинации Саймона. Это было слишком больно, и потом, у меня была масса других причин для беспокойства.

Сэм понимал, как она права, и ему хотелось повернуть стрелки часов обратно и все изменить. Но было уже слишком поздно.

— Мне кажется, я на время утратил рассудок. Я все время вспоминал, как умирала моя мама и что я при этом чувствовал. Понимаешь, мне казалось, что ты стала как она, что ты умрешь и затащишь меня с собой в могилу, как мать сделала с отцом. Я был в панике. Это было похоже на какое-то безумие. Я утратил ясность мысли, и вся моя детская обида на мать вылилась на тебя. Наверное, я действительно сошел с ума. И мой роман с Дафной — это безумие. Таким способом я скрывался от реальности. Но в итоге я причинил боль и тебе, и себе. И теперь я даже не знаю, что и думать. Я не могу понять, действительно ли я был в нее влюблен, или она меня просто окрутила. Ужасное чувство. Я даже не уверен, что хорошо ее знаю.

Но он знал Алекс и то, какую рану он ей нанес. И теперь ему предстояло расплачиваться за это — всю жизнь.

— Может быть, все идет так, как должно идти, Сэм, — философски произнесла Алекс. Хоть и поздно, но он пришел в себя и понял, почему он так с ней обошелся. Все это было следствием его страха потерять ее так, как он потерял свою мать.

— Наверное, ты теперь захочешь развода, — словно читая ее мысли, сказал Сэм. Алекс хотела было кивнуть в знак согласия, но, посмотрев на своего мужа, такого уязвимого, подавленного и напуганного, она не решилась давить на него.

— Мы поговорим об этом после того, как твои проблемы будут решены.

Ей казалось несправедливым вешать ему на плечи еще и это. Несмотря на то что Брок просто жаждал развода, спешить на самом деле было некуда. Месяц или два никакого значения не имели.

— Ты заслуживаешь гораздо большего, чем дал тебе я, — грустно сказал Сэм. Ему вдруг захотелось сказать ей гораздо больше и даже дотронуться до нее, но он решил, что мудрее будет этого не делать. Он был благодарен Алекс за ее снисходительность и не хотел злоупотреблять ею.

Алекс не могла поспорить с тем, что он говорил. Теперь она все окончательно поняла и благодарила судьбу за то, что в этот момент с ней рядом оказался Брок.

— Может быть, у тебя не было выбора, — сказала Алекс, пытаясь быть справедливой. — Наверное, ты просто не мог противостоять этому.

— Это правильно, что я получил такой удар судьбы в наказание за свой идиотизм.

— Ты выберешься, Сэм, — успокоила его она. — На самом деле ты очень хороший человек, а Филип — очень хороший адвокат.

— И ты тоже. Ты настоящий друг, — ответил Сэм, пытаясь сдержать слезы. Они стояли друг напротив друга, разделенные столом.

— Спасибо, Сэм, — улыбнулась Алекс. — Я буду в курсе происходящего. Позвони мне, если тебе будет нужно.

— Поцелуй за меня Аннабел. Я попытаюсь встретиться с ней в эти выходные, если меня не засадят в тюрьму.

— Этого не будет. До встречи. — Алекс вернулась в свой кабинет, где ее ждал Брок. Он опять ходил взад-вперед и выглядел очень обеспокоенным. Лиз сказала ему, где Алекс, и он видел, как из переговорного зала вышел Филип.

— Ты ему сказала?

— И да, и нет. Он сказал, что догадывается о моем желании получить развод, но я решила поговорить с ним после того, как это все кончится.

— Что?! Почему ты не сказала, что хочешь развестись с ним прямо сейчас?

Брок был в ярости. Измученная сегодняшним днем, Алекс не сразу нашлась что ответить. Разговор с мужем о том, почему их брак распался, опустошил и расстроил ее, особенно сейчас, когда она сознавала, в какой переплет он попал. Если его посадят в тюрьму, Аннабел будет очень тяжело это пережить.

— Я не потребовала от него этого прямо сейчас, потому что задержка в один или два месяца не имеет никакого значения. Мы никуда не денемся. Надо же иметь к человеку хоть какое-то уважение или хотя бы сострадание. В конце концов его обвинило в растратах и мошенничестве большое жюри. Он приехал из Европы и сразу попал в эту кучу дерьма. И поскольку у нас за плечами семнадцать лет брака и ребенок, мне кажется, что я могу дать ему несколько недель на то, чтобы решить его собственные проблемы.

— А был ли он к тебе снисходителен в течение всего последнего года? Проявлял ли он сострадание? Неужели ты все забыла?

Брок кричал на нее вопреки своему обыкновению. Алекс подумала, что он ведет себя как ребенок, но ничего не сказала.

— Я очень хорошо все помню. Но я все равно не считаю себя вправе бить его ниже пояса. Между мной и им все кончено, Брок. Когда мы получим свидетельство о смерти, уже не важно. Мой брак с Сэмом мертв, и мы оба это знаем.

— Не будь так уверена, когда имеешь дело с этим сукиным сыном. И если эта девица от него уйдет, он не замедлит приползти к тебе с повинной на коленях. Я же видел, как он сегодня на тебя смотрел.

— Ох, ради Бога, прекрати! Это просто смешно. — Алекс прервала эту начинавшую становиться бессмысленной беседу. Брок вернулся в свой кабинет в полной ярости, и до семи часов, когда они одновременно ушли с работы, Алекс его не видела. Но даже вечером Брок был в отвратительном настроении и весь обед дулся на нее. Алекс пришлось подлизываться к нему достаточно долго, чтобы он наконец сменил гнев на милость.

В пентхаусе на Пятой авеню Дафна вела себя не лучше. Она хлопала дверьми, била посуду и швыряла вещи на пол, что уже нисколько не удивляло Сэма.

— Как ты смеешь меня в этом обвинять, скотина?! — орала она. — Как ты смеешь говорить, что я тебя «окрутила», как ты выражаешься? Я никогда не стала бы ввязываться в подобные гадости! Что за дешевый трюк — пытаться переложить на мои плечи свои преступления! Но не думай, что тебе это удастся. Саймон уже сказал, что он найдет мне юриста, если это понадобится. Но я в любом случае не собираюсь сидеть тут и ждать, когда меня арестуют. Если эти смешные обвинения посмеют предъявить и мне, я немедленно вернусь в Лондон. Я не хочу смотреть, как ты садишься в тюрьму да еще и тянешь меня за собой.

— Я подозреваю, моя дорогая, что с тобой не слишком-то приятно сидеть в тюрьме, если взглянуть на то, что ты тут устроила, — сказал Сэм, глядя на валявшиеся вокруг обломки и осколки. Он чувствовал, что больше не в состоянии с ней бороться. — А что бы ты думала на моем месте? В течение года ты всячески ублажала меня в постели — я не могу сказать, что мне это было неприятно, — а в это же самое время Саймон мошенничал с деньгами моих клиентов. Трудно поверить в то, что ты ничего об этом не знала, хотя я предпочел бы считать тебя невинной овечкой. Кстати говоря, я обнаружил, что моя жена знала о нас с тобой едва ли не с самого начала. Я не могу не снять шляпу перед этой несчастной женщиной. Оставив ее во время химиотерапии, когда она была полумертва и ее целыми днями выворачивало наизнанку, я поступил с ней как последний подлец, а она даже не говорила о том, что знает о нашем романе. Она повела себя как настоящая леди.

В отличие от мисс Дафны Белроуз, подумал он, но не стал этого говорить.

— Тогда почему же ты к ней не вернешься? — спросила Дафна, сидя нога на ногу на обтянутом черной кожей стуле. Сэм прекрасно видел, что у нее между ног. Но он чувствовал, что его теперь это не волнует. Чары были разрушены.

— Алекс слишком умна, чтобы принять меня, — тихо сказал он. — Я ее не обвиняю. Мне кажется, что я теперь не имею права даже приближаться к ней.

— Может быть, вы с ней заслуживаете друг друга. Мистер и миссис Совершенство. Мистер Честность. Мистер Святая Невинность, даже не подозревавший о том, что Саймон умножает свои капиталы за счет его фирмы. Неужели ты так наивен, Сэм? Или, выражаясь точнее, так глуп? Не говори мне, что ты ничего не знал. Я ему не помогала, даже если бы я знала о том, что происходит. А вот ты — я уверена — знал обо всем!

— Самое идиотское в этой ситуации то, что я не обращал ни на что внимания. Я был так занят тем, что у тебя под юбкой, что не замечал творившегося вокруг. Ты ослепила меня, моя дорогая. Я вел себя как законченный кретин и вполне заслуживаю того, что сейчас происходит.

— Уже ничего не происходит, Сэм. Все уже произошло. Ты конченый человек, — с насмешкой, как будто это ее очень забавляло, сказала Дафна.

— Я знаю. Спасибо Саймону.

— Когда все это завершится, ты даже клерком в банк не сможешь устроиться.

— А ты, Дафна? Что ты по этому поводу думаешь? Ты готова встречать меня горячим обедом, когда я буду приходить с какой-нибудь простой и благородной работы типа продажи чертежных кнопок?

Взгляд Сэма был полон презрения, а голос звучал весьма саркастически. Теперь он понял, какова она.

— Не думаю, — сказала Дафна, снова расставляя ноги и показывая Сэму то, что находилось между ними. Сэм с горечью подумал о том, что ради этого он пожертвовал своим благополучием и едва ли не жизнью. — Представление окончено, мой дорогой. Теперь мне пора тебя покинуть. Но ведь тебе было приятно, не так ли?

— Весьма, — согласился он. Дафна медленно подошла к нему и просунула руку под рубашку. Ощупав его соски, грудь и упругий живот, она попыталась скользнуть рукой в брюки, но Сэм остановил ее. Между ними был только секс, голый секс и ничего больше. Но цена за удовольствие была слишком велика.

— Ты будешь по мне скучать? — спросила Дафна, еще ближе придвигаясь к нему. Казалось, она пытается что-то доказать ему, снова околдовав его своими чарами, но на этот раз все было тщетно.

— Да, буду, — с сожалением сказал Сэм. — Мне будет грустно без этой иллюзии.

Он сознавал, что обменял реальную жизнь на фантазию, и это было горькое признание. И вместе со всем остальным он потерял и Алекс.

Дафна крепко прижалась губами к его рту и не выпускала его из своих объятий, пока не почувствовала, как он возбуждается. Сэм вложил в ответный поцелуй все остатки своей страсти к своей любовнице. Отстранившись, он посмотрел на нее совершенно убитым взглядом, размышляя над тем, что он никогда не узнает, участвовала ли она в направленном против него заговоре или же рыльце в пушку было только у Саймона. Неизвестность мучила его.

— В последний раз, — хрипло сказала Дафна. Будучи не из тех, кто способен влюбиться на всю жизнь, она все же привязалась к нему больше, чем ей бы хотелось. С Сэмом все было по-другому, нежели с ее прежними любовниками. Но все равно все было кончено.

В ответ на ее просьбу Сэм покачал головой и вышел из дома прогуляться в одиночестве. Ему о многом надо было подумать. Когда через два с половиной часа он вернулся, в квартире стояла полная тишина. Дафна ушла. Их дом был так же пуст, как его сердце. Забрав все, что он ей подарил, она не оставила ему ничего, кроме воспоминаний и вопросов. Вечером в новостях сообщили о том, что Саймон Бэрримор обвиняется большим жюри в шестнадцати случаях растрат и мошенничества. Но ведущий не сказал ни слова о Дафне Белроуз, его двоюродной сестре и возможной сообщнице, которая в этот момент уже сидела в самолете, державшем курс на Лондон.

Глава 20

Появление Сэма перед большим жюри было воистину устрашающим. На допрос ушел весь день. И к концу этого дня все обвинения остались в прежнем виде. Сэмюел Ливингстон Паркер должен был предстать перед судом по девяти обвинениям. Обоим его партнерам было предъявлено по тринадцать обвинений, а Саймону Бэрримору — шестнадцать.

Алекс не пошла на слушание дела Сэма. Но после того как Филип Смит вернулся в офис, Алекс позвонила своему мужу.

— Мне очень жаль, Сэм, — тихо сказала она. Она догадывалась, что большое жюри не откажется от своих обвинений, но не представляла себе, как он будет бороться. Процесс был назначен на девятнадцатое ноября, так что у юристов оставалось три месяца, чтобы подготовиться к защите.

Филип Смит уже призвал себе на помощь троих лучших адвокатов фирмы. Ларри и Тома защищала другая контора, а Саймона — фирма, о которой Алекс услышала впервые.

— А что с девушкой? — как бы невзначай спросила Алекс. — Ей не предъявлено вообще никаких обвинений. Как ей удалось выйти сухой из воды?

— По-моему, ей просто повезло.

— Наверное, она очень довольна, — холодно сказала Алекс.

— Не знаю. Она уже улетела в Лондон, быстро поняв, что хорошие времена кончились.

И она была права. Сэм и сам прекрасно понимал, что его ждет даже в случае благополучного исхода. Финансовый успех — дело непостоянное. Уважение и признание уйдут вместе с деньгами и удачными сделками — да еще и после такого скандала. Сэм еще не пробовал это на себе, но был уверен в том, что, если он позвонит в «Ла Гренуй», «Ле Кирк» или «Времена года», его заказ примут только на половину шестого или половину двенадцатого вечера, а столик поставят на кухне. Шампанское льется рекою только тогда, когда льются деньги.

И не пройдет и трех недель, как имя Сэма Паркера будет забыто.

Странно — он всегда убеждал себя в том, что весь этот внешний лоск не имеет для него никакого значения, но теперь он понял, что это не так. Одна мысль о том, что его имя облито грязью, что дело его жизни ушло коту под хвост вместе с его репутацией, заставляла его чувствовать себя конченым человеком. Он внезапно осознал, что ощущала Алекс, когда вместе с грудью потеряла и женственность, и сексуальную привлекательность, и надежды на появление детей. Не говоря уже о нем, который вместо того, чтобы помочь ей, ушел к другой женщине. Замечательно, подумал он. Вот и сиди теперь со своими сожалениями о прошлом. Потеря своего значительного положения и респектабельности для Сэма оказалась равноценной потере мужественности.

— Филип собирает в помощь себе замечательную команду, — говорила Алекс ободряющим голосом. Хуже всего было то, что она совершенно не держала на него зла. Ему самому было бы гораздо легче, если бы она его ненавидела, но этого чувства у нее явно не было. Словно ей было наплевать на то, что он с ней сделал. Сэм понятия не имел, почему она себя так ведет. О романе с Броком он тоже совершенно не догадывался. Алекс ничего не говорила, а по высказываниям Аннабел трудно было предположить, что это нечто большее, чем просто дружба.

— А ты будешь в этой команде? — спросил Сэм, чувствуя себя неловко. Но он сейчас был таким беззащитным и напуганным, что вел себя почти как ребенок. Он даже не мог придумать, что ему делать до процесса. Разумеется, их офис подлежал закрытию. Все фонды компании уже были заморожены. Сэм пытался как-то возместить убытки своим клиентам, зачастую из своего собственного кармана, но ущерб был огромным. В основном это была вина Саймона, но Том и Ларри тоже поучаствовали в разгроме его империи не без помощи Сэма, подписавшего некоторые договоры. Он просто не обращал ни на что внимания. Сэм чувствовал себя страшно виноватым, но изменить что-либо было уже невозможно. Теперь он мог только заплатить штраф, каким бы он ни был. Иногда он размышлял над тем, что тюрьма только пойдет на пользу его глупости.

— Насколько я знаю, это уже не уголовное преступление. Я не буду в команде, но буду наблюдать за тем, как идут дела.

Сознавая, что на большее ему рассчитывать трудно, Сэм не стал спорить.

— Спасибо. Через одну-две недели мы будем закрывать офис. Почти вся работа уже сделана.

На то, чтобы опустошить все кабинеты, ушло три дня. Никто из сотрудников не захотел оставаться в фирме после всего, что произошло. Трое владельцев стали париями.

— Я думаю, что после этого я займусь только подготовкой к процессу, — продолжал он. — Кроме того, я намерен продать квартиру. Теперь она мне не нужна, зато нужны деньги. Если я попаду в тюрьму, у тебя не будет головной боли, что с ней делать. Я буду жить в «Карлайле».

— Аннабел это понравится. — Алекс изо всех сил
старалась его подбодрить, но, как и с ее болезнью год
назад, прогноз был не самым лучшим. Ее мужу предстояло пройти через серьезные испытания, предстать перед
публикой таким, какой он есть, раздетым догола, со всеми грехами, глупостями и ошибками. И потом, его судьбу
решат двенадцать хороших людей, равных ему по рангу.
Это могло напугать кого угодно.

Алекс вдруг вспомнила, что уик-энд Дня труда* уже
почти на носу.

— Ты возьмешь Аннабел?

— С удовольствием. — Сэм будет с ней один на
один, без Дафны, чье присутствие всегда затрудняло для
него общение с дочерью. Никуда идти с ней он не собирался, мечтая просто насладиться обществом девочки.

Кармен привезла Аннабел на условленное место после
того, как Алекс уже уехала. На этой неделе она тоже с
ним не виделась, хотя знала, что Сэм встречается с Филипом Смитом в офисе. Официально она не участвовала в
деле, но старалась быть в курсе событий, хотя и держалась на расстоянии. Алекс пообещала Сэму присутствовать на процессе и по возможности посещать
предварительные встречи, но ей не хотелось создавать у
Филипа впечатление, будто она вмешивается в его дело.

Когда в пятницу днем они с Броком поехали в
Истхэмптон на выходные, они оба были измучены.
Брок все еще был сердит на Алекс из-за того, что
она не взяла быка за рога и не завела разговор о
немедленном разводе, а Алекс считала, что Брок поступает нелогично и по-детски. В пятницу вечером они
снова поспорили на эту тему и впервые за пять месяцев романа легли в постель, сердитые друг на друга.

---

* День труда отмечается в США в первый понедельник сентября. — *Примеч. пер.*

Но утром, когда они проснулись, Брок обнял ее и извинился.

— Прости, что я так глупо веду себя в этой ситуации, просто он меня очень сильно пугает, — признался он.

Алекс посмотрела на него с удивлением:

— Сэм? С какой стати? Бедняга, можно сказать, одной ногой в тюрьме. У него масса собственных проблем, так что я не понимаю, чего ты боишься.

— Истории. Времени. Аннабел. Как бы отвратительно он с тобой ни обращался в течение последнего года, он по-прежнему остается твоим мужем, прожившим с тобой семнадцать лет.

Слова Брока звучали настолько убедительно, что против этого факта трудно что-либо возразить. Но его она тоже любила и хотела, чтобы он был в этом уверен.

— Не беспокойся, Брок, — ответила она, обнимая его и проводя рукой по волосам. Иногда ей казалось, что она не намного старше его; но его отношение к ней было очень трогательным, и во многих вещах он был совершенно прав. Ее связывали с Сэмом почти двадцать лет. Но и Брок с его невероятной добротой уже успел стать родным для Алекс, и этого она тоже не могла отрицать. Кроме того, она его любила.

— Не беспокойся, — продолжала она. — Я займусь этим сразу после процесса. Мне неудобно затевать все это сейчас. Вспомни, ведь он не переехал из дома, пока не кончился курс химиотерапии. Я уверена, что ему очень хотелось это сделать, но он все равно остался до последнего дня. Понимаешь, это вопрос порядочности и хорошего воспитания.

Впервые за последние несколько дней расслабившись и перестав злиться друг на друга, они обменялись улыбками.

— Смотри только, чтобы из-за твоего хорошего воспитания ты не осталась бы за ним замужем, иначе за свои манеры я не отвечаю. Я могу его убить.

Брок был самым мягким человеком, которого она знала, но Сэма он действительно был в состоянии убить. Он просто хотел, чтобы она развелась с мужем, и Алекс его за это не осуждала. Она тоже к этому стремилась. Но это должно было произойти в свое время, чтобы не причинять никому лишней боли.

Они замечательно провели выходные на побережье и в понедельник с сожалением собрали вещи. Чтобы отвезти их домой, Брок нанял фургончик. Когда они распаковывали сумки в квартире Алекс, как раз приехали Сэм с Аннабел, более довольной, чем после уик-эндов с Дафной. На этот раз пришел черед удивиться Сэму. Увидев, что Брок помогает его жене разгружать машину, он вдруг понял, что здесь может быть нечто большее, чем просто совместная работа.

— Могу я тебе помочь? — вежливо спросил Сэм, внося какую-то коробку в коридор. Внезапно он почувствовал себя чужим в этом месте, что было когда-то его домом. Он понял, что больше не принадлежит ему. Брок был подчеркнуто любезен с ним, да и Алекс от него не отставала, но когда Сэм увидел их втроем с Аннабел, он понял, что это единство, в которое ему нельзя вмешиваться.

Вскоре он ушел, к удовольствию Брока, сильно расстроившись. Вопросов больше не было. Сэм все понял. Теперь Алекс принадлежала тому человеку, а Сэм... Сэм стал прошлым.

Глава 21

После Дня труда Аннабел снова начала ходить в садик, и жизнь вошла в свою привычную колею. Алекс снова взвалила на себя весь груз работы и почти целыми днями пропадала в суде. Брок по-прежнему помогал ей, но у него были свои дела, и они уже не работали в паре практически все время, как это было раньше, когда Алекс делали химиотерапию. Надо сказать, обоим этого сильно не хватало.

Некоторые партнеры хвалили ее за те героические усилия, которые ей приходилось проявлять, когда она болела, и со временем Алекс Паркер превратилась в своего рода легенду в их конторе. И несмотря на то, что они с Броком проводили вместе столько времени, никто пока не догадался об их романе. Это оставалось тщательно скрываемым секретом.

Брок проводил с ними каждый вечер, но чаще всего ночевал в своей квартире. Они оба считали, что из-за Аннабел ему не стоит все время жить у Алекс, так что посреди ночи он заставлял себя встать и отправиться домой, хотя процедура эта была мучительна для обоих. Он ночевал у Алекс только в выходные, в комнате для гостей. И Броку, и Алекс очень хотелось поднажать на Сэма с разводом и привести в порядок собственную жизнь — хотя бы для того, говорил Брок, чтобы нормально спать по ночам. Аннабел очень хорошо к нему относилась и скорее всего не стала бы возражать, если бы он совсем к ним переехал.

Был сентябрь, и до процесса оставалось больше двух месяцев. К октябрю он все чаще и чаще начал посещать их офис, потому что Филип Смит и его помощники создали основной план защиты. Выиграть это дело представлялось адвокату трудным, и все это понимали. Даже у Сэма было мало иллюзий. К этому времени он уже закрыл свой офис и уволил всех сотрудников. Подведя итоги, он понял, что они нагрели клиентов почти на двадцать девять миллионов долларов. Все могло бы быть гораздо хуже, но Сэм, задействовав самые разнообразные страховки, приложил все усилия к тому, чтобы прикрыть наиболее зияющие дыры. Но с какой бы стороны ни рассматривать это дело, оно было достаточно неприятным. Его попытки помочь людям восстановить украденные капиталы никак не могли усилить его защиту — это просто было проявлением обычных для Сэма качеств. Как ни странно, он снова ощутил себя самим собой. Его настроение пришло в норму, он был умиротворен, хотя при встрече с Алекс на совещаниях у Филипа он выглядел напряженным и нервным. Перспектива отправиться в тюрьму приводила его в ужас, и он знал, что вероятность этого весьма велика. Филип не раз говорил ему, что будет очень трудно не допустить того, чтобы он попал в камеру.

К концу октября следствие было почти закончено, и обвинители пытались заставить их признать себя виновными, чего не сделал ни один из подсудимых. Им даже предложили более короткие сроки наказания, но и это не подействовало. Особенно на Сэма, чья защита, как и предполагалось изначально, строилась на том, что он вел себя как идиот, но не был мошенником.

— Ты считаешь, это пройдет? — спросил Брок у Алекс в одно из воскресений, когда они наблюдали за тем, как Аннабел играет в песочнице. Алекс помедлила с ответом.

— Я не уверена, — честно ответила она. — Можно надеяться, что все будет именно так. Но если бы я была присяжным заседателем и он пытался бы убедить меня в том, что был глуп и не замечал, как его партнеры обкрадывают клиентов, потому что был слишком сильно занят своей личной жизнью, я бы очень громко рассмеялась и отправила бы его в тюрьму.

— И я бы сделал то же самое, — согласился с ней Брок. Ему совершенно не было жалко Сэма — он продолжал считать, что муж Алекс заслужил того, что получил. Но Алекс так не считала.

— Нельзя посадить человека за то, что он повел себя как свинья по отношению к своей жене, лечившейся химией. Это недозволенный прием, Брок. Одно это не делает его преступником. Он просто негодяй. Дело же не во мне, а в том, сознательно ли он обманывал клиентов.

Как бы ни складывались их отношения, они были адвокатами, и в их беседах часто затрагивались профессиональные вопросы.

— Да все он знал, будь уверена. Он не хотел знать — это другой вопрос. Но он чувствовал, что у этого Саймона не слишком чистые руки. Ты мне сама об этом говорила.

— Мне казалось, что он обманщик, — задумчиво произнесла Алекс, — но Сэм всегда его защищал. С его слов получалось, что деньги просто льются к ним рекой сами собой. Я думаю, ему хотелось верить в то, что все на уровне. Он был достаточно наивен для того, чтобы его можно было обвести вокруг пальца, но опять-таки это не уголовное преступление.

— Он должен был контролировать то, что происходило у него в офисе.

— Да, я согласна. И когда суд начнет разбирать этот вопрос, на поверхность вылезет его личная жизнь.

— Процесс обещает быть весьма пикантным, — предсказал Брок. Так оно и оказалось. С того момента, как подсудимые начали давать показания под присягой, газе-

ты только об этом и писали. К пятнадцатому ноября весь
финансовый мир заключал пари, кто из них отправится в
тюрьму, а кто избежит этого. Все считали, что Саймон
так или иначе выпутается из беды благодаря своей изво-
ротливости. В ожидании процесса он продолжал вести в
Европе весьма сомнительные дела. Даже перспектива предстать перед судом не пугала его. Ларри и Тому прочили
тюремное заключение. Что касается Сэма, то он стал темной лошадкой, про которую трудно было сказать что-
либо определенное. Большинство считало, что он будет
осужден, но некоторые думали иначе. Ему удавалось сохранять безупречную репутацию в течение стольких лет,
что многие люди старой закалки купились на его историю
в отличие от молодежи с Уолл-стрит. Они считали, что он
должен был знать о происходящем или даже знал, но
просто закрывал на это глаза. Так же думал и Брок.

Алекс приехала на начавшийся процесс. Она провери-
ла, кто в составе суда, и беседовала с Сэмом наедине —
просто для того, чтобы отвлечь его. У него было четыре
адвоката, а оставшихся троих защищали пять человек.
Процесс превратился в значительное событие; зал суда
был битком набит журналистами. Алекс спросила Брока,
хочет ли он присутствовать, но тот отказался. Они оба
знали, что это будет бесплатный цирк.

Брок все еще очень напряженно воспринимал Сэма
и очень хотел, чтобы Алекс поскорее начала брако-
разводное дело. Он говорил, что не поверит в это,
пока они не подадут на развод. Алекс снова и снова
обещала ему поднять этот вопрос сразу после окончания процесса и действительно хотела так поступить. Их роман с Броком продолжался уже восемь
месяцев, и близкими друзьями они стали еще раньше. Они любили друг друга достаточно давно. Но
вопреки всем доводам Алекс Брок страшно ревно-

вал ее. Алекс была поражена до глубины души, когда узнала это, но в конце концов это показалось ей очень трогательным.

Собственно слушания начались в середине третьего дня, когда атмосфера в зале суда весьма накалилась. Состав присяжных отбирался очень тщательно; им сказали, что это очень сложные дела, связанные с финансами. Перед ними должно было предстать четверо подсудимых с разной степенью тяжести обвинения, и каждое дело должно было быть обсуждено во всех подробностях. Дело Сэма слушалось последним, и Алекс показалось, что судья очень четко его сформулировал. Судья был хорошим человеком и настоящим профессионалом; она не раз успешно вела с ним дела, но теперь это ничего не значило. Факты были против Сэма; только если присяжные поверят его истории, все могло кончиться хорошо. Он был хорошим человеком — по крайней мере раньше, — но этот случай явно был неудобоваримым.

Свидетельские показания слушались в течение трех недель, и День благодарения прошел почти незамеченным. Алекс и Брок ели индейку у него в квартире, а Сэм и Аннабел — в «Карлайле». Настроение у Сэма было далеко не праздничным. Алекс не могла забыть, как в прошлом году ее плохое самочувствие в этот день стало последней каплей, которая переполнила чашу, и Сэм пришел в неистовство из-за ее недомогания. А Сэм вспоминал о том, что именно в этот день из-за домашних неприятностей его просто швырнуло в объятия Дафны. Ему как никогда хотелось повернуть стрелки часов назад.

На следующее утро после Дня благодарения он появился в зале суда в элегантном темном костюме, видный и высокий. Зная, как тяжело ему дается этот процесс, как он беспокоится о его исходе, Алекс спросила его, как дела. На карту было поставлено очень многое — практически все его будущее, по крайней мере два десятилетия его жизни. Мысль об этом приводила его в дрожь.

— Спасибо, что ты пришла, — прошептал он. Алекс кивнула. Она видела в его глазах тревогу, но он казался готовым вынести все, что ему предстоит. Сэму уже было известно, что в случае признания его виновным ему предоставят тридцать дней на то, чтобы устроить свои дела, прежде чем отправиться в тюрьму. Это означало, что он сядет после Рождества. Эта мысль грызла его, когда судья призывал к порядку в зале суда.

Окончание процесса пришлось на середину декабря. Сэм давал показания, и его свидетельство показалось всем эмоциональным и очень трогательным. Один или два раза, когда его переполняли эмоции, ему приходилось останавливаться. Журналисты строчили в своих блокнотах, а Алекс сидела, слушала и понимала, что она ему верит. Она знала, каким кошмарным это время было для них обоих, помнила, что и он, и она были явно не в себе. Его роман с Дафной, конечно же, мог далеко не лучшим образом подействовать на присяжных. Алекс была удивлена тому, с каким бесстрастием она выслушивала все подробности. Дело было на редкость интересным, но она не позволяла себе думать, что Сэм может отправиться в тюрьму. Она даже не разрешала себе вспоминать о том, что когда-то она его любила. Это было бы слишком больно.

После этого к присяжным обратились четыре адвоката. Их выступления были достаточно проникновенными, а речь Филипа показалась Алекс весьма четкой и сильной с точки зрения фактов. В ней подчеркивались произнесенные Сэмом слова о том, что болезнь жены и собственная глупость ослабили его бдительность, заставив его считать вполне приемлемым нечто отвратительное и недопустимое с точки зрения закона. Основным аргументом было то, что он не знал о махинациях своих партнеров. Сознательно он никого не обокрал и не участвовал в происходящем. Короче говоря, он не был их сообщником.

Суд прервал слушания на пять дней, чтобы вынести решение, еще раз обработав все свидетельские показания и фактические данные. Наконец настал последний день процесса. Сэм и его бывшие партнеры были бледны как бумага; их попросили встать, когда появился суд. Алекс заметила, что Саймон пытался изображать презрение, но на это никто не купился — его лицо тоже было белым. Подобно остальным, он был смертельно напуган; впрочем, Алекс было жалко только Сэма. И бедную маленькую Аннабел. Что будет, если ее папа попадет в тюрьму? Кто-то из ее друзей по садику уже сказал ей об этом, и Сэм с Алекс пытались как-то объяснить ей, что происходит, но все было тщетно. Оставалось только надеяться на присяжных.

Старшиной присяжных была женщина, которая зачитывала вердикты ясно, громко и четко. Она начала с Тома, перечислив все его тринадцать обвинений, и после каждого из них она произносила единственное слово. Виновен. Виновен. Виновен. Казалось, это будет продолжаться вечно. То же повторилось с Ларри и Саймоном. В зале суда стало очень шумно, скамьи для прессы бурлили, и судье даже пришлось изо всех сил стучать своим молотком, призывая всех к порядку.

Настала очередь Сэма. Что касается всех обвинений в растратах и хищениях, он был признан невиновным, но по мошенничеству и сокрытию мошенничества вердикт был иной. Алекс приросла к своему месту, слушая приговор. Сэм стоял очень тихо и слушал слова судьи о том, что им всем нужно снова предстать перед судом через тридцать дней для вынесения приговора. Сейчас их освобождали на поруки, под залог в пятьсот тысяч долларов, что означало долговую облигацию в пятьдесят тысяч, о которой Сэм позаботился, как только его привлекли к ответственности. Подсудимым напомнили о том, что они не должны покидать штат и страну. Стукнув молотком, судья распустил присяжных, и в зале поднялся настоящий гвалт. Защелкали вспышки, и Алекс с трудом пробилась к тому месту, где рядом с Филипом стоял ее муж.

Сэм выглядел так, как будто его оглушили. В глазах его застыли слезы. Жены Ларри и Тома рыдали в открытую, но Алекс не стала с ними разговаривать. Саймон ушел из зала суда вместе со своим адвокатом почти сразу же после финального удара молотка.

— Мне так жаль, Сэм, — сказала она тихо, так, чтобы ее слова слышал только он. В это время кто-то уже фотографировал их.

— Пойдем отсюда, — жалобно сказал Сэм. Алекс наклонилась к Филипу и спросила, не хочет ли он поговорить со своим клиентом, но тот отрицательно покачал головой. Он был очень разочарован вердиктом суда присяжных. Конечно, их усилиями наказание было значительно смягчено, но все равно Сэма ждала тюрьма.

Алекс шла за Сэмом, пробиваясь сквозь ряды бесконечных фоторепортеров. В конце концов они вырвались наружу и сели в такси.

— Как ты? — спросила она. Сэм выглядел ужасно, и Алекс даже испугалась, не будет ли у него сердечного приступа или паралича. В пятьдесят лет можно было ожидать всего, хотя Сэм отличался неплохим здоровьем.

— Не знаю. Я словно в оцепенении. Этого можно было ожидать, но я... Поедем в «Карлайл».

Но около гостиницы их ждали журналисты. Подъехав к зданию со стороны Мэдисон-авеню, они быстро скрылись в дверях, и Сэм попросил Алекс подняться к нему на несколько минут. Оказавшись в номере, он заказал напитки обоим — скотч для него и кофе для Алекс. Она почти не пила спиртного.

— Я не знаю, что тебе сказать, — после долгого молчания наконец вымолвила Алекс. Внутри нее бушевали чувства — скорбь по Сэму и жалость к Аннабел, которая не будет общаться с родным отцом в течение двадцати или более лет. Это было невозможно себе представить.

Впрочем, она понимала, что им всем не остается ничего другого, как смириться с этим, хотя период до начала заключения обещал быть тяжелым.

— Что я могу для тебя сделать? — сознавая свою беспомощность, спросила Алекс. Такие же ощущения она испытывала, когда у нее был рак. И точно так же ничего было нельзя изменить.

— Береги Аннабел, — сказал Сэм и разразился рыданиями. Он долго сидел, закрыв лицо руками и всхлипывая. Алекс тихо подошла к нему и обняла за плечи. Когда принесли их напитки, Алекс расписалась за них в счете и сама ввезла тележку. Сэм с благодарностью взял свой скотч и извинился перед ней за то, что потерял самообладание.

— Ничего страшного, Сэм. Это нормально, — ласково сказала Алекс, касаясь его плеча. Сделать уже ничего было нельзя. Сэм был признан виновным и должен был отправиться в тюрьму. Оба прекрасно знали об этом.

Глотнув виски, Сэм поднял глаза:

— Наверное, я испытываю то же, что испытывала ты, когда тебе сказали, что у тебя рак.

— Примерно, —печально улыбнулась Алекс. — Но я предпочла бы тюрьме химиотерапию.

Сэм цинично рассмеялся над ее словами и сделал еще один глоток.

— Вот уж спасибо. Впрочем, мне и не предлагают никакого выбора.

— Поверь мне, тебе бы это не понравилось.

— Я помню, — с грустью отозвался он, чувствуя свою вину перед ней. — Господи, ты была так больна. Я делал вид, что ничего не происходит, просто потому, что не выдерживал напряжения. Я даже впустил в свою жизнь Дафну. Ей было жалко меня, а не тебя, и я был полностью с ней согласен. Да уж, хорошо мы себя вели, ничего не скажешь. Мистер и мисс Кошмар.

Сэм говорил, глядя Алекс прямо в глаза, и она понимала, чего он не договаривает — ее муж был благодарен за то, что она смогла все это пережить.

— Ты с ней общался после ее отъезда? — из чистого любопытства спросила Алекс. Сэм покачал головой:

— Ни разу. Я думаю, что маленькая кузина переехала на свежие пастбища. Она твердо стоит на ногах, где бы она ни жила. Дафна очень умная девушка, когда дело касается ее самой, — ответил он, глядя на свою жену с невыразимой печалью. — Что ты здесь делаешь? Тебе не нужно находиться рядом со мной.

Это было правдой, но Алекс отличалась верностью, и они оба это знали. Кроме того, Брок был прав. В течение восемнадцати лет между ними установилась прочная связь.

— Я очень долго тебя любила. Это трудно забыть, — искренне ответила Алекс, не опасаясь, что он снова сделает ей больно. Она знала, что теперь ему это не удастся — слишком далеко она от него ушла.

— Чем скорее ты это забудешь, тем лучше, — сказал Сэм. — Тридцать дней. Кстати, за это время я подам на развод. Я уверен, что твой юный друг-юрист будет счастлив. Бедный парень при каждой встрече готов метать в меня громы и молнии. Скажи ему, чтобы он расслабился, — он меня теперь долго не увидит.

Алекс улыбнулась жестокой ироничности его слов. Они слишком хорошо друг друга знали, и Сэму не составило большого труда вычислить, какую роль в ее жизни играл Брок. Правда, она узнала о его романе с Дафной гораздо быстрее. Но теперь никаких тайн между ними не осталось.

— А не слишком ли он для тебя молод? — Ревность явно проскальзывала в тоне Сэма. Алекс это напомнило Брока, и она улыбнулась. Оба мужчины в чем-то оставались мальчиками.

— Я повторяю ему это каждый день, но он очень упрям, — сказала она. — Когда я болела, он меня просто спас. Прежде чем куда-нибудь меня пригласить, он провел со мной пять месяцев на полу туалета в моем кабинете, поддерживая меня во время рвоты.

— Хороший человек, — вынужден был признать Сэм. — Я хотел бы оказаться таким же достойным мужчиной. И, вспомнив о результате процесса, он жалко пожал плечами и добавил: — Может быть, это даже хорошо, что ты со мной не связана. Я не хочу втягивать тебя в это болото. Тебе нужна твоя свобода.

— Тебе тоже, — мягко ответила Алекс.

— Скажи это судье, — усмехнулся он, вставая. Держать ее около себя он теперь права не имел; находясь рядом с ней, он только чувствовал себя хуже. Между ними все было кончено — это было совершенно очевидно, и общаться с ней ему стало тяжело. — Скажи Аннабел, что я завтра приду и возьму ее с собой. В этом месяце я хочу как следует пообщаться с ней.

Сэму оставался всего месяц свободы, и не было ничего удивительного в том, что он хотел провести его со своей дочерью. Ему бы хотелось, чтобы в это время рядом с ним была и Алекс, но он не имел права попросить ее об этом — он это знал.

Алекс пришла домой грустная. Брок сказал ей по телефону, что видел окончание процесса по телевизору и огорчен. Он допоздна работал и на некоторое время забежал к ней, но Алекс вдруг поймала себя на том, что ее раздражает его отношение к Сэму. Он отзывался о своем сопернике с презрением и был явно доволен тем, что его осудили. Брок считал, что Сэм сам испортил себе жизнь всеми мыслимыми и немыслимыми способами и вполне заслужил то, что получил.

— А тебе не кажется, что двадцать лет тюрьмы — слишком высокая цена за это? Кто из нас не делает ошибок? Он был глуп, эгоцентричен и наивно доверял своим партнерам, но он совсем не заслужил того, чтобы из-за этих ошибок потерять все, и в первую очередь Аннабел. Ей нужен отец.

— Он должен был подумать об этом во время первых контактов с Саймоном. Господи, Алекс, да тут все было ясно. Ты сама чувствовала неладное.

С этим нельзя было поспорить. Алекс никогда не доверяла Саймону в отличие от Сэма, которому теперь только и оставалось, что кусать локти.

На следующий день, когда Сэм утром приехал, чтобы забрать Аннабел, Алекс показалось, что Брок слишком нелюбезно ведет себя с ним. После того как они ушли, она сказала ему об этом:

— Слушай, он и так не в своей тарелке. Не надо ему грубить и показывать свое превосходство.

Ссоры между ними случались нечасто, но Алекс считала, что Брок обязан быть более доброжелательным и спокойным по отношению к ее мужу.

— Я был не груб, а холоден, это существенная разница.

— Ты не был холоден, Брок, — ответила Алекс, чувствуя себя матерью, журившей нашкодившего сына-подростка. — Ты вел себя очень некрасиво. Такое может случиться с любым из нас. Его увлекли в трясину люди, которым были нужны его деньги. Ты уверен в том, что ты сам неуязвим для подобных вещей? — со значением закончила она. Брок упрямо твердил, что с ним ничего подобного произойти не может, но Алекс знала, о чем она говорит. Брока же волновало именно ее отношение к этому вопросу. Ему не нравилось то, что она говорила, и то, как она говорила.

— Почему ты его защищаешь? — спросил он обеспокоенно. — Ты все еще любишь его?

Брок впился в нее глазами. Он выступал в роли обвинителя, а она — подсудимого.

— Не думаю, — честно ответила она, желая отдать должное обоим. — Я беспокоюсь за него, и мне жаль, что все так получилось.

— А тебе не кажется, что он это заслужил? — настаивал Брок. Они остались вдвоем в квартире, и Брок не собирался закрывать эту тему. Он хотел знать, что у Алекс на душе.

— Нет, не кажется, — грустно сказала Алекс. — Да, это справедливо, что он потерял свое дело, свою работу... положение в обществе, даже репутацию. Он вел себя глупо, он причинил боль множеству людей, закрыв глаза на действия своих партнеров. Наконец он предал меня. Но тюрьма — слишком серьезное наказание за это, Брок. Это неправильно. Он этого не заслужил.

— Ты слишком мягкий человек, — осторожно сказал Брок, подходя к Алекс и обнимая ее. — Наверное, поэтому я тебя и люблю.

Закрыв глаза, он так крепко прижал Алекс к себе, что у нее перехватило дыхание.

— Я не хочу терять тебя, вот и все, — продолжал он. — Поэтому-то я так себя и веду... Я слышу твои слова о нем и вижу в твоих глазах боль за него. Что бы ты там ни говорила, я чувствую, что между вами еще сохранилась какая-то связь. В твоем сердце еще есть для него уголок... наверное, это нормально... Восемнадцать лет, и дочка... не знаю... я просто не хочу тебя терять, — повторил он, целуя ее. Когда они оторвались друг от друга, чтобы перевести дыхание, Алекс улыбнулась и нежно дотронулась пальцем до его губ.

— Не потеряешь, Брок. Я тебя люблю, — сказала она с ударением на каждом слове.

— Но его ты тоже любишь, — мудро ответил Брок, и на этот раз Алекс не стала этого отрицать:

— Может быть, ты и прав, и я просто этого не сознаю. Я не влюблена в него в романтическом смысле этого слова. Но я люблю прежнего Сэма и то, что между нами было. Мы долго были вместе. Мне казалось, что ничего лучшего и желать нельзя... А потом все развалилось на куски. Это трудно понять.

Между ними была кровная связь, как между членами семьи, которую почти невозможно было разорвать.

— Мне передается его боль, — после паузы продолжила Алекс. — Мне кажется, я понимаю мотивы его поступков. Я знаю, что он чувствует. Я не могу ни объяснить этого тебе, ни перестать испытывать все это только потому, что все изменилось.

— А ты уверена, что все изменилось? — тихо спросил Брок.

— Определенно, — твердо ответила она. — Я ему больше не жена. Я отличаюсь от прежней Алекс Паркер. Понимаешь... после всего, что между нами произошло, нельзя идти назад, можно только двигаться дальше.

Для этого ей и был послан Брок, только она не была еще его женой. Она была ничья и впервые за много лет принадлежала самой себе. И хотя временами Алекс чувствовала себя одинокой, в целом ей нравилась ее так трудно обретенная свобода. И у нее был Брок, которого она так сильно любила.

— Обязательно скажи мне, если что-нибудь изменится, — просто сказал он, глядя ей прямо в глаза. То, что он увидел в них, успокоило его лишь наполовину. Алекс явно разрывалась между своими чувствами — жалостью к Сэму и любовью к Броку. В какой-то степени она любила их обоих, не говоря уже об Аннабел, и ей хотелось, чтобы всем было хорошо. А этого трудно было достичь.

— Не говори таких вещей, — проворчала Алекс. — Ничего не изменится. Ему будет трудно, и я хочу его поддержать.

— Зачем? Много он тебя поддерживал год назад? Почему ты должна вести себя иначе, тем более что ты и так ему помогла?

— Может быть, ради нашего прошлого. — Но Броку хотелось быть с ней всегда. Все, о чем он мог мечтать, — это о том, чтобы между ним и Алекс установилась такая же кровная связь.

— Не надо его так жалеть, — предостерег ее Брок, сопроводив свои слова нежным поцелуем. — Ты мне очень нужна, — добавил он шепотом.

— Ты мне тоже, — прошептала она в ответ. И они занялись любовью в той самой постели, которую она в свое время делила с Сэмом и в которую Сэм никогда не вернется. Она сказала Броку то, во что свято верила. Прошлое ушло, настало время будущего. Алекс любила Брока.

Но Сэм, вернувшись с Аннабел в «Карлайл» после проведенного вместе дня, был весьма печален. С момента признания его виновным прошли уже сутки, и он начинал паниковать. Он должен был потерять все — свободу, жизнь, дочь, даже остатки того, что когда-то связывало его с Алекс. Сэм стал относиться к этому менее философски и менее легко, чем накануне, после выпитого виски. Общение с Аннабел напомнило ему о том, что он утратит, а встреча с Алекс только усилила все эти ощущения.

Днем Сэм рассказал дочке о том, что у него все складывается не слишком хорошо. Она все еще не понимала, что это значит, да и Сэм не стал всего объяснять, не сказав ей ни про разлуку, ни про тюрьму. Этим он решил заняться попозже — у него было еще целых тридцать дней.

— Как вы провели время? — улыбаясь, спросила Алекс. Она сама приехала в «Карлайл», чтобы забрать дочь, отправив Брока за покупками.

— Прекрасно, — ответил Сэм, все еще очень напряженный. — Мы ходили на каток. — Отослав Аннабел в соседнюю комнату за куклой и свитером, он повернулся к своей жене и с болью в голосе продолжил: — Прости меня за твоего друга. По-моему, я его очень раздражаю.

Алекс кивнула, не зная, стоит ли рассказывать Сэму какие-либо подробности, но ее природная честность взяла верх.

— Он боится нашего прошлого, Сэм, и я не могу обвинять его за это. Восемнадцать лет — это очень много, и это трудно объяснить третьему лицу. Он боится того, что преданность сильнее любви, хотя это глупо.

— Правда? — мягким голосом спросил Сэм, осмелившись поднять на нее глаза. То, что он увидел в ее лице, поразило его до глубины души и отозвалось болью. Перед ним стояла женщина, которую он очень сильно ранил, и Сэм понял, что они оба никогда этого не забудут. — Неужели это только преданность? — задумчиво спросил он. — Мне жаль это слышать. Хотя, с другой стороны, мне повезло, что ты хотя бы жалеешь меня после всего, что я с тобой сделал.

Он неспроста говорил эти слова — всю предыдущую ночь и весь день Сэм думал об Алекс и о том, какую боль он ей причинил.

— Не нужно, Сэм, — тихо ответила Алекс. Просить прощения было поздно. Теперь между ними остались только сожаление о прошлом и воспоминания — как плохие, так и хорошие.

— Почему? Наверное, я не должен ничего тебе говорить, но у меня безумное чувство, что после приговора время внезапно стало убегать, как песок в песочных часах. Поэтому для меня важно выговориться сейчас, потому что потом мне может и не представиться такой возможности.

Алекс понимала его чувства, но ничем не могла ему помочь. До какой-то степени она была в состоянии поддержать его в этот трудный период, помочь ему в том, что касалось Аннабел, но не более того. В ее сердце теперь был только Брок.

— Я по-прежнему люблю тебя, — еле слышно проговорил Сэм, разрывая ей сердце. В комнату вернулась Аннабел с куклой и свитером. — Это правда, — добавил он со значением, но Алекс отвернулась, не ответив на его слова. Лучше бы он ничего не говорил. Он не имел на это права.

Дрожащими руками Алекс помогла Аннабел одеться. Девочка побежала вызывать лифт, а Алекс с Сэмом последовали за ней, по-прежнему не говоря ни слова.

— Не усложняй свою и без того тяжелую жизнь, — вымолвила наконец Алекс. — Я знаю, что тебе трудно, и мне очень жаль, но, Сэм... не надо снова причинять нам всем боль. Не делай этого.

Может быть, он просто играет с ней, и тогда больно будет и ей, и Броку, и Аннабел, и ему самому.

— Я не хочу причинять тебе боль, — задумчиво произнес Сэм. Внезапно оказалось, что ему нужно сказать ей очень многое. — Наверное, я должен заставить себя уйти из твоей жизни насовсем, что бы я ни испытывал, в особенности если меня посадят. Я обещал себе самому так и поступить. Но теперь мне кажется, что будет большой ошибкой отпустить тебя, даже не сказав, как я тебя люблю. Я знаю, что утратил на тебя все права. Черт побери, мне даже трудно назвать себя мужчиной. Все, что составляло мою личность, куда-то исчезло — деньги, успех, положение в обществе... Наверное, потеряв грудь, ты чувствовала то же самое, но мы оба были глупы. Твое женское начало — не в груди, мое мужское — не в работе... Это наши сердца и души делают нас теми, кто мы есть и во что мы верим. Я не знаю, почему я этого раньше не понимал. Сейчас я все это осознал — к сожалению, слишком поздно для всех нас... и теперь я хочу вернуться на год назад и сделать все по-другому.

Алекс была потрясена его словами.

— Я не могу, Сэм, — прошептала она, закрывая на мгновение глаза, чтобы не видеть боли и любви, о которых безмолвно кричало его лицо. Почему он не говорил всего этого год назад? Теперь было слишком поздно. — Не говори мне таких вещей... Я не могу вернуться и не могу предать Брока, — добавила она, вспомнив, что только сегодня утром пообещала это Броку.

— На что он тебе сдался? — раздраженно спросил Сэм. — Он же совсем мальчик. Правда, хороший мальчик, это видно. И он, конечно, много для тебя сделал, но что будет через десять лет? Сможет ли он дать тебе то, что ты хочешь?

— Дело не в том, что он мне может дать, — твердо ответила Алекс, — он уже одарил меня сверх всякой меры. Теперь моя очередь.

— Но ты же не можешь вечно быть ему благодарной за то, что он тебе помог, точно так же, как я не могу оправдаться перед тобой за то, что не сделал этого. Но я все еще тебя люблю, Алекс... ты ведь все еще моя жена. Может быть, я больше не имею на тебя права — я уверен, что не имею. Но я хочу, чтобы ты знала, что я всегда буду тебя любить. Даже в самые безумные моменты, самые... — он осекся и прикусил язык, — я все равно не переставал любить тебя. Я не хотел уходить, но не мог оставаться. Я стремился убежать от всего — от тебя, от призрака моей матери, от реальности. И тут мне подвернулась эта Дафна. Я знаю, что был не прав, но она просто сводила меня с ума. И ты тоже. Понимаешь, я просто был не в своей тарелке. Но мне совершенно не хотелось причинять тебе боль.

Сэм хотел высказать ей все это перед началом своего заключения. Но это было несправедливо по отношению к ней. Он дернул за еще никем не порванную струну и дотронулся до той части сердца Алекс, которая по-прежнему принадлежала ему. И это было очень больно. Алекс больше не хотела его любить.

Она ответила своему мужу глубоким и печальным голосом, бросив взгляд на Аннабел, которая ждала их в холле:

— Знаешь, Сэм, нам обоим было бы легче, если бы мы разошлись без всяких объяснений. Не надо оглядываться назад, не надо оплакивать прошлое... Какой в этом смысл?

— Может быть, и нет никакого смысла. Но как можно расстаться молча после восемнадцати лет совместной жизни? — ответил Сэм со слезами на глазах. — Неужели ты можешь так легко все это отбросить? Неужели ты не испытываешь ко мне ничего, кроме чувства долга? Я не могу в это поверить.

Алекс тоже с трудом в это верилось, но внезапно она разозлилась на своего мужа. Что это вдруг он захотел исповедоваться в своих грехах и облегчить душу? Он что, боится потерять ее после всего, что он ей устроил?

— Что ты хочешь от меня, Сэм? — рассерженно спросила она. — Чтобы я призналась тебе в любви и ты мог жить этой мыслью, когда сядешь в тюрьму? Отпусти меня... Давай освободимся друг от друга, как ты сам мне сказал вчера, после того как зачитали приговор. Это нужно нам обоим. Не уноси все это с собой в тюрьму.

— Я не могу, — сказал Сэм страдальческим голосом. Он провел бессонную ночь в мыслях об Алекс и приговоре. И вдруг все изменилось. Он не хотел, чтобы она беззвучно ускользнула от него в свое неведомое будущее. — Я не знаю, как тебя отпустить, — продолжал он, касаясь ее руки и пытаясь поцеловать. — Я все еще тебя люблю.

— И я, Сэм, — жалобно призналась Алекс. Брок тоже это знал и постоянно говорил об этом. — Но уже поздно...

Это было понятно обоим, но Сэм не собирался отступать. Но тут дверь лифта открылась, Аннабел махнула ему рукой, а Алекс подняла на него глаза.

— Не делай этого, Сэм... пожалуйста... ради нас обоих. — Когда он уходил от нее к Дафне, все было гораздо проще. Тогда он казался таким уверенным, а теперь был совершенно разбит, и Алекс уже не знала, была ли она ему чем-то обязана.

— Прости меня, Алекс, — сказал он с совершенно несчастным видом. — Я тебя еще увижу?

Сэм был в отчаянии. Алекс нервно поглядывала на ожидающий их лифт.

— Нет, — ответила она, покачав головой, и направилась к Аннабел, жалея о том, что вообще сюда пришла. — Я не могу, Сэм... Прости меня.

И она действительно не могла — из-за Брока, из-за себя самой. Уже стоя в лифте вместе с дочкой, она почувствовала на себе пронзительный взгляд Сэма. Двери закрылись. По дороге домой она пыталась избавиться от мыслей о нем и его словах и думала о Броке, прильнув к дочери.

— Папа на тебя рассердился? — поинтересовалась заинтригованная Аннабел. Они шли по улице, поеживаясь от холода, и вокруг них сновали люди в поисках подарков на Рождество.

— Нет, моя родная. Все в порядке, — соврала Алекс, спрашивая себя, почему дети всегда видят то, чего им видеть не следует.

— Когда мы уходили, он был грустный.

— Наверное, ему стало жалко с тобой расставаться, но он не сердился. Точно тебе говорю.

Только грустил. И вел себя очень глупо. Оказавшись дома, в обществе Брока, Алекс почувствовала невероятное облегчение. В кухне вкусно пахло — Брок делал соус для спагетти и гренки с чесноком. Алекс обещала приготовить суп, макароны и салат, а на десерт подать мороженое с ванильным соусом.

— Все хорошо? — спросил Брок, помогая ей снять пальто. Алекс потирала руки. Казалось, она очень замерзла и немного дрожала.

— Да, — с улыбкой ответила она, обнимая занявшего свое место у плиты Брока и пытаясь забыть все, что она услышала от Сэма. Но ночью, когда она лежала рядом с Броком, крепко прижавшись к нему, слова Сэма вертелись у нее в голове, словно духи.

Глава 22

Аннабел провела с Сэмом целую неделю, начиная с Рождества, и Алекс приучила себя не видеться с ним, когда они передавали друг другу дочку. Она просто сажала ее в гостиничный лифт одну и нажимала кнопку. Она не общалась с Сэмом после той встречи и полагала, что он пришел в себя. Но если даже у него туман в голове и не прошел, то в себе она была полностью уверена.

У них с Броком и Аннабел получился прекрасный рождественский вечер. На неделю между Рождеством и Новым годом они сняли домик в Вермонте. На этот раз она каталась на лыжах и вообще замечательно провела время. Алекс чувствовала себя превосходно. Волосы отросли, и она носила весьма стильную и сексуальную, как говорил Брок, прическу. В Вермонте он наконец-то перестал нервничать при упоминании имени Сэма. Брок понял, как сильно любит его Алекс, и решил, что беспокоиться насчет ее мужа глупо.

В Вермонте они узнали, что сразу после Рождества Сэм подал на развод. Алекс была рада это услышать. Сэм явно пришел в чувство. Помнить о прошлом было тяжело обоим, но Алекс нимало не сомневалась в том, что они должны оформить свой разрыв.

Они с Броком думали пожениться в июне, но Алекс снова и снова напоминала ему о том, что они должны решить вопрос с работой. Лежа у камина перед новогодней елкой, они даже принялись обсуждать свой медовый месяц, и Алекс сонно сказала, что хотела бы поехать в Европу.

— Я думаю, это вполне реально, — теплым и уютным голосом отозвался Брок. Они только что занимались любовью, и он наполовину спал. Алекс засмеялась и откинула назад его волосы. Иногда он казался ей совсем мальчишкой, невинным и доверчивым переростком. От этого ее любовь к нему становилась только крепче.

После Нового года они вернулись в Нью-Йорк. Путешествие было долгим, и они сначала приехали к ней домой и бросили там лыжи и сумки. А потом Алекс, так и не сняв горнолыжного костюма, пешком дошла до «Карлайл», чтобы забрать Аннабел. Она позвонила в номер Сэма из вестибюля, и он попросил ее подняться наверх хотя бы на минуту. Поколебавшись, Алекс решила, что ничего плохого он с ней не сделает. В конце концов в ее отсутствие он подал на развод, понимая, что ей это нужно.

Но когда Алекс поднялась к нему и вошла в номер, она остолбенела. Сэм был похож на одержимого.

Стоило ей взглянуть на него, как все вернулось. Внезапно Алекс стало больно за него, и она с ужасом подумала о том, что ему предстоит оказаться в камере. Все чувства, которые она так тщательно в себе подавляла, в один момент заявили о себе.

Аннабел, казалось, не замечала, как тяжело ее отцу. Она сказала, что ей было очень хорошо с папой.

— Я рада, моя птичка, — ответила Алекс, целуя и обнимая ее. Сэм умоляюще смотрел на свою жену. Алекс хотела сказать ему, чтобы он прекратил. Временами она с болью вспоминала о его словах, произнесенных во время последней встречи. И на этот раз все повторялось.

— Я скучал по тебе, — ласково сказал он. Аннабел ушла собирать сумку в другую комнату. Сэму не хотелось, чтобы девочка путалась под ногами.

— И зря, — тихо ответила Алекс. — Спасибо, что подал на развод.

Алекс знала, что он сделал это ради нее, и была ему благодарна.

— Я чувствовал себя обязанным так поступить, — несчастным голосом произнес Сэм, пытаясь увидеть в ее взгляде нечто, чего там не было вовсе или что она тщательно скрывала. — Ты сделала для меня столько, что я перед тобой в вечном долгу.

— И ты сделал для меня достаточно, — откликнулась Алекс без всякой издевки. В свое время они были очень счастливы, и она была искренне благодарна ему за многое — в первую очередь за их дочь. — Ты ничего мне не должен.

— До конца моих дней, даже если бы я жил с тобой, я бы не смог искупить своей вины, — торжественно заявил он. Сейчас он только об этом и думал, еще и еще раз проигрывая в голове свой ужасный поступок. Теперь у него было много времени на размышления.

— Не глупи, Сэм, — сказала Алекс, пытаясь снять этот пафос. — Перестань вспоминать об этом. Все прошло, все кончено. Тебе надо встряхнуться. Это нужно нам обоим.

— Нужно ли? — спросил Сэм, медленно подходя к ней. Аннабел продолжала собираться, и Алекс молилась, чтобы она делала это побыстрее. Она бы с удовольствием помогла дочке, но входить в спальню Сэма ей не хотелось. Подняв глаза, она увидела, что Сэм стоит совсем рядом с ней, и в глазах его она увидела то, что когда-то в нем любила — нежность, любовь и доброту, которые в свое время заставили ее к нему привязаться. Он остался тем же человеком, который очень нуждался в Алекс, но сама она изменилась. Или нет? «Алекс...» — прошептал Сэм, обнимая ее. Прежде чем она успела возразить, он нежно поцеловал ее в губы. Алекс попыталась вырваться из его объятий, но он только крепче прижимал ее к себе, и внезапно Алекс забыла о том, что надо его остановить и почему это надо сделать. Все было так, как будто ничего не случилось, как будто они попали в прошлое и она снова была его женой. Но потом она вдруг вспомнила Брока и поняла, что она больше не принадлежит Сэму и не может допустить, чтобы это произошло. Зачем она только поднималась наверх? Алекс чувствовала себя виноватой.

— Нет! — выдохнула она, когда они оторвались друг от друга. Она была ошеломлена и очень испугана. Ей не хотелось возвращаться к нему. — Сэм, я не могу...

Глаза Алекс наполнились слезами, а он почувствовал себя последним подонком, который пользуется своим физическим превосходством, не имея на это никакого права. Ему осталось несколько свободных дней, после чего он исчезнет на долгие годы. Именно поэтому он и согласился с ней развестись. Правда, поцеловав ее, он мгновенно забыл эту и тысячи других причин.

— Прости меня, Алекс... Знаешь, я просто не могу спокойно находиться рядом с тобой.

Сэм казался таким же виноватым, как и она. Но несмотря на это, он был очень красив. Это был ранимый и напуганный человек, влюбленный в собственную жену и очень родной.

— Попытайся взять себя в руки, — сказала Алекс хриплым и очень сексуальным голосом. — Я знаю, что тебе тяжело, но неужели трудно попробовать?

Алекс грустно улыбалась. Ей хотелось как следует отругать его, но он настолько нуждался в ней, что весь ее гнев куда-то улетучился. Сэм робко кивнул в знак согласия и усмехнулся. Вернулась Аннабел, держа в руках свою маленькую дорожную сумку и огромный пакет с рождественскими подарками от Сэма. Супруги обменялись взглядами над головой своей дочери, и Алекс очень захотелось рассердиться на него, но она не смогла.

Сэм проводил их до выхода на улицу и помахал на прощание рукой. Аннабел несколько раз оборачивалась к нему, чтобы тоже помахать папе и сказать ему, что она его любит, но Алекс заставила себя не смотреть на него. Она слишком не хотела и боялась увидеть его еще раз. Какой бы Сэм ни был ранимый, он коснулся той части ее души, которая, как ей казалось, ему больше не принадлежала. Но Алекс ошибалась, думая, что ее любовь к нему умерла; мысль о том, что это не так, приводила ее в ужас. Она чувствовала, что не вправе позволить себе снова погрузиться в свое прошлое. Нельзя любить двоих. Роскошь иметь такого мужа, как Сэм, она теперь себе позволить не могла. У них с Броком было будущее. И по пути домой она поняла, что должна избавиться от Сэма навсегда.

Дома ее уже ждал Брок. Она крепко обняла его и уткнулась в его шею.

— Что случилось? — спросил он, с удовольствием отвечая на ее страстные поцелуи. Пребывание в Вермонте пошло им на пользу. Именно это им и было нужно.

Они с Броком вместе приготовили обед, после чего Алекс помогла Аннабел распаковать вещи. Брок в это время прибирался на кухне под музыку. Когда Аннабел уже спала, а Брок мылся в душе, внезапно позвонил Сэм.

Алекс как раз сидела в студии и думала о нем, так что его голос в трубке заставил ее подпрыгнуть от удивления. Казалось, он прочитал ее мысли.

— Я просто хотел тебе сказать, что не жалею об этом поцелуе, — сказал он, и Алекс захотелось бросить трубку. Она не знала, плакать ей или смеяться. Но его она тоже любила, и это было ужасно. — Но я хочу знать одну вещь.

— Какую? — спросила она, испытывая чувство вины от одного того, что вообще разговаривала с ним. Трудно было поверить в то, что это ее муж. Он был похож скорее на отвергнутого любовника.

— Я хочу знать, жалеешь ли об этом ты, Алекс. Если да, это означает, что ты больше меня не любишь, и я сразу же оставлю тебя в покое, что бы я ни чувствовал.

Внезапно его голос окреп и зазвучал увереннее, как будто после этого поцелуя что-то внутри него восстановилось.

— Я тебя не люблю, — неуверенно сказала она, заставив Сэма рассмеяться, как много лет назад. Алекс почувствовала знакомое волнение.

— Ты мне лжешь, — ответил Сэм.

— Нет, — защищалась она, чувствуя себя еще более виноватой, чем сегодня днем перед Броком. Сэм, напротив, был неустрашим.

— В тот момент ты явно не жалела. Ты отвечала на мой поцелуй.

Сэм разговаривал как ребенок и все время смеялся. Отвечая ему, Алекс не смогла сдержать улыбку.

— Ты негодяй, — сказала она и добавила более серьезным голосом: — Я не хочу осложнять свою жизнь, Сэм. Пусть все будет просто.

— Через несколько недель все будет очень просто, потому что я буду сидеть в тюрьме, — давил на нее Сэм. — Я хочу тебя увидеть.

— Мы только что виделись, — решительно ответила Алекс, решительнее, чем она себя чувствовала. Внутри нее словно что-то размягчилось от его голоса, но она слишком боялась вновь втягиваться в отношения с ним.

— Ты знаешь, что я имею в виду, — настаивал он. — Давай пообедаем вместе.

— Я не хочу.

— Пожалуйста... — Его голос звучал так обольстительно, что ей хотелось закричать.

— Прекрати!

— Алекс, пожалуйста. — Его просьбы сводили ее с ума. Алекс наотрез отказалась от обеда и через несколько минут повесила трубку. Брок как раз вышел из ванной, не подозревая о том, что ей кто-то звонил.

На следующий день, когда Сэм позвонил ей на работу, она все еще ощущала неловкость. Ей не хотелось с ним разговаривать, но восемнадцать проведенных вместе лет ко многому ее обязывали.

— Что ты от меня хочешь? — в отчаянии спросила она наконец.

— Один вечер, и больше ничего, и после этого я тебя не побеспокою, — умолял он, и Алекс вздохнула:

— Зачем? Что это изменит?

— Для меня это будет значить очень многое, — тихо сказал он, и в конце концов она согласилась с ним встретиться. Всего один раз. Она не стала говорить об этом Броку, хотя врать ему было ужасно противно. Она выбрала вечер, когда Брок был занят с клиентами, и оставила Аннабел с Кармен.

— Ты ускользнула тайком? — насмешливо спросил Сэм, когда они встретились.

— Ты себе льстишь, — огрызнулась она, глядя на него с неодобрением. Алекс чувствовала себя не в своей тарелке, что было более чем заметно.

— Прости меня. — Они пошли в маленький ресторанчик и заказали макароны в винном соусе. На мгновение Сэму показалось, что ему удалось повернуть время вспять. Это напомнило ему добрые ста-

рые времена, когда они только-только влюбились друг
в друга и ходили на свидания, но теперь все изменилось. Это был конец, а не начало. И они оба об
этом знали. Сэм выглядел более спокойным, чем в
последние несколько встреч, хотя прекрасно знал, что
на свободе ему осталось пробыть совсем недолго.

После обеда они медленно пошли пешком по направлению к центру, вспоминая о разных вещах, обсуждая тех или иных людей и места, где им довелось
побывать. Они вытаскивали на свет Божий воспоминания, которые годами были погребены в их памяти. Это было похоже на перелистывание старых
альбомов. Вдруг на одном из перекрестков, в ожидании зеленого сигнала светофора, Сэм прижал Алекс
к себе и поцеловал. Было холодно, и Алекс ненавидела себя за то, что отвечает ему.

Она ничего не сказала, и через несколько шагов Сэм
затолкнул ее в подъезд и снова поцеловал.

— Тебе надо было делать это год назад, — грустно
и прямо произнесла Алекс. Сэм закусил губу.

— Это было так глупо, Алекс, — сказал он, снова
целуя ее. После поцелуя он продолжал держать ее в
своих объятиях, и она позволила ему это. Алекс сразу
вспомнила, как одиноко она себя из-за него чувствовала,
как она в нем нуждалась и как сильно его любила.
Сэм причинил ей страшную боль. Она даже думала,
что никогда не оправится от этого удара. Но теперь
все словно возвращалось на круги своя. Кошмар ушел
в прошлое, а общение с Сэмом казалось ей таким
реальным и таким нужным. Она спрашивала себя,
правда ли, что простить — значит, забыть.

— За последний год я научилась очень многому, —
задумчиво произнесла она, согревшись в его объятиях.

— Например?

— Например, ни от кого не зависеть или жить — то есть выживать — только ради себя самой. В конце концов я выжила исключительно благодаря силе воли, потому что отказалась умирать... Это был очень серьезный урок... Запомни мои слова — они пригодятся тебе в тюрьме.

— Я не могу себе этого представить, — тихо сказал Сэм, улыбаясь своей жене. — Спасибо тебе за то, что ты позволяешь себя обнимать... и целовать... Ведь ты же могла стукнуть меня ботинком по голове или позвать полицейских. Я рад, что ты этого не сделала.

— Я тоже, — грустно откликнулась Алекс, внезапно осознав, что не стоит сопротивляться своим чувствам. — Я буду по тебе скучать.

— Не надо. У тебя же есть Аннабел и этот чудо-мальчик, — саркастически заметил он, заставив Алекс рассмеяться. Они вышли из подъезда и направились к дому.

— Он очень хорошо относится к Аннабел, — сказала Алекс с нежностью.

— Я рад. А к тебе?

— Тоже.

— Тогда я за тебя счастлив. — Но это была неправда, что было понятно обоим. Больше чем когда-либо Сэму хотелось, чтобы Алекс понимала, как он ее любит, хотя все это было совершенно бесполезно.

— Береги себя, — сказала она, когда они повернули на 66-ю улицу и оказались у «Карлайле». Дом Алекс был всего в одном квартале от гостиницы, и она намеревалась прогуляться до него в одиночестве, но Сэм настоял на том, чтобы проводить ее.

— Я попробую. Я только не знаю, куда меня направят. Может быть, в Ливенворт. — Поскольку Сэм был признан виновным и перед государством в целом, и перед штатом. — Я надеюсь, что это по крайней мере цивилизованное место.

— Может быть, Филип совершит какое-нибудь чудо, например, добьется твоего оправдания в последнюю минуту.

Но сам Филип на это нисколько не рассчитывал. Он должен был отсидеть, хотя и, вероятнее всего, не слишком долго. А после первых нескольких месяцев или лет его могут перевести в тюрьму с более мягкими условиями. Когда они проходили мимо «Карлайла», Сэм пригласил ее подняться к нему, но Алекс отказалась. Она знала, что ему нельзя доверять. Дойдя до своего подъезда, она поцеловала Сэма в щеку и поблагодарила за приятный вечер. Алекс поднималась к себе притихшая и задумчивая. Ей о многом предстояло подумать, многое в себе понять.

Брок не спрашивал ее, где она была вчера вечером, но когда они на следующее утро встретились на работе, между ними явно было что-то не так. Казалось, он все знал, но просто не хотел ни о чем спрашивать. Наконец во время ленча он не выдержал:

— Ты ведь вчера вечером была с ним?

— С кем? — глупо переспросила Алекс, чувствуя, как сильно бьется ее сердце. Сандвич, который она ела, комом встал в ее горле. Она ненавидела себя за то, что врет ему.

— Со своим мужем, — холодно ответил Брок. Он все понял — чутье его не подвело.

— С Сэмом? — Алекс сделала паузу, придумывая, что бы соврать, но потом все же решила сказать правду. Она была многим обязана Броку и знала об этом. Но его ревность пугала ее — так же, как и те чувства, которые вот уже несколько дней раздирали ее на части. Хуже всего было то, что Алекс любила обоих. Она чувствовала себя в долгу перед Сэмом за прожитые вместе годы, а перед Броком — за последний год. Но как же она сама? Разве себе она ничего не должна? На этот вопрос она не могла ответить. — Он пригласил меня пообедать, чтобы поговорить об Аннабел... Я думала, что ты не будешь против.

Это была очередная ложь, и Брок это понимал. Она вела себя очень смущенно и неловко. Ей хотелось ненавидеть за это Сэма, но она не могла.

— Почему ты мне не сказала? — спросил ее Брок, обеспокоенный и несчастный.

— Потому что я боялась, что ты рассердишься, а мне хотелось с ним повидаться, — призналась Алекс. Говорить правду было трудно, но она знала, что должна это сделать.

— А почему ты хотела его увидеть?

— Потому что не увижу в течение долгого времени. Мне его жаль, и он, как ты выражаешься, до сих пор мой муж.

Алекс была смущена и огорчена. И взгляд ее свидетельствовал о том, что она многого не договаривает.

— Ты с ним целовалась? — Брок был не дурак. И его ревность выглядывала из всех дыр.

— Брок, остановись. — Она пыталась избежать его расспросов, но он ей не позволял.

— Ты мне не ответила. — Он давил на нее, пытаясь вытянуть из нее признание, и в конце концов она огрызнулась на него — в основном из чувства вины, но по большей части от гнева.

— Какое это имеет значение?

— Это имеет значение для меня. — Алекс даже спросила себя, не следил ли он за ними, но отбросила эту мысль.

— Да, мы целовались. Дальше что?

— Этот тип — настоящий сукин сын, — взорвался Брок, вскакивая и начиная мерить шагами ее кабинет. — Он отправляется в тюрьму и хочет связать тебя навеки. Что ему нужно? Чтобы ты ждала его двадцать лет? Это будет очень мило с твоей стороны. Какой он замечательный человек, не правда ли? Неужели ты не видишь, какой он эгоист?

— Да, ты прав, он эгоист. Но он не перестает от этого быть человеком, который напуган и по-своему любит меня.

— А ты его любишь?

— Я была его женой в течение восемнадцати лет, а это многого стоит. Хотя бы дружбы на всю жизнь. Я думаю, что он хочет просто помириться со мной перед тюрьмой, залечить старые раны и устроить свои дела. Он знает, что ему предстоит. Ведь он же подал на развод, разве ты забыл?

— А если он не сядет? — Брок внезапно обернулся к Алекс, совершенно поразив ее.

— Он не выберется из этого, Брок. У него нет никаких шансов, и ты это прекрасно знаешь.

— Но если это все-таки произойдет, ты останешься его женой? Ты вернешься к нему?

Это был трудный вопрос, на который Алекс не хотелось отвечать. Не столько из-за Сэма, сколько из-за себя самой. У него не было никаких возможностей избежать тюрьмы. Она знала это так же хорошо, как сам Сэм. Филип Смит не оставил им никаких иллюзий. Но дело было не в том, сядет Сэм или нет. Все было гораздо сложнее.

— При чем здесь это? Если бы я любила его, я бы осталась с ним вне зависимости от того, грозит ему тюрьма или нет. А я с тобой, Брок. Это должно тебе о чем-то говорить.

— Да, но когда он сядет в тюрьму, он будет писать тебе, чтобы ты его навестила. Ты все еще любишь его, Алекс. Почему ты не хочешь открыто в этом признаться?

Брок был с ней очень резок, и Алекс это злило. Он хотел получить все сразу, не понимая, что в жизни так не бывает. Алекс знала об этом лучше, чем он.

— Старые раны сразу не зарастают, Брок. Это происходит постепенно. Прояви терпение.

— Почему ты пытаешься скрыть от меня свои чувства? По-моему, ты собираешься к нему вернуться.

— А почему ты никак не вырастешь и не перестанешь на меня давить? — огрызнулась Алекс в ответ.

— Потому что я тебя люблю. — При этих словах на глазах его внезапно выступили слезы. Он действительно любил Алекс и хотел ее, но не было смысла отрицать, что она до сих пор любит Сэма. Это было так, и Брок это понимал. Он просто не знал, что она собирается делать.

Алекс прильнула к нему, и они оба заплакали. Все было очень непросто. Она хотела объяснить Броку, что ей нужно время на то, чтобы забыть Сэма. Желая переменить тему, она заговорила о сестре Брока. Но Брок внезапно стал похож на человека, которого ранили в самое сердце. Алекс стала расспрашивать его. Он сначала не хотел признаваться, но потом понял, что это неизбежно. Брок давно уже хотел сделать это, но ради душевного равновесия Алекс не решался. Особенно трудно было тогда, когда они решили пожениться, и Алекс сказала, что хочет позвать его сестру.

— Моя сестра умерла, Алекс, — грустно сказал он. — Ее нет уже десять лет. У нее было то же самое, что у тебя. После операции ей стали делать химиотерапию, и она этого просто не вынесла. Ей было слишком тяжело, и она решила прекратить лечение и в результате умерла. Правда, раковая опухоль слишком сильно распространилась в организме еще до операции. Но она сдалась.

Брок снова начал плакать, когда заговорил об этом, а Алекс смотрела на него в немом изумлении. Он никогда ей об этом не рассказывал. Наоборот — он использовал свою сестру как пример стойкости, когда Алекс подумывала о том, чтобы отказаться от лечения.

— Понимаешь, она просто сдалась, — продолжал он. — Она перестала ходить на сеансы химии. Она умирала в течение года... Мне был двадцать один год, и я ухаживал за ней в ее последние месяцы. Я хотел, чтобы она выжила, но она была не в силах справиться с болезнью. А ее муж оказался настоящим мерзавцем, совсем как Сэм, — добавил он, со значением глядя на Алекс. — Он и пальцем не пошевелил ради нее, когда она умирала, и женился вторично через полгода. А ей было всего тридцать два года, и она была такая красивая...

Брок надолго замолчал в объятиях Алекс, жалевшей обоих.

— Господи, как жаль... Почему ты мне не говорил? — Она чувствовала себя ужасно. Брок так обнадеживал ее в течение всего того времени, когда она болела, и она только теперь поняла, каково ему было наблюдать за повторением всего, что происходило с его сестрой.

— Я не хотел, чтобы ты сдавалась, — объяснил Брок, вытирая слезы. Вспомнив о сестре, он понял, что любит Алекс больше чем когда-либо. В какой-то степени его чувство к Алекс было второй возможностью спасти сестру. И Алекс была в чем-то на нее очень похожа.

— Поэтому я так и давил на тебя, чтобы ты не прекращала курса химиотерапии... Я не хотел, чтобы и с тобой произошло то же самое, и не говорил, что она умерла, чтобы ты не последовала ее примеру.

— Ты должен был сказать мне. Мне нужно было бы это знать.

Брок ничего не ответил — он молча сидел и вспоминал. Алекс протянула ему бумажный носовой платок, чтобы он вытер нос. Она спрашивала себя, о чем еще он умалчивал, хотя то, что он не рассказал о сестре, было проявлением доброты с его стороны.

— Мне просто очень страшно, — признался ей Брок, когда они уже возвратились к ней в кабинет. — Я боюсь, что ты к нему вернешься... ведь он все еще тебя любит. Это у него на лице написано... Мне очень тяжело смотреть на вас, когда вы вместе.

Алекс знала, что он говорит правду, — Сэм ее действительно любил. И она не могла этого изменить. Она сама сохранила к нему прежние чувства. Но было уже слишком поздно. Все было кончено. А Сэм скоро исчезнет из ее жизни, и она его, возможно, больше не увидит и не будет спрашивать себя, что она испытывает. Останутся только воспоминания, сожаления и разочарования. И память о более счастливых днях, когда она не была больна. Но именно этих мыслей Брок и боялся.

После этого разговора они снова занялись работой, а на следующий день Алекс начала готовиться ко дню рождения Аннабел. Она знала, что Сэм придет к ним, и надеялась, что Брок поведет себя разумно. В конце концов он решил, что всем будет легче, если он проведет этот вечер у себя дома. Алекс не стала с ним спорить, хотя Аннабел была очень разочарована.

— Интересно, сколько мне будет лет, когда я выйду из тюрьмы? — задал риторический вопрос Сэм, поедая праздничный торт. Алекс вздохнула. Сэму был всегда свойствен черный юмор; но после их совместного обеда он пребывал в очень приличном настроении.

— Я надеюсь, лет сто, когда ты будешь слишком
стар, чтобы помнить, кто я такая, — ответила она.

— Не рассчитывай на это. Я бы хотел пообедать с
тобой на следующей неделе, перед судом, если тебя это
устраивает, — продолжал он, положив кусок торта на
тарелку. — Нам надо выяснить все те бесчисленные вопросы, которые связаны с Аннабел. У меня все еще остались деньги на ее воспитание и образование.

Месяц назад он продал свою квартиру, и деньги частично ушли на оплату адвокатов. Остальное он хотел отдать Алекс для содержания дочери.

— Могу я тебе доверять? — спросила она, и Сэм
рассмеялся. Проблема была в том, что она не могла
доверять себе. Впрочем, они оба не могли доверять
себе и прекрасно об этом знали. Сэм сохранил свою
прежнюю привлекательность в ее глазах, но Алекс
пообещала себе, что никогда к нему не вернется. Теперь
она принадлежала Броку.

— Если хочешь, возьми с собой телохранителя, только не приводи своего чудо-мальчика.

— Перестань его так называть. Его зовут Брок. —
Неужели Сэм не может по крайней мере проявлять к
нему уважение? Тем более что Брок так замечательно
общается с их дочерью.

— Прости. Я не знал, что ты так болезненно к этому
относишься. — Печально поглядев на Алекс и коснувшись ее руки, Сэм более серьезным голосом добавил: —
Он удочерит Аннабел?

— Думаю, что да, — мягко сказала Алекс. Они
с Броком нежно друг друга любили, и хотя в последнее время их отношения немного обострились
из-за Сэма, Алекс была уверена, что, как только
ее муж их покинет, все придет в норму. Покинет.

Алекс было больно слышать или произносить это слово. Уйдет. Сэм уйдет навсегда.

— Ну так что, пообедаешь со мной? — снова спросил он, и Алекс кивнула:

— Попробую.

— У меня не так много времени, Алекс. Не надо играть со мной в кошки-мышки. Я буду ждать тебя в понедельник вечером в «Карлайле».

— Хорошо. Я приду.

— Спасибо.

Но когда она сказала об этом Броку, он пришел в бешенство.

— Ради Бога, перестань. Я могла бы соврать тебе, но я же не стала этого делать.

— Зачем ему нужно с тобой видеться?

— Потому что он хочет дать мне денег для Аннабел. Это вполне разумное объяснение.

— Скажи ему, чтобы он послал тебе чек.

— Нет, — разозлилась Алекс, которую начинали раздражать эти бесконечные вспышки ревности. Когда ее беспрестанно рвало в туалете, Брок вел себя куда лучше. — Хватит вести себя так, как будто тебе четыре года. Я обедаю с моим бывшим мужем, черт побери!

С этими словами Алекс ушла в свою спальню, хлопнув дверью. Когда она через некоторое время вернулась в гостиную, Брока в квартире не было. Он вернулся к себе, и Алекс даже не пожалела об этом — слишком уж сильно он на нее давил.

В понедельник вечером она приехала в номер Сэма в «Карлайле» в назначенный час. Он встретил ее в темно-сером костюме, белой рубашке и синем галстуке от Эрме. Сэм выглядел очень серьезным. Днем он встречался со своими адвокатами, но Алекс не видел.

— Как твои дела? — светским тоном спросила Алекс, садясь на кушетку. Она заметила, что Сэм выглядел очень усталым и постаревшим, что было, впрочем, вполне объяснимо. Последние события его жизни не проходили даром для его здоровья.

— Ничего хорошего, — просто ответил он. — Филип Смит считает, что судья засадит меня на порядочный срок, что и заставило меня тебя пригласить.

С этими словами Сэм выложил на стол два чека.

— За квартиру я получил миллион восемьсот тысяч. После того как я расплатился с долгами, которые мне оставила в наследство мисс Дафна Белроуз, и со своими агентами, у меня осталось полтора. Вот тебе пятьсот тысяч на Аннабел и все ее нужды. Положи на ее счет. Пятьсот я оставляю себе на тот случай, если все-таки выйду из тюрьмы. А еще пятьсот тысяч — тебе. Это, если хочешь, мой дар. Ты заслуживаешь гораздо большего, но больше у меня нет, детка. От моего дела не осталось ничего.

— Да ты с ума сошел, — сказала ошеломленная Алекс. — Мне не нужны твои деньги, Сэм.

— Ты их заслужила.

— Чем? Что была твоей женой? Тогда этого мало, — усмехнулась она, рассмешив Сэма. — Мне ничего не надо. Я не могу взять у тебя эти деньги. Оставь их себе или передай Аннабел.

Но Сэма это совершенно не устраивало. Он хотел, чтобы деньги принадлежали Алекс. Однако Алекс уже решила про себя, что откроет счет на имя Сэма — ему они были нужны гораздо больше, чем ей. У нее была стабильная работа, и она привыкла жить достаточно скромно.

После этого Сэм заказал обед — бифштекс для себя и рыбу для Алекс, которая всегда следила за своим питанием. Они болтали о множестве вещей, как старые друзья, избегая разговоров о суде и тюрьме. Алекс была рада тому, что пришла. Вечер проходил очень цивилизованно. За последние две недели Сэм явно успокоился. Он не давил на нее и не пытался прикоснуться к ней, пока она не стала надевать пальто. В этот момент он внезапно наклонился к Алекс и поцеловал ее.

— Спокойной ночи... Спасибо, что пришла, — сказал он и поцеловал ее снова. Алекс не пошевелилась. Ее всегда поражала ее неспособность противостоять своему супругу. В его прикосновениях было что-то знакомое, что зачаровывало ее. Как будто все это время она должна была быть рядом с ним.

— Давай-ка это прекратим, — тихо сказала Алекс, но потом, противореча собственным словам, неожиданно обвила руками его шею и поцеловала его — только в память о прошлом, как она объяснила себе. Кроме них двоих, ничего не имело значения. Даже Брок Стивенс.

— Зачем останавливаться? — прошептал Сэм, снова целуя ее.

— Я пытаюсь вспомнить, — сказала она, со смехом и чувством вины одновременно. Как ни странно, происходящее ей нравилось. И то, что она чувствовала себя виноватой, было очень странным. Ведь он пока еще был ее мужем. Но Брок недаром так нервничал из-за них. При том, что у Алекс был роман с Броком, а с Сэмом они разводились, целоваться им совсем не следовало.

— Я тебя люблю, — прошептал он, но Алекс внезапно отстранилась от него, как будто осознав, что дальше идти нельзя. Она не хотела причинять кому бы то ни было боль или позволять Сэму снова сделать больно ей. Но Сэм, заглянув ей в глаза, только крепче прижал ее к себе, услышав ее бешеное сердцебиение. И следующий его поцелуй был уже далеко не таким нежным. Он был жаждущим. Через два дня они должны были расстаться на двадцать лет, и оба знали об этом. Сэм осторожно расстегнул ее пальто и бросил его на стул. Алекс пыталась сказать себе, что надо его остановить, но тщетно. Сэм осторожно нашел рукой выпуклость с правой стороны ее тела, столь знакомую ему грудь, которой Алекс выкормила их дочь. Он старался не прикасаться к другому боку жены, но случайно его пальцы коснулись левой груди, и он оторопел от изумления, что весьма позабавило Алекс.

— Она выросла снова, — с озорной улыбкой сказала она, изрядно смутив Сэма. На ощупь новая грудь была совершенно как настоящая, и Сэм поинтересовался, когда она это сделала.

— Почему ты мне ничего не сказала? — мягко упрекнул ее он, сопровождая свои слова новым поцелуем.

— Это тебя не касалось, — с нежностью ответила Алекс, не желая признаться себе в том, что совершенно сражена своим мужем. Сэм страшно ее хотел — не только в память о прошлом, но и ради настоящего.

Они медленно снимали друг с друга одежду, и Алекс вдруг почувствовала страх. Их влечение друг к другу сокрушало все преграды и ошеломляло обоих.

— Ты красавица, — сказал Сэм, отстраняясь от своей жены и оглядывая ее. Он расстегнул ее блузку и юбку, позволив им упасть на пол. Алекс понимала, что они творят безумие, но Сэм надолго покидал ее, а она его любила. Это было своего рода прощание, знак того, что она его отпускает, память о том, как сильно она его любила. Но будущего у них не было, и Алекс это знала. Им оставалось только заняться любовью — в последний раз.

— Я люблю тебя, Сэм, — просто сказала она.

— Я тоже тебя люблю... очень, очень люблю... — Сэм с трудом выговаривал слова, настолько он был возбужден. Он хотел любить ее в последний раз в жизни, а после этого отпустить навсегда. Так он себе обещал. Права разрушать ее жизнь у него не было — он и так причинил ей достаточно боли. Но теперь ему нужен был лишь последний дар. Теряя голову от его жадных поцелуев, Алекс чувствовала, что, несмотря на все ее поползновения взять себя в руки, она хотела его так же сильно, как и он ее. Прижимаясь к нему, она говорила себе только одно — как сильно она его любит.

Они занимались любовью нежно, размеренно и спокойно. Это был акт умиротворения и совершенства, то, чего они оба долго хотели, боясь признаться в этом себе и друг другу. Их движения были полны страсти и взаимного прощения. На мгновения они снова стали одним целым, зная, что больше этого никогда не произойдет, но что память об этом они сохранят навсегда.

— Я так тебя любила, — сказала Алекс, поднимая на него глаза.

— И я тоже, — ответил он, улыбаясь сквозь слезы. — Я и до сих пор тебя люблю, и всегда буду любить. Не потому что я отправляюсь в тюрьму, а потому, что я полный идиот и слишком поздно понял свои ошибки. Будь умнее меня, Алли... не ломай свою жизнь так, как это сделал я.

— Ты ничего не сломал, — ласково отозвалась она.

— Что ты говоришь? Подумай только, где я окажусь послезавтра. Каким же я был кретином! — воскликнул Сэм, откидываясь на спину. Он все время думал о том, что произошло, и желал только одного — чтобы можно было все это переделать. Алекс наклонилась над ним и поцеловала его. Сэм заглянул ей в глаза и увидел там безграничную нежность.

Броку Стивенсу сильно повезло, хотя он этого явно
не заслужил. Он надеялся на рассудительность Алекс.
Этот мальчик был слишком молод для нее. Но, может быть, он всему научится и окажется умнее Сэма.

Алекс хотела провести с ним целую ночь, но не
осмелилась этого сделать. Аннабел могла проснуться и расстроиться; а если позвонит Брок, он сойдет
с ума. Он знал, что она встречается с Сэмом, и не-
истовствовал.

— Я пойду, — неохотно сказала она.

— Ты не находишь, что это глупо? — откликнулся Сэм. — Мы с тобой женаты и вполне можем
провести вместе ночь.

Он говорил ироничным голосом, но потом внезапно стал серьезным — осталось нечто важное, чего
он ей не сказал.

— Я хочу, чтобы ты знала — сейчас я бы повел себя иначе. Я имею в виду, если бы мы вернулись на год назад, когда ты заболела. Я был слишком
испуган и даже не прислушивался к твоим словам.
Сейчас уже поздно что-либо менять, но если мне
суждено будет помочь тебе в трудную минуту, знай,
что больше я тебя не подведу, Алекс. Наверное, я
не смогу поддержать тебя так, как это сделал твой
друг. Но я никогда не прощу себе того, что в то
время не был с тобой. Это чудовищный урок.

Погнавшись за падающей звездой по имени Дафна,
Сэм потерял свою жену — только из-за того, что
хотел в страхе убежать от призрака матери.

— Я знаю, как тебе было страшно, — сказала
Алекс, простив ему всю ту боль, которую из-за него
испытала. По тону Сэма было ясно, что эта история
его действительно многому научила.

— Ты даже представить себе не можешь, как. Я обезумел. Я даже не мог видеть тебя — мне казалось, что сквозь твои черты проступает лицо моей матери. Господи, какой я был дурак! — воскликнул Сэм, обнимая ее. Алекс вдруг захотелось прекратить этот поток неприятных воспоминаний.

— Я знаю, — мягко сказала она. — Иногда все складывается очень странно.

Алекс была настроена очень философски и пыталась принять его объяснения. Она знала, что он жалеет о случившемся. Сейчас уже не было никакого смысла упрекать его, хотя Брок, наверное, был бы очень уязв-лен, если бы узнал, что она простила своего мужа. Он многим чем был бы уязвлен, но это была не его ночь. Сегодня она принадлежала Сэму, а Сэм — ей, и это было очень ценно.

После этого Сэм проводил Алекс домой. Они шли медленно, обнявшись и периодически останавливаясь, чтобы поцеловаться. Когда они стояли у дверей дома, в котором Сэм прожил столько лет, Алекс хотелось позвать его наверх, но она знала, что не должна этого делать. Цепляться за прошлое было нельзя. Пора было друг друга отпустить. По крайней мере у них останутся самые теплые воспоминания о вечере.

— Спасибо, — прошептала она, целуя Сэма в последний раз. — До завтра.

Завтра Сэм должен был прийти попрощаться с Аннабел — сцена, которая обещала быть душераздирающей. Алекс взяла чек для дочери, но тот чек, который предназначался ей, она оставила на столе в «Карлайле», чего Сэм не заметил.

— Я тебя люблю, — в последний раз сказал Сэм, ошеломленный ее красотой и своим чувством к ней. Он проследил за скрывшейся в подъезде Алекс взглядом и вернулся в гостиницу в слезах, спрашивая себя, как он мог допустить такую глупость. Вся его жизнь лопнула, и у него ничего не осталось. Ни будущего, ни Алекс. Жить дальше было незачем.

Лежа в постели, Алекс вспоминала страстные объятия Сэма. Ей казалось, что вернулись старые времена, только на этот раз все было лучше. Последний год научил их обоих многому, в том числе любви и прощению. Но теперь Алекс могла только молиться, чтобы Сэм оказался в безопасности, куда бы он ни попал, и нашел какую-то цель в жизни. Теперь она уже не могла быть рядом с ним, будучи слишком многим обязанной Броку. И как бы сильно она ни любила Сэма, теперь их пути расходились. Но в этот вечер в ее сердце навсегда поселилась тоска.

Глава 23

Когда Сэм пришел прощаться с Аннабел, было так, как будто у всех троих сейчас разорвется сердце. Сэм всхлипывал, когда уходил, а Аннабел, Алекс и Кармен рыдали навзрыд. Он смог объяснить девочке только то, что работал с плохими дядями, которые делали нехорошие дела, и не обращал на это внимания. Они крали у людей деньги, чего делать нельзя, а теперь он за это вместе с плохими дядями должен сесть в тюрьму.

Сэм мог наврать ей, что надолго уезжает, но не стал этого делать. Он сказал, что она может навестить его, но что тюрьма — не слишком красивое место, и он хотел бы, чтобы она пришла, когда станет немного постарше. Велев ей быть хорошей девочкой, не грубить маме и всегда, всегда помнить, как сильно он ее любит, он со слезами на глазах крепко прижал к себе плачущую Аннабел, которая была обескуражена происходящим и очень расстроилась из-за того, что папа уходит вместе с плохими дядями, которые взяли деньги. Но она не могла понять, что такое двадцать или тридцать лет. Как, впрочем, и Алекс, и сам Сэм. Им обоим такой срок казался вечностью. Это невозможно было осознать.

Алекс дошла с ним до лифта и прижалась к нему. Она попросила Брока прийти попозже. Подождав несколько минут после ухода Сэма, она позвонила ему в «Карлайл».

— Как ты? — с беспокойством спросила она. Для одного человека это было слишком много, тем более что Сэм не был активным участником махинаций. Его основной грех заключался в том, что он позволил этому произойти.

— Все в порядке. Я думал, что никогда не смогу от нее оторваться. И от тебя тоже.

Но он сделал это и понял, что значит умереть. У него было такое ощущение, что он уже находится по ту сторону мира. Теперь ему нечего было терять.

— Я приду завтра, — пообещала Алекс, думая о том, что хотела бы провести с ним и эту ночь. Но это было бы неразумно. После вчерашнего вечера им обоим казалось, что они по-прежнему женаты и принадлежат друг другу. Это могло только усложнить дальнейшую жизнь обоим. У Алекс был Брок, а Сэм отправлялся в места не столь отдаленные. Затягивать расставание не имело смысла.

Но во время разговора с ним Алекс все еще казалось, что они единое целое. Все старые связи были восстановлены в один момент, хотя допускать этого было нельзя. Завтрашний день, когда им придется разлучиться, возможно, навсегда, мог стать невыносимым для обоих. Сэм прекрасно это понимал и не просил ее прийти. Вчерашний вечер, когда они лежали в объятиях друг друга, напомнил ему о том, как сильно он любил свою жену. Ему хотелось защитить ее от переживаний — достаточно было того, что прощание и так получилось болезненным.

— До встречи в суде, — светским тоном сказал Сэм. Когда пришел Брок, все они, даже Кармен, все еще были очень расстроены. Аннабел уснула в слезах, несмотря на все мамины попытки успокоить ее. Алекс не хотелось ни есть, ни разговаривать.

— Господи, я вздохну с облегчением, когда все это кончится, — кислым голосом сказал Брок. Алекс раздражало его отношение к Сэму. Он был похож на человека, ожидающего казни соперника, и это было отвратительно.

— Я тоже. Я не думаю, чтобы кому-то нравилось происходящее, даже Сэму, — ответила Алекс
коротко. Почему он не может понять ее чувств? Теперь
ему нечего было бояться Сэма.

— Не забывай, что это он заварил всю эту
кашу, — заметил Брок.

— Я думаю, что это не совсем так. Не передер-
гиваешь ли ты факты?

— Ой, Алекс, перестань. Он мошенник, хоть и
твой муж. — После этих слов Алекс захотелось
прикрикнуть на него. Брок так боялся, что она уйдет к Сэму, что не мог дождаться дня, когда Сэм
сядет в тюрьму. Для него это было лучшим событием года, и временами Алекс ненавидела его за это.

В конце концов они поссорились, и Брок решил
снова не ночевать у нее, но перед самым его уходом
завязался новый спор — Брок не хотел, чтобы Алекс
шла в суд, чтобы услышать вынесение приговора.

— Я хочу быть с ним, когда ему зачитают приговор, — объясняла она Броку, как ребенку.

— Наверное, это то же самое, как отправиться
с человеком на гильотину, — с издевкой сказал он,
снова выводя ее из себя. — А если он не сядет,
Алекс? Он вернется в твою жизнь?

Эти слова выдали Брока — Алекс поняла, о чем
у него болело сердце.

— Почему ты меня постоянно пытаешься на чем-
то поймать? Все твои мысли заняты Сэмом. Откуда
я знаю, что произойдет?

— Ты все еще любишь его, — тоном обвинителя произнес Брок.

— Я люблю тебя, — попыталась урезонить его
Алекс, но он не желал ее слушать.

— Но ведь и его ты тоже любишь?

— Брок, прекрати! — заорала Алекс, уже не заботясь о том, что может разбудить Аннабел или Кармен. — Я люблю тебя. Ты был со мной, когда рядом не было никого. Ты вытащил меня. Без тебя я бы умерла. Разве этого тебе не достаточно? Неужели я должна уничтожить все свое прошлое только для того, чтобы доказать тебе, что я тебя люблю? Он отец моего ребенка. В свое время я вышла за него замуж. Да, он причинил мне боль, поэтому между нами все кончилось. А теперь он покидает меня. И я хочу сделать для него все, что смогу. Я не знаю, что произойдет, если его не посадят. Но это не имеет значения, потому что тюрьмы ему не избежать.

— Я могу тебе рассказать, что будет, если он останется на свободе, — мрачно произнес Брок. Алекс в отчаянии покачала головой. Это было отвратительно.

— Пытаясь выжечь из меня чувства к Сэму, ты разрушаешь наши с тобой отношения. Остановись, пока ты все не убил, Брок. Пожалуйста... не делай этого.

С этими словами Алекс расплакалась. Ей было жаль его, себя, Сэма, Аннабел, всех, кто пострадал, даже сестру Брока.

— Если его не посадят, я вернусь в Иллинойс.

Алекс удивленно подняла голову. Она впервые слышала об этом, и ее поразило, как он мучается, если ему приходят в голову подобные мысли.

— Почему?

— Потому что ты не моя. Ты принадлежишь ему, и я это знаю. Каким бы низким человеком он ни был, как бы больно он тебе ни сделал, ты все равно остаешься его женщиной. Я это нутром чувствую, — со слезами в голосе проговорил Брок. Алекс не могла с ним поспорить — он был прав. — Если он сядет в тюрьму, ты останешься одна. Ты будешь свободна. Но если его вдруг не осудят, я уеду домой, Алекс. Мне кажется, я уже к этому готов. Я покинул свой дом из-за своей сестры, но ты помогла мне залечить эту рану. Я всегда чувствовал себя отчасти виноватым в том, что она не довела до конца курс химии. Мне казалось, что я должен был ее заставить. Теперь я понимаю, что я ничего не мог изменить. Она сделала все так, как хотела.

Он стал вдруг умиротворенным и более зрелым, чем когда-либо. Расти всегда трудно, подумала Алекс. И очень больно.

— Ты спас мне жизнь, Брок, — очень просто сказала она.

— Ты бы выжила и без меня, потому что у тебя такой характер. Ты не из тех, кто сдается. Поэтому-то ты его до сих пор и любишь. Тебе просто не хочется уходить с дистанции, правда?

Алекс задумалась и поняла, что он прав. Но что касается химиотерапии и того, что она выжила, без Брока все кончилось бы неизвестно чем. Он помог ей продержаться.

— Я думаю, что ты все-таки сыграл свою роль, — сказала она, желая признать его заслуги.

— Приятно слышать, — ответил он с печальной улыбкой. — Я буду всегда тебя любить — ты это знаешь.

— Ты говоришь так, как будто я с тобой расстаюсь на двадцать лет, а не с Сэмом, — со слезами на глазах произнесла Алекс, и Брок пожал плечами.

— Может быть, нам и стоит расстаться, — грустно сказал Брок. Последние три месяца были для них обоих очень тяжелыми. Как ни странно, в тот момент, когда ей делали химиотерапию, все было гораздо проще.

— Не уходи, Брок. — У него все равно нет никаких шансов. Алекс пыталась его успокоить, но только сама расстраивалась.

— Даже если он сядет в тюрьму, ты все равно всегда будешь его любить.

— Ты прав, — призналась она, — буду. Но он — мое прошлое, а ты — мое будущее. Ты должен сам решить, можешь ли ты с этим смириться. Можешь ли ты жить со мной, зная, что я люблю не только тебя, но и своего бывшего мужа.

Брок кивнул, но промолчал. Когда за ним закрылась дверь, у Алекс возникло странное ощущение, что он не вернется, что он не в состоянии принять те отношения, которые сложились у нее с Сэмом, и ту любовь к нему, которую она вопреки всему сохранила. Брок хотел, чтобы она ненавидела Сэма, но она не могла. Ему претило, что у нее было прошлое, что она сохранила привязанность к человеку, с которым так долго жила. Но жизнь — не простая штука. В ней не бывает быстрых и легких побед. Выбор всегда труден, ситуации всегда сложны. У Алекс теперь не было выбора. Сэм покидал ее. А Брок мог вырасти и стать зрелым человеком, а мог и не вырасти. Либо он смирится с тем, что у нее есть прошлое — счастливое прошлое, либо расстанется с ней. Алекс всегда в глубине души сознавала, что разделявшие их десять лет разницы в возрасте — это своего рода пропасть, через которую нельзя перекинуть мост. Брок тоже это понимал. И теперь он, казалось, был готов уйти от нее. Даже думать об этом было грустно, но за последний год Алекс научилась принимать все как есть. И она знала, что, если так сложится, она сможет жить одна. Только терять сразу двоих мужчин, составлявших ее жизнь, было странно. Может быть, для нее пришло время жить ради самой себя.

Лежа в постели, Алекс пыталась думать о Броке и обо всем, что он для нее сделал, но в мыслях ее до самого утра был только Сэм, которому теперь были так нужны ее поддержка и сила. Сэм был, казалось, вплетен в ее душу, навечно став ее частью. И, признавшись себе в этом, Алекс почувствовала редкую умиротворенность. Ей не надо было бороться с собой или выжигать из своего сердца образ своего мужа — он давным-давно незаметно для нее стал ее неотъемлемой половиной.

Алекс встала в шесть часов и в семь уже была одета в черный костюм. Она не стала говорить Аннабел, куда идет, хотя Кармен это знала. За завтраком Алекс была очень серьезная и уехала в суд рано, чтобы оказаться там до появления Сэма. Ей хотелось поддержать его своим присутствием.

Когда она вошла, зал заседаний был полон. Алекс не стала садиться за адвокатский стол, хотя имела на это право. Среди юристов начинался невообразимый гвалт, потому что Саймон Бэрримор накануне сбежал из страны, плюнув на залог, и судья был в бешенстве. Но после того как судья вынес постановление об аресте Саймона, он смог заняться всеми остальными.

И опять сначала были зачитаны приговоры Ларри и Тому. Каждый был приговорен к десяти годам тюрьмы и штрафу в миллион долларов. Присутствовавшие в зале дружно вздохнули; журналисты, как и всегда, подняли шум и были предупреждены.

После нескольких сильных ударов молотка судья попросил встать Сэма, который держался очень серьезно и спокойно. Публика зашепталась. Все знали, что его случай несколько отличается от остальных. Он до самого конца настаивал на том, что не знал о махинациях своих партнеров, временно перестав обращать внимание на происходящее в фирме. Его частично оправдывала болезнь его жены; кроме того, он, попросту говоря, проявил невероятную глупость. О романе с Дафной и упоминать не стоило. Присяжные все это учли и сняли с него обвинения в растрате, признав, однако, виновным в мошенничестве и обмане.

Судья посмотрел на него долгим и тяжелым взглядом, а потом медленно и спокойно прочитал Сэму приговор.

— Сэмюел Ливингстон Паркер, данной мне властью приговариваю вас к штрафу, который должен быть выплачен из ваших личных средств, размером в пятьсот тысяч долларов, а также к десяти годам тюремного заключения...

Толпа взревела, стоявшие в ложе прессы фоторепортеры дружно защелкали аппаратами, а судья прикрикнул на публику и снова ударил по столу молотком. Сэм на одно мгновение прикрыл глаза, а Алекс почувствовала тошноту, как будто все еще продолжалась ее химиотерапия.

— ...к десяти годам тюремного заключения, — продолжал судья, бросив яростный взгляд на публику и переведя глаза на Сэма, — условно, начиная с сегодняшнего дня. Суд рекомендует вам найти какую-нибудь другую сферу деятельности, мистер Паркер. Хоть живодерню, если вам угодно. Но от инвестиционного бизнеса и Уолл-стрит держитесь подальше.

Сэм смотрел на судью, открыв рот, как и все слышавшие приговор. На мгновение воцарилась полная тишина. Десять лет условно. Сэм был свободен —

или почти свободен. Алекс не в состоянии была в это поверить.

И секундой позже в зале суда началось столпотворение. Ларри и Тома увели, адвокаты пожимали друг другу руки, Сэм стоял как в полусне, пока суд объявил перерыв, окруженный фоторепортерами из всех газет страны. Алекс не могла пробиться к нему в течение двадцати минут, разглядывая его издалека в полном изумлении. Филип Смит сделал невозможное, так же, как и судья, а за условность наказания, как выяснилось, проголосовали все присяжные. Они поняли, что Сэм был просто дурак, а не преступник, и что нет никакого смысла сажать его в тюрьму. Алекс вдруг вспомнила о чеке на пятьсот тысяч, который она отказалась брать два дня назад. Похоже, он ему очень пригодится.

Она решила подождать Сэма и сопровождавших его юристов в коридоре. Когда они наконец вышли, Алекс поздравила Филипа Смита и других членов его команды, а потом внезапно обнаружила, что смотрит на Сэма, смущенно улыбавшегося ей.

— Какой сюрприз, ты не находишь? — сказал он, все еще ошеломленный случившимся.

— Я чуть не упала, когда услышала, — призналась Алекс. — А я-то думала, тебя засадят так засадят.

Сэм рассмеялся, чувствуя себя обновленным — совсем как она, когда кончилась химиотерапия.

— Бедная Аннабел... Все, что мы ей наговорили, оказалось ни к чему... Слушай, давай вместе заберем ее из садика, — сказал Сэм, а потом вдруг как-то странно посмотрел на Алекс и тихо, чтобы никто не услышал, добавил: — Пойдем поговорим.

— В гостинице? — прошептала она ему на ухо, и Сэм кивнул.

— Я жду тебя там через полчаса, — сказал он и вслед за Филипом Смитом вышел из здания суда.

Алекс подумала о том, что надо бы позвонить Броку, но она не представляла, что ему сказать. Он предсказывал, что Сэма не посадят и это повлечет за собой вполне определенные трудности. Алекс поняла, что больше не в состоянии его утешать. Хуже того — она не была уверена в своих чувствах. Прошлой ночью она о многом передумала, да и Брок, как она подозревала, тоже. После их расставания он ей не звонил.

Сэм неожиданно, без всякого предупреждения, вернулся в ее жизнь. Это заставило ее еще раз пережить в сознании тот вечер, который они два дня назад провели в объятиях друг друга, и пробужденные им воспоминания. Алекс больше ничего не понимала. Она знала, что любит Сэма, но может ли она ему доверять? Если с ней снова что-нибудь случится, будет ли он рядом или опять предаст ее? Что такое его обещания — правда или самообман? И что делать с Броком? Чем она ему обязана, что она от него хочет? Сейчас, впрочем, дело было не в Броке. Дело было в Сэме со всеми его сильными местами и ошибками. Дело было в них и в их будущем. Оба понимали, что в жизни не существует никаких гарантий — только обещания, желания и мечты, и страшная боль, когда эти мечты разбиваются.

Когда она села в такси, чтобы ехать в «Карлайл», она поняла, что голова у нее кружится. Сэм нетерпеливо ждал ее на улице, меряя шагами площадку перед подъездом. Швейцар открыл перед ней дверь, и, войдя в гостиницу, Алекс посмотрела на Сэма и поняла, что Брок прав. Они любили друг друга. Это было очень просто.

Сэм на некоторое время забыл правила игры, а она не забывала. К лучшему или худшему... Но все, что было между ними, осталось нетронутым, несмотря на то что Сэм разбил ей сердце. Алекс очень бы хотелось сказать Броку, что он не прав. Ей хотелось быть выше, чем все происходящее, измениться, стать современной и очень сильной. Но она не могла. Она была простой и преданной женщиной, которая все еще любила своего мужа.

— Здравствуй, Сэм, — ласково сказала она. Сэм взял ее за руку и повел за собой. Его все еще трясло — он не мог отойти от того, что произошло в суде. Это фантастическое везение сокрушило его.

— Ничего, если я приглашу тебя подняться? — вежливо спросил он. Алекс с улыбкой кивнула. Они прошли через вращающуюся дверь в вестибюль.

— Ничего, — тихо ответила она. Итак, они начинали сначала. Это значило, что им удалось остаться друзьями, несмотря на то что Сэм причинил ей такую боль. Но Алекс не была уверена в том, что когда-нибудь не повторится все то же самое. Предсказать будущее не мог никто.

В лифте Алекс встала совсем рядом с ним, спрашивая себя, что сейчас будет, когда они склеят кусочки своей жизни и забудут то, что произошло, что они скажут Аннабел и как она развяжется с Броком. Она думала, что разговор с ним будет трудным, не зная, что Брок, услышав о приговоре из новостей, паковал чемоданы. Они попрощались накануне, хотя никто из них тогда не осознавал, что это произошло.

Но когда они поднялись на восьмой этаж и Сэм повернулся, чтобы посмотреть на нее, все ее беспокойство улетучилось. Он вынул ключ и долго на него смотрел; потом он перевел глаза на Алекс, и она улыбнулась. В этой улыбке было все: печаль, истина, знание, мудрость. Они так многому научили друг друга. Стольким тяжелым урокам. И Брок был прав — несмотря ни на что, Сэм по-прежнему оставался ее мужем.

Сэм повернул ключ в замке и тихонько приоткрыл дверь. Взяв Алекс на руки, он перешагнул через порог. При этом Сэм вопросительно посмотрел на свою жену, словно спрашивая, хочет ли она этого. Алекс согласно кивнула. Им — каждому из них — был дан второй шанс. Редкий, редчайший дар в жизни любого. Настало время хвататься за него и начинать все сначала. И когда он внес ее в комнату, Алекс улыбнулась ему и осторожно прикрыла за ними дверь.

Литературно-художественное издание

Стил Даниэла

Удар молнии

Художественный редактор О. Н. Адаскина
Компьютерный дизайн: Н. В. Пашкова
Технический редактор Т. Н. Шарикова

Подписано в печать с готовых диапозитивов 31.08.99. Формат
84×108¹/₃₂. Печать высокая с ФПФ. Бумага типографская.
Усл. печ. л. 25,20. Доп. тираж 5000 экз. Заказ 3503.

Налоговая льгота — общероссийский классификатор продукции
ОК-00-93, том 2; 953000 — книги, брошюры

Гигиенический сертификат
№ 77.ЦС.01.952.П.01659.Т.98. от 01.09.98 г.

ООО "Фирма "Издательство АСТ"
Лицензия ЛР № 066236 от 22.12.98.
366720, РФ, Республика Ингушетия,
г. Назрань, ул. Московская, 13а
Наши электронные адреса:
WWW.AST.RU
E-mail: AST PUB@AHA.RU

При участии ООО «Харвест». Лицензия ЛВ № 32 от 27.08.97.
220013, Минск, ул. Я. Коласа, 35-305.

Ордена Трудового Красного Знамени полиграфкомбинат
ППП им. Я. Коласа. 220005, Минск, ул. Красная, 23.